Argraffiad Cyntaf — Ebrill 1998

© Gwasg Gwynedd / Sian Lewis 1998

ISBN 0 86074 139 7

*Cyhoeddwyd ac Argraffwyd
gan Wasg Gwynedd, Caernarfon*

Cynnwys

Diolch

Ymddangosodd yr ysgrifau hyn gyntaf yn *Y Cymro* rhwng Mawrth 1967 a Mai 1970 ac yr ydym yn ddiolchgar iawn i'r golygydd presennol, Glyn Evans, a'r cyn-olygydd, Llion Griffiths, am ganiatáu i ni gyhoeddi'r deunydd ar ffurf llyfr. Pam 'cyn-olygydd'? Wel, mae'r llyfr ar y gweill er 1988 pryd y cydsyniodd y diweddar Athro Bedwyr Lewis Jones i olygu'r testun. Gwaetha'r modd, bu farw Bedwyr cyn cwblhau'r bennod hwyaf, sef 'Y Llannau' ac yr ydym yn ddiolchgar i Tomos Roberts am fwrw golwg dros y bennod honno. Diolchwn hefyd i Tegwyn Jones am ei gymorth gyda'r Mynegai ac am daro llygad ar y proflenni. Yn olaf, hoffem ddiolch i J. Elwyn Hughes am ei ddiddordeb a'i gefnogaeth: yn wir, ar ei anogaeth ef yr aed ynglŷn â'r llyfr yn y lle cyntaf.

Y CYHOEDDWYR

Hen Lwythau a Hen Benaethiaid

Mae olrhain hanes enwau lleoedd yn taflu ffrwd o oleuni ar y modd y byddai'n cyndadau yn byw, a sut y meddylient am y byd gweledig o'u cwmpas. Mewn cyfnod cynnar mae'n naturiol bod pobloedd yn tueddu i roi eu henwau eu hunain ar y gwledydd yr oeddynt yn byw ynddynt. Yn wir, yn aml iawn daeth enw'r bobl yn enw cyfleus ar y wlad — y wlad oedd y bobl, a'r bobl oedd y wlad, megis. Gwelir hyn yn glir iawn yn enw'n gwlad ni. Gynt yr oedd *Cymry* yn golygu'r wlad a'r bobl, ond daeth y camsillafiad *Cymru* yn ddiweddarach yn ddefnyddiol i olygu'r wlad ac felly osgoi amwysedd. Gwelir yr un cymysgu yn y gair *tud*, sydd yn amrywio o ran ystyr rhwng 'gwlad' a 'pobl'.

Pan edrychwn ar yr enwau hynaf sydd gennym am y darnau gwlad sydd yn cyfansoddi'r hyn a alwn ni'n Gymru fe welwn enwau llwythau yn amlwg iawn. Mae'n bur debyg fod *Gwynedd* yn golygu'n wreiddiol 'gwlad neu bobl y Venii', sef y llwyth y ceir ei enw hefyd yn Iwerddon, y *Feni*. Rhaid fod *Powys* yn mynd yn ôl i enw llwythol fel Pagenses, 'gwŷr y *pagus*', Cymraeg *pau*.

Ni allwn edrych ar fap Cymru yn oes y Rhufeiniaid heb sylwi mai enw'r llwyth a drigai yn y de-orllewin oedd *Demetae*, a rhaid inni dderbyn mai ffurf ddiweddarach ar yr enw hwn yw *Dyfed*. Tebyg fod atgof am lwyth o Wyddyl hefyd yn enw *Llŷn*, gynt *Lleyn*, sef yr hen *Lageni* y gwelir eu hôl yn *Leinster* yn Iwerddon. Ystyr y gair *gwent* yw 'maes, marchnadle', a defnyddid ef i ddisgrifio canolfan llwyth y Siluriaid yn y de-ddwyrain, sef *Venta Silurum*. Dyma *Gaer-went,* a daeth *Gwent* yn ddiweddarach yn enw ar ran o'r tir a gynhwyswyd wedyn yn Sir Fynwy.

Ar wahân i'r enwau uchod sydd yn cynnwys neu yn awgrymu enw llwyth, gellid hefyd ychwanegu terfyniad megis -*wy* at enw'r llwyth a chael enw hwylus ar y darn gwlad y preswyliai ynddi. Un felly yw *Ardudwy*, sy'n cynnwys yr enw *Ardud*. Un arall yw *Degannwy*. Enw'r llwyth oedd *Decantae* ac enw eu caer oedd *arx Decantorum*. Wrth i'r Gymraeg ddatblygu cafwyd yr enw *Dygant*, a thrwy ychwanegu -*wy* at hwn llwyddwyd i greu enw defnyddiol fel *Degannwy*, hen ddinas Maelgwn Gwynedd.

Enghraifft arall o ddefnyddio -*wy* i ddynodi llwyth yw'r enw *Daethwy*. *Porth Ddaethwy* oedd yr enw a roid ar eu porth neu eu fferi drosodd i Arfon, ac yn naturiol ddigon newidiodd yr enw hwn nes cael *Porthaethwy*. Hawdd wedyn fyddai camrannu hwn a thybio mai *Aethwy* oedd enw'r bobl a drigai gynt yn ne-ddwyrain Môn. Mae'n bosibl mai canolfan y llwyth oedd Dinas, ger Plas Cadnant ym mhlwyf Llandysilio. Pan sefydlwyd yr ardaloedd iechyd yn 1872 a'r dosbarthiadau gwledig yn 1894 dewisodd Sir Fôn yr enw ffug *Aethwy* yn deitl ar yr ardal sydd yn cynrychioli i raddau'r hen raniadau Dindaethwy a Menai.

Gwelir yr enw cywir yn *Dindaethwy*, neu 'caer pobl Daethwy', a ddaeth yn enw ar y cwmwd erbyn yr Oesoedd Canol. O gofio am bwysigrwydd Porthaethwy gynt, prin y gall neb ohonom ddygymod â 'Menai Bridge', er inni gydnabod hwylused y bont. Os collwn bob cysylltiad â Phorthaethwy neu â'r Borth, fe gollwn ddarn ohonom ein hunain.

Enw'r llwyth arall oedd yn byw yn y cyffiniau hyn oedd *Silwy*, ac yr oedd ganddynt eu canolfan neu eu hamddiffynfa, sef *Dinsilwy*. Enw diweddarach ar y bryn lle saif y gaer yw Bwrdd Arthur. Pan sefydlwyd eglwys ger yr amddiffynfa hon galwyd hi'n *Llanfihangel Dinsilwy* er mwyn ei gwahaniaethu hi oddi wrth yr holl eglwysi eraill a gyflwynid i Fihangel.

Y mae'n bryd inni droi at gyfres arall o enwau sydd, o bosibl, yn fwy diddorol byth, sef y ffurfiau lle yr ychwanegir terfyniad at enw rhyw bennaeth neu frenin neu dywysog er mwyn llunio enw ar y wlad a reolid ganddo ef neu ei ddisgynyddion. Byddai 'ôl-ddodiaid tiriogaethol' yn enw iawn am y terfyniadau hyn.

Yn wreiddiol, mae'n debyg, defnyddid terfyniad fel *-in* neu *-ing* i olygu rhywbeth fel 'disgynyddion, pobl' megis yn Cadelling, 'gwŷr Cadell' neu Cynferching, 'pobl Cynfarch'. Ond daeth yn arwydd o'r wlad hefyd, a dyna a welir yn yr enw *Glywysing* yn y Deheudir am y wlad a ymestynnai o Dawe hyd Wysg. Yr oedd y brenin Glywys yn byw yn y bumed ganrif, ac ef oedd tad Gwynllyw a thaid Cadog. Enw hynafol arall o'r un teip yw *Brycheiniog* am y tir a berchenogid gan Frychan.

Un o'r enwau mwyaf adnabyddus sy'n cynnwys y terfyniad *-ion* yw *Ceredigion*, ac nid rhaid wrth lygad barcud i sylwi mai gwlad Ceredig yw hon, y Ceredig hwnnw y dywedir iddo ennill ei dir wedi'r cyrch gan feibion a gwŷr Cunedda yn erbyn y Gwyddyl yng Nghymru.

I orffen y rhestr o'r hen 'wledydd' yma gallwn sôn am y terfyniad *-wg*. Hwn a welir ym *Morgannwg*, ond bod peth petruster yma pa un o'r ddau frenin Morgan a goffeir, ai Morgan ab Athrwys a reolai yn yr wythfed ganrif, ai Morgan Hen yn y ddegfed. Enw na oroesodd yw *Seisyllwg*. Y brenin Seisyll a ychwanegodd Ystrad Tywi at Geredigion o gwmpas y flwyddyn 730, a'r enw hwn, 'gwlad Seisyll', a arferid am y deyrnas newydd tra parhaodd.

Gallwn droi yn awr oddi wrth 'wledydd' a thaleithiau at unedau llai, megis cantrefi a chymydau, lle y gwelir defnyddio'r ôl-ddodiaid tiriogaethol ynglŷn ag enw personol i ddynodi 'tir hwn-a-hwn'. Os dechreuwn gyda'r terfyniad -*i* cawn fod *Arwystli* ym Mhowys yn golygu 'tir Arwystl'. Yr un gair yw hwn yn y pen draw ag Airgialla yn Iwerddon ac Argyll yn yr Alban. Bu llawer o ddyfalu gwag ar ystyr cwmwd ac arglwyddiaeth *Cedweli* (Cydweli) yn Neheubarth. Yn nyddiau'r hynafiaethydd John Leland tybid mai 'gwely'r gath' oedd hwn ac yn ddiweddarach tyfodd rhyw syniad poblogaidd am gydwely'r ddwy afon, Gwendraeth Fawr a Gwendraeth Fechan. Ond gallwn bellach dderbyn yn reit hyderus mai'r dehongliad gorau a chywiraf yw 'tir Cadwal'. A chyda llaw, gadewch inni ddal i erfyn am ddileu'r enw hyll 'Kidwelly'!

Tybiaf y dylid trin *Ceri* yn Nhrefaldwyn fel hyn hefyd. Ped ychwanegid -*i* at yr enw personol *Câr* fe geid *Ceri* yn ddidrafferth, sef 'tir Câr'. Cynhwysai'r cwmwd ddau blwyf, Ceri a Mochdre, ac enw eglwys y plwyf cyntaf oedd Llanfihangel-yng-Ngheri. Trueni bod y sillebiad sâl 'Kerry' yn dal i boeni'n llygaid ni.

Terfyniad arall a geir yn enwau cymydau a chantrefi yw -*iog* (gynt -*iawg*). Dechreuwn gydag *Anhuniog* yng Ngheredigion. Nid oes amheuaeth nad 'tir Annun' yw hwn, ac o bosibl cyfeiriad sydd yma at Annun fab Ceredig. Wedi anghofio am Annun, fe lurguniwyd yr enw yn Harminiog a Haminiog.

Yn y Cantref Mawr yn Sir Gaerfyrddin yr oedd cwmwd *Cetheiniog*. Yr unig enw sy'n ffitio hwn yw *Cathen, Cathan*, a gellir cymharu enw'r sant yn Llangathen.

Buwyd yn tybio mai enw personol ynddo ei hun oedd *Cyfeiliog*, ond gwell gennyf gredu bod hwn hefyd yn cynnwys -*iog*, ac mai ystyr yr enw yw 'tir Cyfael neu Cyfail'.

Enw sydd wedi peri cryn drafferth ar hyd y canrifoedd yw *Gwynllŵg*. Mab i'r brenin Glywys oedd Gwynllyw, ac etifeddodd ran o hen frenhiniaeth Glywysing. Yn ôl yr arfer gelwid ei ran ef *Gwynllywiog*, 'gwlad Gwynllyw'. Yr oedd hi'n ormod o demtasiwn mewn oes ddiweddarach i gamsillebu'r enw hwn. Tybiai rhai fod a fynno ef â *gwaun*, a cheid *Gwaunllŵg*; tybiai eraill yn sicr fod yma atgof am Gwent, a gwelir yr enw'n ymrithio yn y ffurf *Wentloog*. Cyflwynwyd eglwys i Wynllyw yng Nghasnewydd, ond aeth enw honno yn St. Woolos.

Yn nhiriogaeth Dyfed yr oedd *Pebidiog*, sef 'tir Pebid'. Enw arall ar y cwmwd hwn, o achos ei fod ym meddiant Esgob Tyddewi, oedd *Dew(i)sland*. Yn y De hefyd, yn y Cantref Gwarthaf, yr oedd *Peuliniog*, sef 'tir Peulin'. Daw *Rhufoniog* yng Nghlwyd â ni yn ôl at stori Cunedda unwaith eto, a'i hatgof am Rufon fab Cunedda.

Yr un traddodiad am feibion Cunedda sydd y tu ôl i enwau dau gantref neu gwmwd yn cynnwys y terfyniad *-ing*, sef *Dogfeiling*, hen enw cantref Dyffryn Clwyd, yn golygu 'tir Dogfael', a *Dunoding*, 'tir Dunawd'. Ni oroesodd yr enw *Dunoding* a chymerwyd ei le gan enwau'r ddau gwmwd *Eifionydd* ac *Ardudwy*.

Gwelsom y terfyniad *-ion* yn enw gwlad *Ceredigion*. Fe'i defnyddid hefyd yn enw *Afloegion*, un o gymydau Llŷn. Tebyg iddo gael ei enw oddi wrth Afloeg, un arall o wŷr Cunedda. Ond erbyn yr Oesoedd Canol anghofiesid am hyn a gwelir ffurfiau fel *Gaflogion*, fel petai rhywun wedi meddwl am y gair *gafl*. Pan ddaeth Saeson i nodi'r enw hwn yn eu cofnodion swyddogol tybient mai *Cafflogion* a glywent a chaledu'r *g* a'r *f* yn ôl eu harfer.

Mae'n bur debyg fod *Carnwyllion* yn Ystrad Tywi yn mynd yn ôl i ryw ffurf fel Carnewyll neu Cornowyll, pwy bynnag oedd hwnnw.

Mae tipyn o amheuaeth a phetruster yn perthyn i enw un o gymydau Dyffryn Clwyd, sef *Colion* neu *Coelion*. Ni fynnwn wneud dim ond awgrymu, efallai, mai 'gwlad

Coel' oedd hwn, gan fod rhai o'r hen achau yn honni bod Coel yn fab i Gunedda.

Rhaid inni gydnabod mai 'gwlad Edern' oedd *Edeirnion*, a dyma un arall o deulu Cunedda. Ffurf yr enw hwn mewn Cymraeg Canol oedd *Edeyrnion*, a diau mai hyn, a'r dyb anghywir fod a fynno'r enw â'r gair *teyrn*, sydd wedi achosi parhad y ffurf Edeyrnion. Ond yn siŵr i chi, *Edeirnion* yw'r ffurf gywir.

Hen frenin yn amser Cadog ar ran o Wynllŵg oedd Edelig. Ei enw ef a gedwir yn enw'r cwmwd *Edeligion*, ond mai *Edlogan* yw'r ffurf a geir fynychaf mewn dogfennau diweddarach. Gŵr enwocach na hwn oedd Gwrtheyrn, a'i wlad ef o bosibl oedd cwmwd *Gwrtheyrnion* yn hen dalaith Rhwng Gwy a Hafren. Ffurf fratiog ar yr enw hwn a welir amlaf, sef *Gwerthrynion*.

Yr olaf o'r ffurfiau yn *-ion* yw *Osfeilion* neu *Ysweilion* ym Môn. Sylfaen hon yw Osfael, un arall o feibion Cunedda, ond yr unig beth a wyddom amdano yw bod ei enw yn digwydd yn y ffurf *Maes Osfeilion*. Mae rhai wedi awgrymu mai'r un *maes* a geir yn enw eglwys Llanfaes, ond ofnaf mai dyfalu yw hyn nes cael gwybodaeth sicrach.

Cawsom eisoes ffurfiau yn *-wg* am yr hen wledydd, megis *Morgannwg*. Gwelir un arall yn enw ardal yn Sir Fynwy, ger Llanwarw neu Wonastow. *Gwerthefyriwg* yw hwn, a'r cynsail amlwg yw Gwerthefyr, ond tebyg mai doeth fyddai petruso cyn ei gysylltu'n derfynol â Gwerthefyr fab Gwrtheyrn. Ar lafar yr ardal hon y ffurf bellach yw *Worthybrook*, fel petai rhywun wedi ceisio esbonio hen enw anghofiedig yn nhermau Saesneg.

Ceir rhes hir o gymydau a chantrefi sy'n cynnwys y terfyniad *-ydd*. Yr oedd *Eifionydd* gynt yn gwmwd yng nghantref *Dunoding*, ac unwaith eto rhaid inni dderbyn, mae'n debyg, mai'r gwŷr a goffeir yn yr enwau hyn yw Eifion fab Dunod fab Cunedda. Weithiau digwydd y ffurf

Eiddionydd, ond ni raid inni ddychryn rhag hon gan fod *dd* ac *f* yn seiniau tebyg iawn i'w gilydd ac yn tueddu i gael eu cymysgu ar lafar gwlad, fel y mae *tyfu* a *tyddu,* *plwyf* a *plwydd* yn dangos. Enw gwreiddiol un o hen gymydau Morgannwg oedd *Gwrinydd.* Ni wyddom pwy oedd y Gwrin hwn, ond yr oedd yr enw'n adnabyddus, os cofiwn fod *Llanwrin* ar gael yn Sir Drefaldwyn. Yn ddiweddarach anghofiwyd beth oedd Gwrinydd a lluniwyd ffurfiau newydd megis *Gorfynydd, Gorwennydd* a *Gronedd.* Yr oedd gan bob cwmwd ei lys lle yr oedd canolfan y pennaeth lleol, ac felly galwyd llys Gwrinydd yn *Llyswrinydd.* Ond byr yw cof dynion a phan anghofiwyd cysylltiad y llys â Gwrinydd dechreuwyd llurgunio'r enw ar lafar a chael rhyw esboniadau ffansïol fel *Llysybronnydd,* ac yn y blaen. Y ffurf bellach yw *Llyswyrny* neu *Llysworney.*

Cwmwd nid anenwog yng Ngheredigion oedd *Gwynionydd,* a rhaid mai cychwyn hwn oedd gŵr o'r enw Gwynion. Tueddid i seinio'r enw fel *Gwnionydd.* Rhaid mai rhyw enw personol tebyg i Mafan a oedd yn sail i enw cwmwd *Mefenydd* yn yr un fro. Dyfelir hefyd am hen gwmwd ac arglwyddiaeth yng Ngwent, sef *Lebenet* a *Lebenith,* mai ei ffurf wreiddiol oedd *Llebenydd,* a bod yn rhaid tybio cynsail fel Lleban neu rywbeth tebyg.

Yn wreiddiol enw ar gantref oedd *Meirionydd,* 'tir Meirion', ond wedi Statud Rhuddlan yn 1284 derbyn-iwyd hwn yn y ffurf *Merioneth* i ddisgrifio sir newydd. Yn ôl y traddodiad yr oedd Meirion yn fab i Dybion fab Cunedda, ac â hyn â ni yn ôl i'r bumed ganrif. Yn unol â'r hyn sydd yn digwydd yn aml i *n* sengl yn y safle hon, cafwyd ffurf fel *Meirionnydd* â dwy *n* yn weddol gynnar.

Gallwn orffen â'r cymydau a'r cantrefi trwy gyfeirio at *Senghennydd* ym Morgannwg. Mae enw'r cwmwd hwn wedi goroesi yn enw pentref ym mhlwyf Eglwysilan. Yma eto ymddengys bod yn rhaid inni feddwl am enw personol yn cynnwys y gwreiddyn *sang-*, megis yn *sangu* neu *sengi*, ac awgrymu rhyw ffurf debyg i Sangan.

Pan ddaeth ein hynafiaid gyntaf i enwi eu cyfanheddau tueddent i ddefnyddio hen air megis *tref* i ddynodi eu trigfan a phrif breswylfa'r teulu. Nid oedd tref gynt yn golygu fawr mwy na fferm wedi ei chreu o'r anialwch a'r diffaith wedi clirio'r coed a dechrau diwyllio'r tir garw. Cawn syniad go dda am hynt y cyfanheddwyr cynnar hyn o gofio am y modd y bu i'r ymfudwyr cyntaf i Ogledd America arloesi'r tir.

Daeth rhai o'r 'trefi' hyn yn bwysicach na'i gilydd am fod y tir yn ffafriol neu am fod teulu arbennig yn flaengar ac yn ddawnus. Ac erbyn y cyfnod y mae gennym ryw gymaint o dystiolaeth amdano fe welir bod y rhan fwyaf o Gymru wedi ymffurfio'n drefi a'r rhain o fewn y cymydau a'r cantrefi yn ganolfannau math o lywodraeth leol.

Mae'r gair *tref* erbyn y cyfnod canol wedi dod yn derm technegol cyfreithiol am ddarn adnabyddus o dir o gwmpas cartref arbennig. Yn yr ystyr hon mae'n cyfateb i 'villa' yn Lladin, ac i 'vill' a 'township' yn Saesneg. Yn ddiweddarach wedyn fe welir bod yr enw am ganolfan y 'dref' yn dod yn enw ar gartref uchelwr. Nid cyd-ddigwyddiad mo hyn, ac y mae datblygiad y trefi yn allweddol i lawer pwnc dyrys yn hanes lleol y gwahanol ardaloedd. Yr ystyr ddiweddaraf oll i'r gair *tref* wrth reswm yw ei ddefnyddio i gyfateb i 'town' yn Saesneg.

Y trefi y carwn gyfeirio atynt yn awr, fodd bynnag, yw'r rheini sy'n cynnwys enw personol a therfyniad. Mae'r rhain yn perthyn i'r haen gynharaf o enwau cyfanheddol, mi gredaf, ac yn cyfateb i raddau helaeth i'r enwau ar wledydd, cantrefi a chymydau y soniwyd amdanynt eisoes. Ni ellir cyfeirio atynt i gyd ond dyma rai o'r enghreifftiau pwysicaf a diogelaf.

Diau fod *Lleweni*, tref ym mhlwyf Henllan, yn Nyffryn

Clwyd, wedi ei adeiladu ar yr enw Llawen a'i fod yn golygu 'tir Llawen'. Digwydd -iog yn ffurfiau rhai o'r hen drefi hyn. Cyfeirir yn gynnar at dref o'r enw *Conysiog* ym mhlwyf Llanfaelog, Môn. Blas Gwyddelig sydd ar yr enw Conws, enw gyda llaw a oedd yn ddigon adnabyddus yng Nghymru ar un adeg, ac efallai bod 'tir Conws' yn atgof am y Gwyddyl a deyrnasai ym Môn gynt. Anghofiwyd yr hen enw, ac os edrychwch ar y mapiau heddiw fe welwch y ffurf *Pencaernisiog*, sy'n dangos bod rhywrai wedi ceisio cysylltu'r enw â *caer*. Nid wyf yn siŵr eto beth a ellir ei wneud â *Gelleiniog*, *Celleiniog* ym mhlwyf Llangeinwen. Tueddaf yn gryf at yr enw Gellan yn wreiddyn i'r dref hon, ac ni allaf ond crybwyll y gŵr y mae sôn amdano yn Hanes Gruffudd ap Cynan yn ymladd ym mrwydr Aberlleiniog, sef Gellan, telynor a phencerdd.

Nid ydys yn rhy sicr beth yw tarddiad *Ffestiniog*. Gellid awgrymu bod yma enghraifft arall o'r terfyniad -iog ar ôl enw personol ac mai 'tir Ffestin' ydyw. Er na wyddys am neb yn dwyn yr enw hwnnw, mae'r esboniad 'tiriogaeth Ffestin' rywfaint yn fwy tebygol na meddwl am yr ansoddair Cymraeg *ffestin*, 'egnïol', a chymryd mai 'amddiffynfa' yw Ffestiniog.

Enw plas a thref ym mhlwyf Llanefydd yw *Myfoniog*. Er nad oes enghraifft arall o'r enw Myfawn, mae'n rhaid mai rhyw ffurf felly a roes fod i Myfoniog.

Yr enw mwyaf adnabyddus sy'n cynnwys y terfyniad -iog yw *Tudweiliog* yn Llŷn. 'Tir Tudwal' oedd hwn yn ddibetrus, a chan iddo ddod yn enw plwyf nid rhy fentrus yw inni ei gysylltu â Thudwal Sant a drigai yn y chweched ganrif. Ef hefyd a goffeir yn Ynysoedd Tudwal. Ofnaf fod yn rhaid ymwrthod â'r hen stori leol am y ci hwnnw a ddeuai pan alwai ei feistr arno, 'Tyd Weiliog'!

Mae'r terfyniad -ion yn bur gyffredin gydag enwau'r

hen drefi. Os dechreuwn gydag *Eleirnion* yn Llanaelhaearn gwelwn fod cysylltiad agos rhwng y llan a'r dref sifil, ac mai'r ffurf hynaf ar enw'r dref fyddai rhywbeth fel *Elheyeirnion*. Yr oedd gan Aelhaearn neu Elhaearn, felly, gyfannedd eglwysig a lleyg o fewn yr un plwyf. Down yn ôl eto at y math hwn o gyfochredd.

Yn *Esgeibion*, neu *Sgeibion*, ym mhlwyf Llanynys, Dyffryn Clwyd, cawn un o'r enghreifftiau prin o ychwanegu terfyniad tiriogaethol at swydd neu alwedigaeth, a gwyddom fod y 'tir esgob' hwn ym meddiant Esgob Bangor gynt. Gellir cymharu *Menechi* ger Dinbych-y-pysgod a Llandaf, sef 'tir y mynaich'. Yn *Ffynogion* yn Llanfair Dyffryn Clwyd gellid meddwl am 'dir Ffynnog neu Ffonnog'. Enw prin iawn yw Llefyr, ond rhaid mai hwn sydd yn enw tref a ddiflannodd erbyn hyn, sef *Rhoslefyrion* ym mhlwyf Llan-rhudd ger Rhuthun. Gellid mentro hefyd, mae'n bosibl, gyda *Myfyrian* ym Môn. Mae rhyw gymaint o dystiolaeth i'r ffurf *Myfyrion* a dyma ni'n cael enw gŵr, sef Myfyr. Gellir cymharu Llanfihangel Glyn Myfyr.

Mae rhyw dri neu bedwar o enwau trefi neu ardaloedd yn diweddu yn -*ydd*. Un o'r rhain, efallai, yw *Cirionnydd* yn Llŷn. Yn sicr y mae *Cristionydd* ym mhlwyf Rhiwabon — Pentre Cristionydd, Cristionydd Cynrig, Cristionydd Fechan — yn dynodi 'tir Cristion'. Un enghraifft i orffen yw trefgordd ym mhlwyf Llandinam, sef *Deddenydd* neu *Dyddienydd*. Nid oes sicrwydd hollol pa enw sy'n gynsail i hwn, ond y peth tebycaf yw rhywbeth fel Dyddien.

Cymydau a Chantrefi

Trown yn y bennod hon at enwau'r cymydau a'r cantrefi hynny nad ydynt wedi eu seilio ar enw personol ynghyd ag ôl-ddodiad, a dechrau yn y Gogledd.

MÔN

Ym Môn cawn fod chwe chwmwd hynafol wedi eu dosbarthu dan dri chantref. Cynhwysai cantref Cemais ddau gwmwd, Talybolion a Thwrcelyn.

Mae *Cemais* ei hun yn bur ddiddorol gan ei fod yn ffurf ar yr enw cyffredin *camas* sy'n golygu tro neu ystum mewn afon neu gainc o fôr. Mae natur gilfachog arfordir gogledd Môn yn hysbys, a diau fod Cemais yno, canolfan hen benaethiaid yr ardal, yn cyfeirio at eu porthladd enwog, sef Porth Wygyr. Felly hefyd gyda chantref Cemais yn Nyfed: mae'r môr wedi bod yn ddiwyd iawn yn torri i mewn i'r tir a ffurfio cilfachau. Afonydd a ddisgrifir gan enwau Cemais, Trefaldwyn a Mynwy — Dyfi ar y naill law ac Wysg ar y llaw arall — yn ymddolennu ac yn ymdroelli trwy'r dyffryn ar eu ffordd i'r môr. Dylid pwysleisio, efallai, fod Cemais yn ymddangos mewn hen ddogfennau yn y ffurf *Kemeys*, a hon sydd wedi goroesi ym Mynwy. Ond nid oes a fynno'r gair *maes* â'r enw o gwbl, a dylid ymwadu'n llwyr â sillafiad fel *Cemaes*.

Rhaid derbyn *Twrcelyn* fel y mae, a bodloni ar ei esbonio'n syml, sef 'twr' gyda'r enw personol 'Celyn'. Ni wyddys dim bellach am yr amgylchiadau a barodd roi'r fath enw ar y cwmwd. Cyd-drawiad yw bod enw fel *Twrllachiad* yn y cwmwd: mae blas Gwyddelig ar hwn, tebyg i'r gair neu'r enw *Turlach*. Nid oes chwaith unrhyw dystiolaeth mai Tŵr Cuhelyn oedd Twrcelyn yn wreiddiol, er bod yr enw Cuhelyn yn hysbys ym Môn. Llys y pennaeth lleol oedd Dinllugwy.

Anfarwolwyd enw cwmwd *Talybolion* gan y stori am Fatholwch brenin Iwerddon yn sorri wrth y Cymry ar ôl iddo briodi â Branwen a hwythau yn gorfod rhoi meirch ac ebolion iddo yn dâl am ei sarhau. Yn ôl awdur y Mabinogi dyna sut y cafwyd enw *Tâl Ebolion*. Ond er mor ddeniadol yw'r stori hon rhaid ei gwrthod yn ei chrynswth a mynd ar ôl ystyr geiriau fel *bol, cest* a *rhumen*. Cyfystyron yw'r rhain, fwy neu lai, a gallant olygu dau beth hollol wrthwyneb i'w gilydd, sef ceudod neu bant, a chŵydd neu godiad. Mae'r cwbl yn dibynnu ar y modd yr edrychir arnynt. Ai'r un yw *Rhos-y-bol* (Môn) a *Rhos y Rhumen* (Llanuwchllyn a Llanllyfni) a *Bolros* (Swydd Henffordd), rhosydd y pantiau neu'r bryniau? Codiad yw'r *Gest* ger Porthmadog, a chofiwn am *Foel y Gest*. Gallai Talybolion olygu pen y bryniau (gwrymiau) neu ben y pantiau.

Cantref *Rhosyr* y gelwid yr un a gynhwysai gymydau *Dindaethwy* a *Menai*. Yn Rhosyr, neu *Rosfeyr* fel yr oedd gynt, sef *rhos* a *Mair*, yr oedd hen ganolfan y fro, llys y penaethiaid, ac yma ar ôl y Goncwest y sefydlodd Edward y Cyntaf fwrdeisdref Seisnig newydd, y *Newborough*. Ar dafodau gwerin Môn buan yr aeth hwn yn *Niwbwrch*.

Cymer cwmwd *Menai* ei enw oddi wrth yr afon neu'r culfor. Nid eiddo Môn yn unig mo'r enw hwn. Fe'i ceir yn enw ar nentydd yng Ngheredigion a Mynwy a Meirionnydd, ac yn niffyg unrhyw wybodaeth sicr, rhaid bodloni ar un ystyr gyffredinol, sef 'ffrwd, llif'.

Prif gantref Môn oedd *Aberffraw*. Yn Aberffraw yr oedd y llys brenhinol. Yma y preswyliai disgynyddion Cunedda a Maelgwn Gwynedd, brenhinoedd fel Cadfan a Chadwallon a Chadwaladr. Yn Llangadwaladr, yr eglwys ger Aberffraw, a briodolir i Gadwaladr, yr oedd y garreg

goffa enwog i Catamanus, neu Gadfan. Aberffraw, gyda
Mathrafal ym Mhowys a Dinefwr yn Neheubarth, oedd
un o dair brenhinllys Cymru. Nid rhyfedd bod Llywelyn
Fawr wedi mynnu rhoi Aberffraw yn rhan o'i deitl
swyddogol. Onid oes sain balchder a gogoniant yn
'Tywysog Aberffraw ac Arglwydd Eryri'? Am yr enw
Ffraw ar yr afon sy'n cyrraedd y môr yn Aberffraw, ei ffurf
lawn oedd *Ffrawf,* a golygai hyn 'lifeiriant, ffrwd'. Yr un
enw a geir ar afon *Frome* yn Lloegr. Yr un ystyr, o bosibl,
sydd i'r enw *Llifon* ar un o gymydau Aberffraw, sef 'llif',
ond rhaid bod yn ofalus gan ei bod yn bosibl mai'r enw
cyffredin neu'r enw personol *lliw* sydd yma, o gofio mai
hen ffurf Llifon oedd *Lliwon,* gyda'r amrywiad cyffredin
rhwng -*w*- ac -*f*-.

Beth am y cwmwd arall, *Malltraeth?* Rhaid bod *mall*
yma yn ei ystyr gyffredin, sef 'pwdr, deifiol'. Ai am fod
y tir yn isel a dŵr yn tueddu i gronni ac aros yn llonydd
ac yn farw, nes bod pob math o darth annymunol yn codi
oddi wrtho? Cymharer y gair *malldan* am y goleuni neu'r
tân a achosir gan nwy yn codi oddi wrth gors.

Cyn gadael Môn bydd yn gyfleus inni sôn am rai o'i
hynysoedd. Yr un fwyaf yw *Ynys Gybi* neu *Holy Island,*
a cheir enw'r un sant wrth gwrs yng Nghaergybi. Yn y
gogledd y mae *Ynysoedd y Moelrhoniaid,* sef yr hen enw
am forloi. Ffurf arall ar enw hon yw *Ynys Adron,* sydd
fel petai'n cynnwys yr un elfen *rhon,* a hefyd *Rhonynys.*
Yr enw cyfatebol yn Lladin oedd *Insula Phocarum,* o
phoca, 'moelrhon'. Enwau Cymraeg eraill yw *Ynys
Dyniewaid y Môr* ac *Ynys Deiniol* (yn Saesneg *Saint
Daniel's Isle*) — am fod Esgob Bangor yn hawlio meddiant
yno. Yn ddiweddarach caed yr enw a roddwyd gan y
Llychlynwyr, sef *Skerries,* sef lluosog y gair Sgandinafaidd
sker, 'craig'. Mae gan yr ynys fach wrth gorn dwyreiniol
Môn bedwar enw o leiaf hefyd. Yr hen enw Cymraeg arni
oedd *Ynys Lannog* ac yn Lladin *Insula Glannawg.* Gelwid

hi hefyd yn *Ynys Seiriol.* Bu'r Llychlynwyr yma a'i galw
yn *Priestholm,* sef 'ynys yr offeiriad', am fod cell arni, ac
fe gofiwch ei chysylltiad agos â Phenmon. Enw
diweddarach o lawer yw *Puffin Island* y Saeson.

ARFON

Gallwn symud yn awr dros Fenai gan adael Porthaethwy
a glanio ger Bangor Fawr yn Arfon. Ie, y tir a'r cantref
gyferbyn â Môn oedd *Ar-fon,* a da fyddai inni gofio bod
modd defnyddio *ar* i gyfleu ystyr fel 'cyferbyn', 'yn ymyl',
'ger llaw'. Dyma gadernid Gwynedd, a chadwyn Eryri
yn graidd iddo. Ar y gwastatir ger y môr yr oedd y
Rhufeiniaid wedi codi Segontium, ac yma yr oedd y *Gaer
yn Arfon* a ddaeth yn brif ganolfan llywodraeth Gwynedd
oll. Yma y cododd Edward y castell rhwysgfawr yn
arwydd amlwg o'i oruchafiaeth. Er hwylustod gweinyddu
rhennid cantref Arfon yn ddau gwmwd, gan ddefnyddio
Afon Gwyrfai yn llinell derfyn rhyngddynt. A daw hyn
â ni at bwynt go bwysig. Paham y galwyd y naill gwmwd
yn *Is Gwyrfai* a'r llall yn *Uwch Gwyrfai?* Beth mewn
geiriau eraill, yw ystyr ac arwyddocâd y termau *is* ac *uwch*,
termau sydd yn digwydd dro ar ôl tro yn enwau
gweinyddol yr hen Gymry?

At ryw ffenomen naturiol y bydd *is* ac *uwch* yn cyfeirio
fel rheol, at afon a mynydd a choed. Ond yn achos Is
Gwyrfai ac Uwch Gwyrfai ni thâl hi ddim inni feddwl
am ystyron arferol *is* ac *uwch.* Nid yw Is Gwyrfai yn is
nag Uwch Gwyrfai, ac nid yw Uwch Gwyrfai yn uwch
nag Is Gwyrfai chwaith. Na, rhaid i ni feddwl yn hytrach
am ystyr nes at y termau Lladin *citra* ac *ultra,* 'yr ochr
yma', 'yr ochr draw', termau oedd i'w cael ar rai
rhaniadau swyddogol yng Nghymru gynt. Y cam nesaf
yw ceisio ystyried pam 'yr ochr yma'. Fy marn i yw bod
hyn yn mynd yn ôl at hen raniad ac mai'r man cychwyn
yw safbwynt y canolfan gweinyddu.

O Gaernarfon y rheolid Arfon; yma yr oedd pencadlys llywodraeth leol, a phan rannwyd y cantref yn ddau gwmwd, naturiol oedd i wŷr Caernarfon sôn am y tu yma i Afon Gwyrfai, 'ein hochr ni' fel petai, sef Is Gwyrfai. Pan fyddent yn sôn am y tu draw i'r afon, am y cwmwd pellaf oddi wrthynt, sonient am Uwch Gwyrfai. Ystyr weinyddol sydd i *is* ac *uwch*, felly, ac fe gawn ddigon o gyfle eto i fanylu ar hyn.

Gan imi sôn cymaint am enw Afon Gwyrfai, cystal ychwanegu bod y ddwy elfen ynddo, sef *gŵyr* a *bai* yn golygu bron yr un peth, sef 'tro'. Yr afon droellog, ddolennog yw hi.

Cyfeiriais at Fangor Fawr yn Arfon. Yma yr oedd eglwys gadeiriol Deiniol; yma hefyd yr oedd eisteddle Esgob Bangor. Ei eiddo ef oedd y tiroedd o gwmpas, sef Bangor ei hun a phlwyf Pentir. Rhaid oedd i Esgob gael digon o gynhaliaeth, rhaid oedd iddo gael ei *faenol* i drefnu ei feddiant bydol, y 'temporalia' yn ôl y cofnodion Lladin. Dyna paham y mae cymaint o sôn am *Faenol* Bangor. Mae honno mewn cilfach gyfleus rhwng dau gantref Arfon ac Arllechwedd, yn union fel yr oedd Maenol Llanelwy yn gwahanu rhwng Gwynedd Is Conwy a Thegeingl. Pan fyddwch yn teithio rhwng Bangor a Chaernarfon cofiwch syllu ar furiau uchel plas presennol y Faenol a cheisiwch feddwl nid yn gymaint am y plas ei hun ond am ei enw sydd yn ein dwyn ni'n syth at rwysg a chyfoeth yr Esgobion pan oeddynt hwy yn arglwyddi tir mewn gwirionedd.

LLŶN

Yr wyf eisoes wedi trafod enwau cymydau a chantrefi Eifionydd, Llŷn, Dinllaen a Chafflogion. Ond y mae un cwmwd yn Llŷn y dylid dweud gair amdano, sef *Cymydmaen* yn y cwr eithaf, y cwmwd lle mae plwyfi Aberdaron a Rhiw a Bodferin, ac Ynys Enlli. Ar y penrhyn gyferbyn ag Enlli yr oedd maen melyn enwog, yn agos i Fraich y Pwll. Anfarwolwyd y maen hwn gan Ddafydd Nanmor wrth ddweud am wallt Llio, 'Mae'n un lliw â'r maen yn Llŷn'. Dyma'r maen a goffeir yn *Cymydmaen.* Canolfan y cwmwd oedd Neigwl.

ARLLECHWEDD

Y cantref olaf yn yr hen Sir Gaernarfon oedd *Arllechwedd.* Nid oes eisiau dewin i esbonio enw'r cantref mynyddig hwn ar lechweddau dwyreiniol Eryri, Moel Eilio a'r Foel Fras, Y Drosgl a'r Drum, Tal-y-fan a Llwydmor, Carnedd Ddafydd a Charnedd Llywelyn. Yr oedd ynddo lys brenhinol, sef Aber neu Abergwyngregyn neu Abergarthcelyn. Ond wedi'r Goncwest Aberconwy a ddaeth yn brif dref.

Rhennid y cantref yn dri chwmwd, sef Isaf, Uchaf a *Nant Conwy.* Ni wn pam y gwahaniaethid rhwng Isaf ac Uchaf, onid o achos y ffaith mai i fyny o Afon Conwy yr oedd Arllechwedd Isaf. Ymestynnai Uchaf o'r môr yn Aber i'r mynyddoedd, gan gynnwys Llandygái a Llanllechid a Chapel Curig.

Mae enw Nant Conwy yn ein hatgoffa mai pant a dyffryn oedd ystyr y gair *nant* gynt. O Drefriw at Ddolwyddelan yr oedd ffiniau'r cwmwd, gan gynnwys Betws-y-coed.

RHOS

Symudwn yn awr at *Wynedd Is Conwy,* i'r dwyrain o Afon Conwy. Gelwid y wlad hon gynt dan enw arall, sef y *Berfeddwlad,* neu'r wlad 'ganol' rhwng Gwynedd a Phowys. Enw arall ar ôl y Goncwest Normanaidd oedd *Quattuor Cantredae* neu'r Pedwar Cantref, sef Rhos, Rhufoniog, Dyffryn Clwyd a Thegeingl. Ond diau gennyf fod Is Conwy yn hen, hen enw a barnaf mai o safbwynt hen lys Maelgwn Gwynedd yn Negannwy yr enwyd y darn gwlad hwn.

Creuddyn y gelwid y cwmwd lle yr oedd Eglwys-rhos a Llandudno a Llangystennin, y penrhyn hwnnw sy'n ymwthio i'r môr ac yn diweddu yng nghraig enfawr y Gogarth. Lle hawdd ei amddiffyn ydoedd, a dyna ystyr lythrennol *creuddyn*. Golygai *crau* gynt nid yn unig gut moch ond hefyd y math o gylch a wnaed gan filwyr, pob un yn wynebu'r gelyn â'i waywffon yn barod i drywanu'r ymosodwr. Pan roir y gair *dynn* ar ôl *crau* math o gaer amgaeëdig oedd y *creuddyn*. Yr oedd cwmwd arall o'r un enw yng Ngheredigion.

Diddorol sylwi mai *Eglwys-rhos* a *Llan-rhos* oedd enw un o eglwysi'r Creuddyn. Awgryma hyn ddau beth. Yn gyntaf, mai *rhos* yn ystyr penrhyn sydd yma, nid yn ystyr gweundir, ac yn ail fod y Creuddyn gynt yn rhan o gantref *Rhos*. Wedi i Edward godi Castell Aberconwy ceisiodd sicrhau diogelwch a hwylustod y castell trwy drosglwyddo cwmwd y Creuddyn i Sir newydd Caernarfon. Am ryw reswm yr oedd trefgordd Eirias ym mhlwyf Llandrillo-yn-Rhos, a phlwyf Llysfaen hefyd, yn rhan o'r Creuddyn. Ni chafodd Sir Ddinbych y rhain yn ôl tan yn gymharol ddiweddar — Eirias yn 1881 a Llysfaen yn 1922.

Arhoswn gyda chantref *Rhos*. Ymestynnai hwn ar hyd yr arfordir o Abergele at Lansanffraid Glan Conwy ac i lawr wedyn at Lanrwst. Rhennid ef yn ddau gwmwd, sef *Is Dulas* ac *Uwch Dulas,* ac Afon Dulas yn ffin. Os cymhwyswn y syniad a awgrymais wrth sôn am Is Gwyrfai, bydd yn rhaid inni chwilio am hen ganolfan y cantref yn Is Dulas, a'r llecyn sy'n ffitio orau yw hen gaer *Dinorben* ger Abergele. Nac anghofier chwaith fod eglwys Abergele gynt yn cael ei chyfrif yn un o fam eglwysi Cymru. Yr oedd clas yno yn y flwyddyn 856, a *princeps opergelei* y gelwid ei bennaeth.

RHUFONIOG

Gwelsom fod y cantref nesaf, *Rhufoniog,* yn dwyn enw un o feibion Cunedda. Ei ffiniau oedd afonydd Elwy, Clwyd a Chlywedog, a rhostir mynyddig Hiraethog yn y de. Rhennid ef yn dri chwmwd, sef *Is Aled, Uwch Aled* a *Cheinmeirch.* Unwaith eto rhaid inni chwilio yn Is Aled am lys y cantref, a phrin y gallwn anwybyddu'r gaer fechan a elwid *Dinbych.* Dyma'r amddiffynfa hynafol lle y codwyd castell Dinbych a ddaeth yn ganolfan i Arglwyddiaeth Dinbych wedi'r Goncwest. Dylem nodi efallai mai plwyfi Gwytherin, Llanfair Talhaearn a Llansannan oedd yn Uwch Aled gynt, a chwithig yw clywed sôn am Gerrigydrudion yn Uwch Aled.

Enw diddorol yw *Ceinmeirch.* Hen air yw *cain,* cyfystyr â 'chefn', 'trum', a gellid aralleirio enw'r cwmwd yn 'Gefn neu Drum y Meirch', enw sy'n ein hatgoffa o *Epynt,* y mynydd lle y byddai ceffylau (cymharer *eb-* yn *ebol, ebran*) ar eu hynt. Mae'r enw wedi goroesi yn eglwys Llanrhaeadr-yng-Ngheinmeirch, ond mai Cinmerch a glywir yn aml. Ambell dro cyfeirir at y cwmwd fel *Cwmwd yr Ystrad* gan mai yno yr oedd y llys lleol. Yr oedd rhan o blwyf Llanynys yn y cwmwd hwn, sef trefi Ysgeibion a Bachymbyd. Un o stadau Esgob Bangor oedd Llanrhaeadr gynt, ac nid rhyfedd fod *Ysgeibion* neu *Esgeibion* yn dwyn ar gof yr hen gysylltiad. Ffin isaf Ceinmeirch gynt oedd Nant Brenig a'r Hafod-lon sydd yn awr ym mhlwyf Cerrigydrudion.

Cytir trigolion Rhos a Rhufoniog oedd *Hiraethog,* ond bod gan abad a mynachod Aberconwy (Maenan yn ddiweddarach) hawliau eang yno hefyd. Yn wir, enw arall ar Hiraethog oedd *Tir yr Abad,* a rhennid ef yn *Dir yr Abad Isaf* a *Thir yr Abad Uchaf.* Rhan o blwyf Llanefydd oedd Tir yr Abad Isaf gynt, a chedwir cof am hynny mewn ymadrodd fel *Llanefydd Uwch Mynydd.* Hwn yw plwyf presennol Pentrefoelas. Cyfrifid Tir yr Abad Uchaf yn rhan o blwyf Nantglyn, sef *Nantglyn Uwch Mynydd,* ond mae hwn eto wedi mynd yn rhan o blwyf Cerrigydrudion. Canolfan Hiraethog oedd hen dref Prys. Anodd gorbrisio defnyddioldeb *Hiraethog* i drigolion Arglwyddiaeth Dinbych gynt — dyma lle y gallent gyrchu yn rhydd ac yn rhwydd at eu hafodydd a'u ffriddoedd yn yr haf. I Hafod-y-maidd y deuai mynachod Maenan â'u preiddiau. Ni thybiaf fod unrhyw ddirgelwch yn yr enw Hiraethog. Nid 'hiraeth' yn yr ystyr arferol mohono, ond gair sy'n awgrymu yn hytrach ddarn eang, maith, hir o dir.

TIR IFAN A DINMAEL

Yr oedd dwy ardal mewn rhyw fath o rydd gysylltiad ag Arglwyddiaeth Dinbych. Y naill oedd *Tir Ifan* lle'r oedd eglwys Ysbyty Ifan a'r atgof am urdd arbennig o farchogion crefyddol, sef yr Ysbytywyr, neu Farchogion Ifan, sef John o Jerusalem. Darparai'r Urdd hon lety neu ysbyty i deithwyr, ond dirywiodd yr arfer nes bod lladron a drwgweithredwyr yn manteisio ar unigedd ac anhygyrchedd yr ardal. Tebyg fod Tir Ifan wedi disodli enw hŷn o lawer, sef *Dôl Gynwal,* y llecyn y cymerodd Wiliam Cynwal ei enw barddol oddi wrtho.

Yr ardal arall oedd cwmwd *Dinmael.* Eglura'r enw ei hun, sef dinas neu gaer y tywysog *(mael),* a dengys *Llys Dinmael* yn Llangwm lle'r oedd ei ganolfan gynt. Yr oedd gan Ddinmael gysylltiad agos iawn â chwmwd Edeirnion yn Sir Feirionnydd. Yn wir yr oedd trefgordd Cefn-y-post yn Llanfihangel Glyn Myfyr yn Edeirnion, ac o dro i dro fe gewch gyfeirio at Lanfihangel-yn-Edeirnion. Yn rhyfedd iawn hefyd cyfrifid bod Tre'r-llan, o gwmpas eglwys Cerrigydrudion, yn Ninmael.

DYFFRYN CLWYD

Y cantref olaf yn Sir Ddinbych a berthynai i Wynedd oedd
Dyffryn Clwyd. Cynhwysai hwn dri chwmwd, sef
Dogfeiling, Colion neu Coelion, a Llannerch. Tir Dogfael
oedd *Dogfeiling,* fel y gwelsom, ac o bosibl tir Coel oedd
Coelion, rhwng Clywedog a Chlwyd. Cyfrifid tref
Penbedw, rhan o blwyf Nannerch yn Sir y Fflint, yn aelod
o arglwyddiaeth Dyffryn Clwyd, ac felly hefyd
Aberchwiler, rhan o blwyf Bodfari.
Ffiniai cwmwd *Llannerch* â Iâl, a chynhwysai blwyfi
Llanfair a Llanelidan. Y lle pwysicaf yn y cwmwd gynt
yn ddiau oedd *Llys,* neu *Lysfasi,* a gafodd ei enw oddi
wrth deulu estron Massy. Prif ganolfan y cantref neu'r
arglwyddiaeth oll oedd Rhuthun, ac ystyrid y dref hon
weithiau yn gwmwd ar ei ben ei hun.

IÂL

Rhaid inni symud yn awr i ddwyrain Dinbych ac i Bowys,
i arglwyddiaeth Maelor a *Iâl.* Cwmwd hirfain oedd Iâl,
yn rhedeg o Lanferres yn y gogledd i lawr trwy Lanarmon
a Bryneglwys at Landysilio ac Afon Dyfrdwy. Dywedir
bod *iâl* yn enw am dir ffrwythlon a diau mai un hen
ganolfan oedd *Tomen y Rhodwydd* yn Llandegla. Un arall
yn sicr oedd *Dinas Brân,* am yr afon â Llangollen. Mae'r
gongl hon yn drwm gan hanes, a rhaid bod rheswm cryf
iawn paham y codwyd piler neu golofn yn clodfori
campau'r brenin Elisedd yma. A phe na bai digon o
hynodrwydd yno'n barod, dyma'r mynachod Sistersaidd
yn ymsefydlu yn Nglyn-y-groes neu *Lynegwestl.* Mae'n
debyg gennyf fod *Egwestl* yn ffurf amrywiol ar Egwystl,
a honno yn ei thro yn golygu'r un peth â *gwystl.*

MAELOR

Pan ddown ni at y cwmwd nesaf, sef *Maelor,* down hefyd at yr hen gloddiau terfyn rhwng Lloegr a Chymru, sef Clawdd Wat a Chlawdd Offa. Disgwylir felly olion y gyfathrach agos a fu rhwng y ddwy genedl ar y gororau hyn.

Nid oes sicrwydd hollol beth yw ystyr yr enw *Maelor,* ar wahân i'r ffaith fod a wnelo ef â'r gair neu'r enw *Mael,* 'tywysog'. Gellid tybio bod Maelor yn golygu tir neu ffin y tywysog, pwy bynnag oedd hwnnw. Daethpwyd i alw'r cwmwd yn *Faelor Gymraeg* er mwyn ei wahaniaethu oddi wrth Faelor Saesneg dros y ffin yn Sir y Fflint. Prif enwau Maelor Gymraeg yn y Canol Oesoedd oedd *Wrexham* ar y gwastatir ac *Esclusham* yn ymestyn at y mynyddoedd. Enwau Saesneg ill dau, *Wrexham* yn golygu fferm neu faes rhyw Sais o'r enw Wryhtel, ac *Esclusham* yn coffáu rhyw Escel.

Pan sefydlodd yr Eingl-Normaniaid eu harglwyddiaeth yma newidiasant enw'r cwmwd o Faelor i *Bromfield.* Mae'n ddigon tebyg fod Bromfield yn cyfieithu enw rhyw lecyn fel Maes-y-banadl neu Y Fanhadlog, ond nid wyf eto wedi llwyddo i leoli enw o'r fath.

SWYDD Y WAUN

Brysiwn ymlaen at y tri chwmwd olaf yn Sir Ddinbych. Dyna'r ardal a gymerodd ei henw oddi wrth ganolfan adnabyddus iawn, sef *Y Waun. Swydd y Waun* y gelwid hi yn Gymraeg a *Chirkland* yn Saesneg.

Mae'n bur debyg mai methiant y Normaniaid i ynganu enw Afon Ceiriog sy'n cyfrif am y ffurf *Chirk.* Rhennid y swydd neu'r arglwyddiaeth yn dri chwmwd. Llifai Dyfrdwy trwy'r cwmwd gogleddol ac am y rheswm hwnnw mae'n debyg y galwyd y cwmwd yn *Nanheudwy,* sef *Nannau* (hen luosog *nant*) a *Dwyw,* (rhan o enw'r afon). Yr oedd pedair rhan i Nanheudwy, sef *Is Clawdd* o gwmpas y Waun, hynny yw, is Clawdd Offa, a thri thraean. Y traean cyntaf oedd *Traean Trefor* ar ochr ogleddol Dyfrdwy, ac yn y traean hwn yr oedd trefgordd *Trefor,* neu 'y dref fawr'. Diddorol cofio bod Trefor wedi bod yn gyfenw i deulu arbennig ac mai hwn yw'r Trefor sydd hefyd yn enw bedydd poblogaidd. Yr ail draean oedd *Traean Llangollen* o gwmpas yr eglwys, ac yn cynnwys cartref hynafol Pengwern. Y trydydd traean oedd *Traean y Glyn,* sef Glyn Ceiriog. Yma yr oedd dwy dref adnabyddus, sef Crogen Iddon a Chrogen Wladus.

Cwmwd canol Swydd y Waun oedd *Cynllaith.* Yno yr oedd Afon Cynllaith, a diau mai'r un enw yw hwn â *Machynllaith,* sef maes neu wastatir *Cynllaith.* Cyfuniad yw'r enw personol Cynllaith o ddwy elfen, sef ffurf ar yr enw *ci* yn golygu milwr neu geimiad, a *llaith,* sef angau. Byddai'r enw'n golygu rhywbeth fel 'un sy'n achosi angau milwyr'. Gelwid un rhan o'r cwmwd yn *Gynllaith yr Iarll* a'r llall yn *Gynllaith y Rhingyll* neu *Gynllaith Owen.* Swyddog lleol go uchel ei safle oedd y rhingyll gynt, yn fath o ddirprwy i'r arglwydd. Yng Nghynllaith Owen yr oedd Sycharth, a ddaeth yn enwog yn ddiweddarach fel un o gartrefi Owain Glyndŵr. Mae'n ddigon posibl fod Sycharth yn hen ganolfan i'r cwmwd, ond gwell inni beidio ag anghofio arwyddocâd enw fel Llysdinwallon sydd heb fod ymhell o Lansilin.

Y cwmwd mwyaf deheuol yn Swydd y Waun oedd *Mochnant Is Rhaeadr.* Gelwid ef felly o safbwynt y Waun ei hun, mae'n debyg. Ochr draw i'r afon yr oedd *Mochnant Uwch Rhaeadr.* Dyma'r terfyn a ddaeth yn ffin barhaol rhwng y ddwy Bowys, Powys Fadog a Phowys Wenwynwyn. Dechreuodd y rhwyg yn 1166 pan rannwyd Mochnant rhwng Owain ap Madog ac Owain Cyfeiliog. O 1195 ymlaen dechreuwyd sôn am Bowys Fadog oddi wrth enw Madog, ŵyr Madog ap Maredudd, ac am

Bowys Wenwynwyn oddi wrth enw Gwenwynwyn ab Owain Cyfeiliog. Mac'r ffin hon wedi aros yn ei grym o wahanu Siroedd Dinbych a Threfaldwyn.

TEGEINGL

Bydd yn rhaid inni ddychwelyd at Wynedd Is Conwy er mwyn trafod cantrefi a chymydau'r Fflint. Dyma lle y mae pedwerydd cantref y Berfeddwlad, sef *Tegeingl.* Yma yr oedd tiroedd y llwyth Brythonig a elwid yn *Deceangli.* Er yr holl anawsterau mae'n anodd peidio â thybio bod cysylltiad rhwng *Deceangli* a *Thegeingl.*

Yr oedd y Saeson wedi goresgyn y rhan hon o'r wlad yn y nawfed ganrif ac yr oedd eu hôl yn drwm arni. Er bod y cantref wedi ei rannu'n gymydau yn ôl y dull Cymreig, enwau Saesneg sydd ar ddau ohonynt, ac yr oeddynt ill tri yn dibynnu am eu henwau ar eu canolfannau llywodraeth. Ni wyddys pa mor hen yw'r enw *Rhuddlan,* er enghraifft, ond bod ei ystyr yn bur amlwg, sef *rhudd,* 'coch' a *glan,* sy'n cyfeirio, mae'n debyg, at y tir coch. Y cwmwd gogleddol oedd *Prestatyn,* sef 'fferm neu dyddyn yr offeiriad'. Gwyddom oll am yr hen stori ddigri neu'r pos sy'n awgrymu bod y Rhufeiniaid wrth gloddio am fwyn yn gofyn i'w gilydd 'pres 'ta tún?' Ond mae'r gwir esboniad yn un llawer mwy cyffrous gan ei fod yn dangos fel yr oedd y Cymry wedi adennill y tir goresgynedig ac wedi rhoi eu blas eu hunain ar yr enwau estronol. Pe buasai'r ffurf Saesneg wedi datblygu'n ddilestair ar dafodau'r Saeson, buasent wedi cael yn ddiweddarach enw fel *Preston.* Ond mynnai'r Cymry ynganu *Prestatun* â'u hacen eu hunain, a'r ffurf hon a oroesodd.

Y trydydd cwmwd yn Nhegeingl oedd *Coleshill,* sef 'bryn Col', mae'n debyg, a Col yn hen enw personol Saesneg. Mae Coleshill yn bod heddiw yn ymyl tre'r

Fflint, a lle o'r enw *Llys* yn agos. Dilynodd hwn y patrwm arferol, a chymreigiwyd ef yn bur gynnar yn *Cwnsallt* a *Cwnsyllt*, gan ddangos y duedd yn Gymraeg i ychwanegu *-t* at eiriau sy'n diweddu yn *ll*.

Hanes cythryblus sydd i'r tair ardal arall a oedd yn ffinio â Thegeingl. Dyma faes ymryson a chynnen rhwng Gwynedd a Phowys. Hen enw un o'r rhain oedd *Ystrad Alun*, lle'r oedd dyffryn Alun yn ymledu ar ei ffordd i'r gwastadeddau. Daeth y Normaniaid yma a chael bod y Cymry'n galw eu prif lys yn *Wyddgrug*, sef *crug* neu domen a oedd yn coffáu rhyw ŵr enwog (Yr un *gŵydd* sydd yn *Yr Wyddfa*, gyda llaw.) Gwell oedd gan y Normaniaid alw'r bryn amlwg hwn yn *Monthault*, neu'r bryn uchel. Aeth hwn yn *Mold*, a defnyddid *Moldsdale* am Ystrad Alun.

Enw'r ail ardal oedd *Hopedale* gynt. Dyma gyfeiriad arall at ddyffryn Alun, gan mai ystyr y gair Saesneg *hope* mewn enwau lleoedd yw cwm neu ddyffryn, yn enwedig cwm dall. Cymreigiwyd hwn yn *Hob* a *Hobau*. Yr oedd enw arall ar Hope, sef *Estyn*. Mae golwg Gymraeg ar hwn, ond tebycach mai enw Saesneg ydyw, sef y tyddyn dwyreiniol, 'east town'.

Yn olaf daw *Hawarden*. Yr oedd cysylltiad agos iawn rhwng y lle hwn a Chaer, a daliodd yn fwy neu lai annibynnol ar weddill y sir. Enw Saesneg yw hwn, sef 'high worthing' neu'r fferm uchel. Carwn gredu bod hyn yn rhydd neu led gyfieithiad o'r enw Cymraeg, sef *Pennardd Alaawg*, sef ucheldir rhyw ŵr o'r enw Cymraeg, *Alaaog*. Erbyn hyn, wrth gwrs, cywasgwyd ef yn *Benarlâg*.

MAELOR SAESNEG

Gallwn droi'n awr at yr ail o'r ddwy Faelor, sef *Maelor Saesneg*. Yr oedd hon yn perthyn i Iarllaeth Caer a dyma'r rheswm pam y cynhwyswyd hi yn sir newydd y Fflint wedi 1284. Digrif yw arwahanrwydd Maelor Saesneg, neu

'Flintshire Detached' fel y'i gelwir ar y mapiau. Ond mae'n ardal eithriadol ddiddorol. Nid oes dim yn dristach na bod Maelor Saesneg yn gyfan gwbl Saesneg erbyn hyn. Canys yn yr Oesoedd Canol ac yn amser yr Uno yr wyf yn siŵr bod naw o bob deg o'r boblogaeth yn Gymry Cymraeg. Mewn dogfen ar ôl dogfen, ac y mae miloedd ar filoedd o'r rheini ar gael, enwau Cymry sy'n digwydd, hwy a'u gwragedd a'u meibion a'u merched. Gwŷr oedd y rhain yn byw ym Mangor Is-coed, Owrtun (Overton), Llysbedydd (Bettisfield), Hanmer a Llannerch Banna (Penley).

ARGLWYDDIAETHAU CROESOSWALLT A'R DREF WEN

Gadewch inni groesi'r ffin bresennol rhwng Cymru a Lloegr a bwrw i gyfeiriad ardal hynod ddiddorol yn hanes y ddwy wlad, ardal a fu'n faes ymryson yn y brwydro ffyrnig rhwng gwŷr Mersia a'r Cymry, ac wedi hynny rhwng dwy deyrnas o Saeson, sef Mersia yn y Canoldir a Northumbria yn y Gogledd. Yr oedd Cadwallon, brenin Gwynedd, un o gadfridogion mwyaf Cymru, eisoes wedi gwrthdaro yn erbyn Edwin, brenin Northumbria (a diddorol cofio mai Northumbria oedd cartref gwŷr Deifr a Brynaich a fu'n gwasgu cymaint ar Frython yr Hen Ogledd yn nyddiau Aneirin a Thaliesin). Yr oedd Cadwallon yn wladweinydd yn ogystal â bod yn filwr penigamp, ac ef am y tro cyntaf a gynghreiriodd â Sais, sef Penda, er mwyn torri crib Edwin. Lladdwyd Edwin yn 633 ac ysbeiliwyd Northumbria. Ond daeth tro ar fyd pan ymwrolodd Northumbria dan olynydd Edwin, sef Oswald. Gorffennodd hwn yrfa Cadwallon trwy ei ladd yn 634. Wedi cael gwared â Chadwallon symudodd Oswald yn erbyn Penda, ond cyfarfu â rhywun gwell nag ef ei hun a lladdwyd Oswald yn 642 ym mrwydr Maserfield, neu Faes Cogwy yn ôl y traddodiad Cymreig.

Gwthiodd Penda fonyn i'r ddaear a rhoi pen Oswald arno, yn ôl arfer yr oes. Dyma, medd y Saeson, oedd Oswald's Tree, a dyna'r lle a elwir bellach yn *Oswestry.* Enw'r Cymry arno oedd *Croesoswallt.* Wedi dyddiau Cadwallon daeth amser blin ar Gymru, a gwŷr Mersia yn gwthio ymlaen dros y gwastatir hyd at y mynydd-dir. Gwelwn gymaint y cyfyngu a fu pan ystyriwn linell hir Clawdd Offa, a ddaeth yn oror rhwng y ddwy bobl yn yr wythfed ganrif. Dyma golli'r tiroedd ffrwythlon rhwng Dyfrdwy a Hafren am ganrifoedd, a cholli ffin ddwyreiniol yr hen Bowys. Bu'n rhaid aros tan oes gwŷr fel Gruffudd ap Llywelyn cyn gweld ailgydio yn nhiroedd coll y dwyrain. A chafodd yr ailgoncro hwn effaith barhaol ar boblogaeth yr ardal o gwmpas Croesoswallt.

Trwy gydol y Canol Oesoedd mae'n sicr mai Cymry oedd mwyafrif lletholy gwŷr a'r gwragedd a drigai yn nwy *Arglwyddiaeth Croesoswallt* a'r *Dref Wen* (Whittington). Rhan o arglwyddiaethau'r Mers oeddynt, a chyfrifid hwy'n rhan o Gymru i raddau helaeth iawn nes eu colli i Swydd Amwythig yn 1536.

Diddorol sylwi fel y rhennid y ddwy arglwyddiaeth hyn. Yr oedd y Dref Wen yn y canol rhwng dau ddarn o Arglwyddiaeth Croesoswallt. Croesoswallt ei hun wrth gwrs yn ganolfan a ffiniau'r dref yn ffurfio math o libart (Saesneg 'liberties'). Wedyn dau raniad, sef y *Traean* (un rhan o dair), a darn mwy, sef y *Deuparth* (dwy ran o dair). Mae hyn yn brawf o Gymreigrwydd yr ardal. Fe gofir bod chwedl Breuddwyd Rhonabwy yn sôn am *Dudleston* fel *Dillystwn,* yn y Traean. Yn y cofnodion swyddogol aeth *Deuparth* yn *Duparts.* Mae enwau trefgorddau gorllewinol y ddwy arglwyddiaeth yn dwyn enwau Cymraeg, ran fwyaf, sef Bron-y-garth, Cefn-y-maes, Pentre'r-gaer, Trefarclawdd, Trefonnen, Blodwel, ac yn y blaen. Cynhwysai'r Dref Wen blwyf Selatyn a hen gartref uchelwrol Porkington. Awgrym arall o'r Cymreigio a fu ar yr enwau hyn yw'r ffaith fod *Porkington* yn fwy adnabyddus i ni heddiw dan y ffurf *Brogyntyn*.

MALDWYN

Gwelsom eisoes sut y rhennid Powys yn Bowys Fadog a Phowys Wenwynwyn gan Afon Rhaeadr. Dewch inni'n awr gael bwrw golwg dros y rhan honno o'r hen Bowys a alwyd yn ddiweddarach yn Sir Drefaldwyn.

Y cwmwd mwyaf gogleddol oedd *Mochnant* wedi ei rannu'n Is Rhaeadr ac Uwch Rhaeadr. Nid oes dim i ddangos sut y dylem ddeall yr enw Mochnant, ai'r ansoddair *moch*, 'cyflym' ai'r enw *moch* am afon sy'n twrio ei ffordd trwy'r tir fel y cewch chi Twrch a Hwch, ac yn y blaen.

Yn nes i lawr yr oedd cantref *Mechain*, a'r goedwig fawr yn ei ganol yn ei rannu'n naturiol yn Is Coed ac Uwch Coed. Yn ôl a ddywedais cynt, byddai Is Coed yn awgrymu'n gryf mai yno yr oedd canolfan y cantref, ac yn wir yno yr oedd, yn Llys Fechain, a'r domen gerllaw, Tomen Gastell. Am y ffurf Mechain, digon yw nodi mai Afon Cain sy'n rhedeg trwy'r cantref a dyna inni'r ystyr, sef gwastadedd Cain.

Yr oedd nifer o gymydau bychain yn ffinio ag Afon Hafren. Yr oedd un ohonynt yn wir yn cilfachu'n dwt rhwng Efyrnwy a Hafren fel mai anodd oedd peidio â'i alw wrth yr enw *Deuddwr*. Yn nesaf yr oedd *Ystrad Marchell* a gynhwysai blwyf Cegidfa neu Guilsfield. Yr ystrad oedd y tir gwastad ar lannau Hafren, a Marchell yn enw priod. Hwn a roes ei enw i Abaty Ystrad Marchell. Ni wyddom beth oedd y ddewiniaeth a roes ei enw i gwmwd *Llannerch Hudol*. Yr oedd *hudol* gynt yn air am ddewin ac am ei waith. Yma yr oedd y *Trallwng* neu'r *Trallwm* yn rhan o blwyf Aberriw.

Y cwmwd dwyreiniol oedd *Gorddwr*, neu yn llawn

Gorddwr Hafren, sef y lle y byddai llifogydd dinistriol yr afon yn lledu ei chwrs. Wedi dyfod yr estron, yr enw a ysgrifennai ef amlaf oedd *Gorther,* a rhannu'r cwmwd yn *Nether* ac *Over Gorther,* neu *Gorddwr Isaf* ac *Uchaf.* I'r gorllewin yr oedd cwmwd eang *Caereinion.* Ni wn a oes sicrwydd am leoliad y gaer wreiddiol a enwyd ar ôl rhyw Einion, ond mewn oes ddiweddarach prif gartref brenhinoedd Powys oedd y cwmwd hwn, ym Mathrafal, ond mai ym Meifod y cleddid hwy, yng nghantref Mechain. Yr wyf eisoes wedi trafod enw cantref *Cedewain* a chwmwd Ceri ond dylwn nodi bod *Ceri* yn dir ymryson rhwng Powys Wenwynwyn a Rhwng Gwy a Hafren, ac yn wir, â Maelienydd a Gwrtheyrnion y cysylltid ef gynt.

Cyn gadael dwyrain hen Sir Drefaldwyn bydd yn rhaid dweud gair am yr arglwyddiaeth a roes ei henw i'r sir yn ddiweddarach. Codwyd hen gastell Montgomery gan y Norman, Roger de Montgomery, yn yr unfed ganrif ar ddeg. Ond rhoddwyd yr arglwyddiaeth i Norman arall, sef Baldwin de Bollers yn 1102. Ac ar ôl hwn yr enwyd y dref yn *Drefaldwyn,* mae'n debyg. Cynhwysai'r arglwyddiaeth yn y Canol Oesoedd blwyfi Trefaldwyn ei hun ynghyd â Chirbury (Llanffynhonwen) a Churchstoke (Yr Ystog). Yr oedd tair 'tref' yn perthyn i'r Ystog yn ffurfio maenor Teirtref Esgob, sef Aston, Mellington (Melltun) a Castlewright. Esgob Henffordd oedd biau'r faenor hon, a fuasai ar un adeg yn nwylo Llywelyn ap Gruffudd. Yr un esgob a welir yn yr arglwyddiaeth nesaf hefyd, sef Bishop's Castle, neu Drefesgob yn Gymraeg.

ARWYSTLI

Rhaid croesi'n awr i'r gorllewin a sôn am *Arwystli.* Gwelsom eisoes mai coffáu rhyw ŵr o'r enw Arwystl y mae'r cantref pwysig hwn. Yr hyn sydd o ddiddordeb i ni yn awr yw nodi bod hon yn un o'r ardaloedd a oedd yn asgwrn cynnen rhwng Gwynedd a Phowys ac, yn wir,

ym myd yr eglwys daeth yn rhan o Esgobaeth Bangor yn
hytrach nag o Esgobaeth Llanelwy.

Yr oedd fforest fawr yng nghanol y cantref ac o achos
hyn rhennid ef yn Arwystli Is Coed ac Arwystli Uwch
Coed. Yn Is Coed, mae'n debyg, yr oedd canolfan
gwreiddiol y cantref, ym Mhen-prys ger Caersŵs a'r hen
gaer Rufeinig, ond Talgarth ger Trefeglwys yn Uwch
Coed a ddaeth yn bwysig yn ddiweddarach.

CYFEILIOG A MAWDDWY

Yn olaf, yn yr hen Bowys yr oedd cymydau Cyfeiliog a
Mawddwy. Yr oedd eu safle ar gyffiniau Powys a
Gwynedd yn un anesmwyth iawn, a rhaid bod brwydro
di-baid am oruchafiaeth. Tir Cyfail neu Gyfael yw
Cyfeiliog, fel y gwelsom, a chaer y cwmwd oedd
Dywalwern (Tafolwern heddiw). Ym Mawddwy yr oedd
hen gaer Dinas Mawddwy ac eglwysi Mallwyd a
Llanymawddwy. Gellid tybio mai enw llwythol ar fro yw
Mawddwy, gyda'r un enw personol Mawdd ag a geir yn
enw Afon Mawddach. Wedi'r ad-drefnu yn 1536 aeth
Cyfeiliog i Sir Drefaldwyn a Mawddwy i Sir Feirionnydd.

MEIRIONNYDD

Fe gofiwch mai enw cantref oedd *Meirionydd* yn
wreiddiol, y fro rhwng Mawddach a Dyfi. Rhennid hwn
gynt yn ddau gwmwd, Ystumanner a Thal-y-bont. Ni wn
pam y gelwid *Ystumanner* felly, ond gwyddom mai tro
neu gamedd yw ystum, ac ni wn am unrhyw air *anner*
neu *anneir* heblaw hwnnw sy'n golygu treisiad neu heffer.
Er mwyn hwylustod gweinyddol yr oedd dau is-raniad
yn Ystumanner, sef *Is Buga* ac *Uwch Buga*. Ni wyddys
erbyn hyn ble'r oedd cwrs Afon Buga ond y tebyg yw ei
fod yn agos i'r afon a elwir heddiw yn Afon Fathew. Teg
inni chwilio yn Is Buga am brif le'r cwmwd a diau fod
gan Bennal ar un adeg hawl i flaenoriaeth, a chofio

agosrwydd Cefn-caer. Ond y mae gan Ynysymaengwyn
hefyd hawl i ystyriaeth yn ddiweddarach. Ym mhlwyf
Tywyn yr oedd hwn ac fe dâl inni fyfyrio ar bwysigrwydd
yr arfordir hwn, neu Dywyn Meirionydd fel y'i gelwid
gynt. Yma yr oedd eglwys enwog Cadfan, a'i harysgrif
bwysig. Perthyn i oes a byd gwahanol y mae bri Aberdyfi.

Goroesodd enw cwmwd *Tal-y-bont* mewn llecyn ar
lannau Dysynni, filltir a hanner i'r de o Lanegryn. Gerllaw
yr oedd hen gaer y Domen Ddreiniog a warchadwai'r
ffordd drwy'r afon a'r bont. Yr oedd dwy ran i Dal-y-
bont gynt, sef *Is Cregennan* ac *Uwch Cregennan*. Yn Is
Cregennan yr oedd y Domen Ddreiniog a phlwyfi
Llanegryn a Llangelynnin. Llynnau Cregennan a roes eu
henw i'r rhaniad, a diau fod Cregennan yn golygu nant
llawn o gregyn. Dau blwyf Dolgellau a Llanfachreth oedd
yn Uwch Cregennan, a rhaid bod pwysigrwydd tref
Dolgellau wedi tynnu ati holl weithgarwch swyddogol
cantref Meirionydd.

Gwelsom mai enw llwythol yw *Ardudwy*. Yma eto yr
oedd rhaniad rhwng *Is Artro* ar y naill law ac *Uwch Artro*
ar y llaw arall. Pedwar plwyf Llanelltud, Llanaber,
Llanddwywe a Llanenddwyn oedd yn Is Artro. O
safbwynt Ystumgwern yn Llanenddwyn yr edrychid ar
Ardudwy; yno yr oedd llys a melin y brenin, a dyma'r
rheswm am feddwl yn nhermau 'ein hochr ni i Afon
Artro'.

Yr oedd yn Uwch Artro ganolfannau hynafol a
phendefigol, sef Harlech a Thomen-y-mur. Ond wedi
dyfod y Norman a'i gastell yr atgyfodwyd pwysigrwydd
Harlech. Yr oedd Uwch Artro yn fwy o faint nag Is Artro
ac yn ymestyn o Lanbedr a Llandanwg yn y de hyd at
Ffestiniog a Llanfrothen yn y gogledd, a hyd yn oed yn
cynnwys Nanmor, rhan o blwyf Beddgelert. Yn wir ni
ddaeth Nanmor yn rhan swyddogol o Sir Gaernarfon tan
1895.

Mae enw *Penllyn* yn ei esbonio ei hun. Canol y cantref oedd Llyn Tegid ac Afon Dyfrdwy yn rhedeg drwyddo. Lle y llifai'r afon o'r llyn yr oedd y *bala*, neu'r aber a roes ei enw i'r dref. Nant fechan Meloch a rannai'r cantref gynt, a cheid *Is Meloch* ac *Uwch Meloch*. Mae'n bosibl mai Crogen yn Llandderfel oedd yr hen ganolfan pwysig, neu efallai Tomen Gastell yn Llanfor, a chyn hynny odid nad oedd gan Gaer-gai hawl. Ond yn ddiweddarach Tryweryn a ddaeth yn ffin rhwng y ddau hanner, a sonnid am Is ac Uwch Tryweryn. Yn Uwch Tryweryn yr oedd Llanycil a Llangywer a Llanuwchllyn.

Yn *Edeirnion* (bro Edern) a *Glyndyfrdwy* cawn mai Afon Alwen oedd yn rhannu'r cwmwd. Yr eglwys bwysicaf oedd Corwen (Corfaen gynt), ac mae'n bosibl fod hen drefgordd y Rug yn lle o gryn bwys gynt. Ond felly hefyd yr oedd Cynwyd. Sut bynnag, cynhwysai *Is Alwen* blwyfi Betws Gwerful Goch, Corwen a Llansanffraid a'r rhan fwyaf o Wyddelwern. Yn *Uwch Alwen* yr oedd Llangar a Llandrillo a rhan o blwyf Gwyddelwern, sef Botalog a Pherseythydd.

RHWNG GWY A HAFREN

Yr oedd hen draddodiad bod yr ardal eang hon yn rhan o Bowys, a hawlid bod Rhyd Helyg ar Wy ger y Gelli Gandryll yn nodi'r ffin ddeheuol. Cynhwysai'r cwbl o'r hen Sir Faesyfed a rhan o Sir Frycheiniog.

Awgrymwyd eisoes bod Ceri, Gwrtheyrnion a Maelienydd yn enghreifftiau o enw personol ynghyd â therfyniad i ddynodi 'bro-hwn-a-hwn'. Yr oedd dwy faenor yng *Ngwrtheyrnion*, sef *Is Coed* (Llanfihangel Helygen a Llanllŷr) ac *Uwch Coed* (Nantmel a Saint Harmon). A ydyw enw Argoed yn cyfeirio at yr hen fforest?

Yr enw ar raniadau *Maelienydd* oedd *swydd*, y gair a welsom eisoes yn Swydd y Waun. Yr oedd tair ohonynt,

Buddugre, Dinieithon, a Rhiwlallt. *Buddugre* yw bryn y
fuddugoliaeth, sef *buddug* a *bre*, ac yr oedd lle arall a'r
un enw yn Llanarmon-yn-Iâl. *Dinieithon* yw'r gaer ar Afon
Ieithon, enw sy'n ein hatgoffa bod ein hynafiaid yn hoffi
disgrifio afonydd yn nhermau sŵn, megis Llafar a
Chlywedog a Thrystion. Mae'n debyg fod yr enw Cefn-
llys yn dyst i gartref y pennaeth lleol. Ni wn eto sut i
esbonio *Rhiwlallt*. Yr oedd Maelienydd yn gantref mawr,
o Landrindod yn y de hyd at Lanbadarn Fynydd a'r
Bugeildy yn y gogledd, ac o Gwm-hir at Landdewi yn
Heiob a Threfyclo.

Yr un ffiniau oedd i *Gwmteuddwr* ag i blwyf
Llansanffraid. Nid Cwm Deuddwr mohono, ond
Cwmwd Deuddwr, sef y cwmwd rhwng dwy afon Elan
a Gwy. Yn wir rhoes Elan enw arall ar yr ardal fynyddig
hon, sef *Elenid*, un o'r lleoedd hynny a welodd siwrnai
Gwydion a'r moch.

Yr oedd y ddwy *Elfael* yn adnabyddus i'r hen
gywyddwyr, sef *Elfael Is Mynydd* ac *Elfael Uwch Mynydd*.
Mae'n debyg mai bryniau Llandeilo a Rhiwlen oedd y
ffin rhwng y ddwy. Castell Colwyn oedd amddiffynfa
Uwch Mynydd, a Chastell Paen oedd un Is Mynydd. Ond
ychydig a wyddom am hen hanes Elfael ar wahân i'r ffaith
fod Glasgwm yn eglwys o fri lle y cedwid Bangu, cloch
Dewi. Am yr enw Elfael rhaid ei rannu'n 'llawer' a *mael*,
'tywysog', a thueddaf i'w gymharu ag enw Maelor.

Nid yw'n debyg bod *Buellt* yn wreiddiol yn rhan o
Rhwng Gwy a Hafren, ond tua'r flwyddyn 800 cysylltwyd
ef â Gwrtheyrnion. Cynhwysai'r cantref bedwar cwmwd,
sef Dinan (cymharer Llys Dinan ger Tal-y-bont ar Wy),
Treflys (enw a oroesodd yn hen blwyf Llangamarch),
Irfon (o gwmpas Llanfair ei hun), a Phenbuellt (deau
plwyf Llangamarch). Gair cyfansawdd yw Buellt o *bu*
(buwch) a hen ffurf ar y gair *gwellt*, hynny yw 'tir pori
gwartheg'.

CEREDIGION

Gwelsom eisoes fod Ceredigion yn mynd â ni yn ôl at Geredig a gwŷr Cunedda. Gwlad oedd hon sydd wedi ffurfio uned gyflawn adnabyddus ar hyd y canrifoedd, môr a mynydd yn ei chyfyngu tua'r gorllewin a'r dwyrain, ac afonydd Dyfi a Theifi yn ffiniau cyfleus iddi yn y gogledd a'r de.

Yr hen enw ar y cantref mwyaf gogleddol oedd *Penweddig* neu *Gantref Gwarthaf* (Uchaf). Ac y mae cyfeiriad at fedd Peredur Penweddig yn Englynion y Beddau. O bosibl yr oedd gan Beredur lys yn Aberceiro yn Llanfihangel Genau'r-glyn, ond nid oes sicrwydd mai'r un Peredur yw hwn â Pheredur y Rhamantau.

Mwy cyfarwydd i ni erbyn heddiw yw enwau'r tri chwmwd oedd ym Mhenweddig. Mae *Genau'r Glyn* yn taro tant yn meddwl pawb, a chystal dweud er mwyn y rhai nad ydynt yn adnabod yr ardal mai Afon (E)leri sydd wedi ffurfio'r Glyn. Hon yw'r afon y byddwch yn ei chroesi ar y ffordd fawr o Fachynlleth i Aberystwyth yn Nhal-y-bont. Yr oedd tair eglwys yn y cwmwd, sef Eglwys-fach, Llangynfelyn a Llanfihangel. Yng Ngenau'r-glyn hefyd yr oedd *Porth Wyddno* neu'r *Borth* enwog. Rhwng y ffordd fawr a'r môr fe welwch Gors Fochno, ac anfadwaith ar ran y naturiaethwyr yw troi'r enw persain hwn yn 'Borth Bog'. Yng ngwaelod y cwmwd yr oedd Tirymynech a'i atgof am fynachlog Ystrad-fflur. Yr enw a oedd gan y mynaich eu hunain ar y darn tir hwn oedd y Dywarchen, ac y mae'n drueni bod hwn wedi diflannu oddi ar dafodau'r ardal.

Enw'n disgrifio ei safle canolog rhwng Genau'r-glyn a'r Creuddyn oedd *Perfedd*. Yn y cwmwd hwn yr oedd eglwys fawr Llanbadarn yn hawlio'r tir rhwng Clarach a Rheidol. Yr oedd ganddi ei *maenor* ei hun ac erys yr enw yn y cyffiniau. Fe gofiwn mai *maenol* oedd y term

yn y Gogledd, a bod gan esgobion Bangor a Llanelwy
eu tiroedd eu hunain ym Maenol Bangor ac yn y Faenol
ger Bodelwyddan.

Yr olaf o'r tri chwmwd ym Mhenweddig oedd y
Creuddyn, yr amddiffynfa rhwng Rheidol ac Ystwyth. Ar
y ffin rhwng y Creuddyn a Pherfedd, ar lan y môr, yr oedd
y gaer hynafol a elwid yn Ddinas Maelor neu Riw Faelor,
Castell Maelor ac Allt Faelor. Nid oes raid inni gredu'r
chwedl am gawr o'r enw Maelor, ond mae'n ddiddorol
cofio am y Faelor arall yn y gogledd. Hon yw'r gaer a
elwir heddiw yn Bendinas. Mae'n debyg fod y Norman
yn ei dro wedi gweld manteision codi castell yn y fro hon,
ac yn wir yn Aber Ystwyth yn llythrennol yr adeiladwyd
y castell amrwd cyntaf. Ond codwyd un arall yn nes i
Lanbadarn ger Aber Rheidol, ond mai enw'r castell cyntaf
sydd wedi goroesi yn Aberystwyth.

Yng ngweddill rhaniad *Uwch Aeron* yng Ngheredigion
yr oedd tri chwmwd Mefenydd, Anhuniog a Phennardd.
Enwau tiriogaethol yn cynnwys enwau personol yw'r ddau
gyntaf, fel y gwelsom eisoes, ond dylid dweud efallai mai
ym *Mefenydd,* rhwng Ystwyth ac Wyre, yr oedd eglwysi
fel Llanilar a Llanwyryfon, Llanfihangel Lledrod a
Llanwnnws ac Ysbyty Ystwyth. Yma hefyd yr oedd
Ystradmeurig enwog. Yr oedd eglwys Llanrhystud ar y
ffin rhwng Anhuniog a Mefenydd a dyma'r rheswm pam
y ceir dau blwyf Llanrhystud Mefenydd a Llanrhystud
Anhuniog.

Cwmwd bach twt pedairochrog oedd *Anhuniog,* a chof
am saint nodedig yn aros yn Llanbadarn Trefeglwys, a
Llanddewi Aber-arth a Henfynyw. Yma hefyd yr oedd
Llansanffraid neu Lansanffraid-yn-y-Morfa Mawr fel y'i
gelwid gynt. Erys enw'r Morfa ar fferm Coleg
Aberystwyth. Nid yw eglwys Llansanffraid ar y ffordd
fawr, ond y mae Llan-non, hen gapel i'r eglwys honno.
Nid oedd Aberaeron yn fwy na phentref pysgotwyr tan

y ganrif ddiwethaf, ond y mae'n werth sylwi ar y cynllunio cymen a gofalus sydd yn harddu'r sgwâr a alwyd er anrhydedd i Alban Thomas Jones Gwynne, Mynachty a welodd bosibiliadau datblygu Aberaeron.

Gwlad yr ucheldir yw *Pennardd*, yn ôl ei ystyr, gan fod *ardd* yn hen air am le uchel. Cyfeirir mae'n debyg at y bryniau a'r mynyddoedd sy'n ffinio â Buellt yn y dwyrain ac â chymydau'r Cantref Mawr yn y de. Yr oedd Ystradfflur yma, ym mhlwyf Caron a Llanbadarn Odwyn, Llangeitho a Nancwnlle. Ond y brif eglwys gynt oedd Llanddewibrefi, a'i bri yn parhau o achos y cyfarfod syfrdanol pan gododd y ddaear dan draed Dewi pan oedd yn annerch ei gynulleidfa. Yr oedd yr ardal dan reolaeth esgobion Tyddewi, ac yn wir ni chydiwyd plwyfi Caron a Llanddewi wrth Geredigion yn 1284, a bu raid aros tan 1536 cyn uno'r ddau blwyf â'r sir.

Pedwar cwmwd oedd yn *Is Aeron*, sef rhan ddeheuol Ceredigion. Cynhwysai *Caerwedros* bum plwyf: Llanina, Llannarth, Llanllwchaearn, Llandysilio a Llangrannog, ac erys enw Caerwedros ar bentref ger y gaer yn agos i Lwyndafydd. Ni wyddys dim am y gŵr a roes ei enw i'r gaer. Fe fydd yn rhaid cofnodi mai *Gogof* oedd enw plwyf Llangrannog yn y Canol Oesoedd, gan gyfeirio at ogof enwog Crannog. Yr oedd yn rhan o blwyf Llandysilio a dyma'r rheswm pam y sonnir am Landysiliogogo. Ac fe ŵyr pobl Môn mai ar ddelw'r enw hwn y lluniwyd Llandysiliogogo-goch yn y ganrif ddiwethaf.

Yng nghwmwd *Mebwynion* yr oedd Ciliau Aeron a Dihewyd a Llanfihangel Ystrad yn y gorllewin, a Llangybi, Llanfair Clydogau, Cellan a Llanbedr yn y de-ddwyrain. Enw Norman a ddefnyddiwyd i wahaniaethu rhwng y Llanbedr hon a'r holl eglwysi eraill a gyflwynwyd i Bedr, a'i henw yn llawn gynt oedd Llanbedr Tâl Pont Steffan, ond collwyd y 'tâl' erbyn hyn. Dros Deifi yr oedd y bont, a'r afon hon sy'n ffin ddeheuol rhwng cymydau Ceredigion a Sir Gaerfyrddin a Phenfro.

Yn nesaf at Febwynion yr oedd *Gwynionydd*, enw a drafodwyd eisoes. Rhennid y cwmwd gan Afon Cerdin yn *Is Cerdin* ac *Uwch Cerdin*. Ni wn pryd y gwnaed y rhaniad, ond rhaid mai ar ôl dyddiau bri Rhuddlan Teifi (un o hen lysoedd Pryderi) ac ar ôl yr adeg pan oedd Pen Coed y Foel yn ganolfan pendefigaidd. Rhaid mai o safbwynt Llandysul y sonnid am Is Cerdin ac Uwch Cerdin. Yn Is Cerdin yr oedd Llangynllo, Llandyfrïog, Llanfairorllwyn a Henllan. Yma hefyd yr oedd Bangor Teifi, hen faenor yn perthyn i esgobion Tyddewi. Yr oedd rhan o blwyf Llandysul yn Uwch Cerdin a phlwyfi Llanwenog a Llanwnnen.

Y cwmwd olaf yn Is Aeron oedd *Is Coed*. Yma yng nghwr de-orllewin Ceredigion yr oedd y dref a roes ei henw i'r sir, naill ai yn ei ffurf Gymraeg, Aberteifi, neu yn ei ffurf Seisnig, Cardigan. Unwaith eto, rhennid y cwmwd yn ddau hanner gan nant Hirwern (ond mai Hirwaun yw'r ffurf a ddefnyddid yn ddiweddarach, megis yn yr enw Pont Hirwaun). Yr oedd dau is-gwmwd felly, *Is Coed Is Hirwern* ac *Is Coed Uwch Hirwern*. Yn y cyntaf o'r rhain yr oedd Aberteifi ei hun, lle yr adeiladodd y Norman dref a chastell i amddiffyn y ffordd fawr a arweiniai i Benfro. Bu brwydro caled yma, dan gysgod y Crug Mawr, bryn sydd i'w weld am filltiroedd lawer. Yma yr oedd crocbren y dref, yma y crogid drwgweithredwyr ar ben Banc-y-warren fel y'i gelwir yn awr. Ac y mae'r enw *warren* yn atgof, nid am gwningen, ond am yr hen enw arall ar y bryn hwn, sef *Warrentree Hill*, lle y mae *warren* yn ffurf ar y gair Saesneg am droseddwr ffit i'w grogi. Yr oedd y Crug Mawr yn un o ryfeddodau Prydain yn ôl hen draddodiad. Yn Is Hirwern hefyd yr oedd Llangoedmor a Llandygwydd, a chapeli'r Ferwig a'r Mwnt.

Prif eglwys *Uwch Hirwern* oedd Llanfihangel Pcnbryn, ac yn y plwyf hwn y saif o hyd hirfaen sy'n cofnodi bodolaeth Corbalengus, un o wŷr llwyth yr Ordovices. Ni all neb a welodd y garreg hon amau nad cofeb i bennaeth yn ei ddydd oedd hi. Mae Aber-porth a Blaen-porth yn cadw cof am hen borth neu harbwr pwysig, sef Porth Hoddni neu Borth Hoddnant. Enw'r nant erbyn heddiw yw Howni.

DYFED

Wedi croesi Teifi down i wlad hynafol Dyfed, tir hud a lledrith, bro'r gŵr anhysbys a gasglodd ynghyd y chwedlau am Bwyll a Rhiannon a Phryderi ac ychwanegu atynt gyfarwyddyd plant Llŷr a phlant Dôn. Ffiniau'r hen Ddyfed oedd afonydd Teifi a Thywi a'r môr, ac ynddi felly yr oedd y cwbl o Sir Benfro a chyfran helaeth o orllewin Sir Gaerfyrddin, a Chaerfyrddin ei hun ar gwr y ffin ddwyreiniol. Nid rhyfedd bod cainc gyntaf y Mabinogi yn sôn gyda balchder am Bwyll Pendefig Dyfed ac am y saith cantref a oedd yn arglwyddiaeth iddo. Yr oedd yma olion hen boblogaeth, hŷn hyd yn oed na llwyth y *Demetae* a oedd yn adnabyddus i'r Rhufeiniaid, a llwyth y mae ei enw wedi goroesi yn enw Dyfed. Yma hefyd y cafodd y Gwyddyl eu gafael dynnaf ar Gymru, y Gwyddyl hynny o lwyth y Deisi a ddaeth drosodd, yn ôl yr hanes, o ddeheudir Iwerddon ac ymsefydlu'n llinach frenhinol yn Nyfed.

Mewn oes pan oedd hi'n haws teithio dros fôr nag ymgodymu â choedydd a chorsydd y tir rhaid fod Dyfed megis Llŷn, y ddau benrhyn mawr a ymwthiai i Fôr Iwerddon, yn fan cyfarfod pob math o ddiwylliant cynhanesyddol. Yn Nyfed cawn gymysgu gwaed gwŷr Oes y Pres ac Oes yr Haearn, gwaed Brython a Rhufeiniwr a Gwyddel, gwaed Sais a Norman a Fflemisiad. Mae gan Ddyfed hefyd le blaenllaw iawn yn hanes yr Eglwys

Gristnogol gynnar, a chanddi hawl ar ddau o saint mwyaf
Cymru, sef Dewi a Theilo, heb sôn am Frynach Wyddel.

Beth am y saith cantref? Yr un mwyaf gogleddol a'r
mwyaf mynyddig oedd *Cemais*. Ymestynnai hwn ar hyd
arfordir y gogledd, yn wlad o gilfachau môr, a
daearyddiaeth, mae'n debyg, sydd yn gyfrifol am yr enw
Cemais, sef tro, ystum. Rhennid y cantref gan Afon Nyfer
yn Is Nyfer ac Uwch Nyfer. Yn Is Nyfer yr oedd eglwys
fawr Brynach yn *Nanhyfer* neu *Nant Nyfer*, enw a drowyd
yn ddiweddarach yn *Nevern*. Ymestynnai'r cantref o
Landudoch yn y gogledd hyd at Gasnewydd-bach a
Maenclochog ac at Fynachlog-ddu a Llanfyrnach yn y
de, o Fanorowen ac Abergwaun yn y gorllewin hyd at
Eglwys Wen a Llanfair Nant-gwyn yn y gorllewin. Ei
ganolfan yn ddiweddarach yn y Canol Oesoedd oedd
Trefdraeth neu Newport.

Pebidiog oedd cantref esgobion Tyddewi. Dyma un arall
o'r enwau tiriogaethol sy'n cadw cof am ryw ŵr o'r enw
Pebid. Ym Mynyw yr ymsefydlodd Dewi ond daeth yr
eglwys hon yn fwy adnabyddus fel Tyddewi. O'r Porth
Mawr gerllaw y byddid gynt yn croesi i Iwerddon, a diau
gennyf mai cysylltiadau Dewi ag Iwerddon a barodd iddo
godi ei eglwys yma. Tir eglwysig ac esgobol oedd Pebidiog
a'r cantref cyfan yn fath o faenol i'r esgob, fel y gweddai
i'r eglwys fwyaf ei bri yng Nghymru.

Cemais a Phebidiog sydd wedi aros yn Gymraeg a
Chymreig. Gwelodd tri chantref arall deau Sir Benfro
gyfnewidiadau mawrion yn ystod y canrifoedd. Yma y
ceir dylanwad y Llychlynwyr fwyaf, y gwŷr ffyrnig a dewr
a oedd yn adnabod y rhan hon o'r wlad yn dda, ac a
adawodd eu hôl yn drwm ar enwau'r fro, yn enwedig ar
ynysoedd megis Skomer a Skokholm, a hefyd ar
gyfanheddau ar y tir. Yn union ar eu hôl hwy daeth eu
cefndryd o Normandi i gymryd gafael barhaol ar dri

chantref Rhos a Daugleddau a Phenfro. Yn sgîl y Normaniaid hefyd daeth y Saeson a'r Fflemisiaid.

Canlyniad hyn i gyd oedd seisnigeiddio rhan ddeheuol Sir Benfro, ac erys y ffin rhwng de a gogledd fel yr oedd, rhwng Seisnigrwydd a Chymreictod.

Beth am enwau'r tri chantref hyn? *Rhos* yw un ohonynt, yn dryfrith gan enwau Saesneg fel Prendergast, Dale, Herbrandston, Steynton a Freystrop. Ond ceir rhai plwyfi ag enwau Cymraeg yn ogystal. Rhai felly yw Roch (Y Garn), St. Ishmael's (Llanisan), Milford Haven (Aberdaugleddau). Ac y mae'r ffurf Gymraeg Hwlffordd ar brif dref y cantref, Haverfordwest. Mae'n debyg mai *rhos* yn ystyr pentir neu benrhyn sydd yn enw'r cantref.

Safai cantref *Daugleddau,* fel yr awgrymir gan ei enw, rhwng dwy gainc Afon Cleddau neu Gleddyf, dwy gainc sy'n trywanu Dyfed fel dau gleddyf neu ddwy gyllell. Yng ngorllewin y cantref ceir enwau Saesneg fel Wiston, Slebech, Rudbaxton a Clarbeston. Yn y dwyrain yr oedd Llanhuadain (Llawhaden) a gynhwysai ychwaneg o diroedd Esgob Tyddewi megis Llys-y-frân, Llan-y-cefn, Grondre a Llandysilio. Yma hefyd yr oedd Bletherston (Trefelen) a'r Mot (New Moat).

Yr oedd gan y cantref mwyaf deheuol enw diddorol iawn, sef *Penfro.* Dyma'r fro yn y pen-draw megis, pegwn eithaf Dyfed. A'r peth trawiadol yw mai'r Saeson sydd wedi cadw'r hen ffurf, sef *Penbrog.* Gwyddom fod y gair *bro* yn mynd yn ôl i ffurf fel *brog* ond bod yr -*g* ar ddiwedd y gair wedi hen ddiflannu yn Gymraeg. Ond rhaid fod y Saeson cynharaf wedi clywed yr *g* hon, a dyna sy'n cyfrif am ffurf fel *Pembroke.* Yr oedd hwn yn gantref go fawr a'r cwbl bron o'r plwyfi yn dwyn enwau Saesneg, megis Angle, Warren, Stackpole, Hodgeston a Herbeston. Ond fe oroesodd hen enwau Cymraeg hefyd, rhai fel Lamphey (gynt Llandyfái), Penally (gynt Penalun), a Maenorbŷr.

Enwodd y Llychlynwyr un ynys yn *Caldy,* sef yr ynys

oer, ond yr oedd ganddi hithau ei henw Cymraeg ei hun, sef *Ynys Bŷr*, yr un *Pŷr* ag ym Maenorbŷr.

Porthladd pwysig ar gyfer pysgota oedd *Dinbych-y-pysgod*, a lle diddan iawn i fyw ynddo os gallwn gredu'r hen fardd a ganodd Edmyg Dinbych. Yn wahanol i Ddinbych y Gogledd methodd y Saeson ag ynganu'r enw hwn, ac aeth yn *Tenby*. Am y ffin yr oedd *Amrath*, y tir ger y *rhath* neu'r gaer, ac y mae hyn yn ein hatgoffa mai gair Gwyddeleg yw *rhath*, yr un ag a geir yn Y Rhath yng Nghaerdydd.

Chweched cantref yr hen Ddyfed oedd *Emlyn*. Trwy'r cantref hwn llifai Afon Cuch, ac fe gofir fod Pwyll ar ddechrau cainc gyntaf y Mabinogi wedi mynd i hela i Lyn Cuch. Glyn hynod yw hwn, cul a choediog, a phrofiad cofiadwy yw teithio ar hyd-ddo o Aber-cuch ym Maenordeifi hyd at Gwm Cuch a Chwm Morgan. Nid rhyfedd iddo ddod yn ffin rhwng dau hanner y cantref, sef cymydau *Is Cuch* ac *Uwch Cuch*. A dyry hyn esboniad ar yr enw *Emlyn*, sef y wlad o gwmpas y Glyn (hynny yw, *am* yn troi'n *em* o flaen *glyn*).

Yn Is Cuch yr oedd Cilgerran a Bridell a Maenordeifi yn y gogledd, a Phenrhydd, Clydau a Chilrhedyn yn y de. Yng nghyfnod y Normaniaid daeth y cwmwd hwn yn arglwyddiaeth dan yr enw Cilgerran. Ac wedi'r Ddeddf Uno cysylltwyd ef â Sir Benfro gan wneud Afon Cuch yn rhan o'r ffin rhyngddi a Chaerfyrddin.

Yr oedd tair eglwys adnabyddus yn Emlyn Uwch Cuch, sef Cenarth, Llangeler a Phen-boyr, ond mai eglwys Cenarth wedi ei chyflwyno i Lawddog oedd bwysicaf o'r tair. Wedi dyfod y Norman adeiladwyd y Castell Newydd yn Emlyn a daeth hwn yn ganolfan i'r arglwyddiaeth newydd.

Yr olaf o'r saith cantref oedd *Cantref Gwarthaf*, neu'r cantref uchaf. Yr oedd hwn yn gantref eang, ac ymestynnai o gyffiniau Arberth yn y gorllewin hyd at

Gaerfyrddin ei hun. Yr oedd ynddo wyth cwmwd. Yn y gorllewin yr oedd *Efelfre* neu *Effelffre,* a chedwir yr enw hwn yn y ddwy eglwys Llanbedr Felfre a Llanddewi Felfre. Gall yr enw Efelfre fod yn ffurf ar y Foelfre, neu'r bryn moel.

Yn uwch i fyny yr oedd *Amgoed,* sef y fro o gwmpas y goedwig, ac y mae eglwys fel Henllan Amgoed yn cadw cof am yr hen enw. Yma hefyd yr oedd Llanfallteg a Chilymaenllwyd. Yr oedd y ffin rhwng Amgoed a'r cwmwd nesaf yn bur annelwig a chyplysid y ddau gwmwd yn aml.

Gwelsom eisoes mai gwlad Peulin oedd *Peuliniog,* rhwng Cleddau a Thaf, ac yn y cwmwd hwn yr oedd eglwysi fel Llanboidy (gynt Nantbeudy) a Llangynin a Sanclêr.

I'r de yr oedd cwmwd. *Talacharn,* sy'n ymddangos fel cyfuniad o'r gair *tâl* a'r enw *lacharn,* beth bynnag yw hwnnw. Ymddengys mai hen enw ar y porthladd yn Lacharn oedd Abercoran. Cynhwysai'r cwmwd hwn blwyfi megis Cyffig a Llanddowror yn y gogledd, a rhai fel Eglwys Gymyn a Marros a Llandeilo Pentywyn (Pendine) yn y de.

Os symudwn i'r gogledd eto cawn gwmwd *Elfed,* enw sy'n perthyn yn agos o ran ei ffurf i enw hen deyrnas y Brython o gwmpas Leeds yn Swydd Efrog, sef *Elmet* gynt. Yma yr oedd Tre-lech a Llanwinio ac Aber-nant (gynt Ebyr-nant). Ac enw llawn Cynwyl oedd Cynwyl Elfed er mwyn gwahaniaethu rhyngddo a Chynwyl Gaeo yn y Cantref Mawr.

Erys tri chwmwd yn y Cantref Gwarthaf y mae'n rhaid cyfeirio atynt. Enw anodd iawn sydd gan un ohonynt, sef *Ystlwyf* neu *Ysterlwyf,* ac ni allaf ar hyn o bryd gynnig esboniad boddhaol arno. Dau blwyf oedd ynddo, sef Meidrim a Llanfihangel Abercywyn. Ond er ei leied yr oedd naw maenor yn y cwmwd hwn, ac enwau'r rhan fwyaf ohonynt wedi goroesi mewn enwau ffermydd megis Garllegan a Maenorddwylan (nid Manarddwylan fel sydd ar y mapiau).

Mae ystyr enw cwmwd y *Penrhyn* yn amlwg, trwy drugaredd, sef y darn tir sy'n ymwthio i'r môr rhwng aberoedd Taf a Thywi, gan gynnwys plwyfi Llangynog, Llandeilo Abercywyn, Llan-y-bri a Llansteffan.

Enw'r trydydd cwmwd oedd *Derllys*, ac yma yr oedd Llan-llwch a Llan-gain, a phlwyf Pedr, sef eglwys tref Caerfyrddin. Gan fod Caerfyrddin yn y cwmwd hwn teg yw gwrthod y gair *derllys* neu *dderwlys* am lysieuyn, a dal bod Derllys yn cynnwys *llys*, ac efallai'r elfen gryfhaol *dar* o'i flaen a'r cwbl yn golygu rhywbeth fel llys mawr.

YSTRAD TYWI

Yr oedd y *Cantref Mawr* yn haeddu ei enw gan fod ynddo saith cwmwd, a sôn mawr am eu henwau yn hanes y cyfnod pan oedd tywysogion Dinefwr yn ymladd yn erbyn y Normaniaid.

Yn nesaf at Gaerfyrddin yr oedd *Gwidigada* neu *Widigada*, enw sydd â golwg ryfedd arno ac un y mae ei ystyr yn dywyll. Yma yr oedd eglwys enwog Abergwili a hefyd Llanpumsaint a Llanllawddog.

Yn nes i fyny yr oedd dau gwmwd *Mabudrud* a *Mabelfyw*. Mae ffurf yr enwau hyn yn awgrymu eu bod yn cadw cof am ryw hen benaethiaid, os cymerwn mai *mab* yw'r elfen gyntaf. Yr oedd tair eglwys ym Mabudrud, sef Llanfihangel Rhos-y-corn, Llanllwni a Llanfihangel Iorath (yn y plwyf olaf hwn yr oedd Pencader). Dau blwyf, Llanybydder a Phencarreg, oedd ym Mabelfyw.

Ymddengys mai enw'r sant, Cathen, sydd wrth wraidd enw cwmwd *Cetheiniog*, y sant a goffeir yn Llangathen. Yr oedd dwy eglwys wedi eu cysegru i Egwad yn y cwmwd. Gelwid y naill yn Llanegwad Fawr a'r llall yn Llanegwad Fynydd, ond erbyn hyn Llanfynydd yw enw'r olaf. Yng Nghetheiniog hefyd yr oedd eglwys fechan Llanfihangel Cilfargen.

Y cwmwd pwysicaf oedd *Maenordeilo* gan mai yma yr oedd eglwys hynafol Teilo yn Llandeilo, a rhaid mai'r cysylltiadau eglwysig hyn a barodd alw'r cwmwd felly. Ym mhlwyf bychan Llandyfeisant yr oedd llys llinach frenhinol Deheubarth yn Ninefwr, ac nid cyd-drawiad yw bod Dinefwr a Llandeilo yn ymyl ei gilydd. Cynhwysai Maenordeilo hefyd holl blwyf Llansadwrn a rhan ddeheuol plwyf Talyllychau.

Ymddengys enw cwmwd *Caeo* fel ffurf ar enw personol. Cedwir cof amdano yn enw pentref a phlwyf Caeo, ond enw'r pentref gynt oedd Cynwyl Gaeo. Yn y cwmwd hwn yr oedd Llan-crwys a Llansawel neu Lansewyl, a hefyd abaty enwog *Talyllychau*, a'r hen air *llwch* yn cyfeirio at y llynnoedd lle y byddai'r mynaich yn pysgota ar gyfer dydd Gwener ac ar gyfer y Grawys.

Cwmwd olaf y Cantref Mawr oedd *Malláen*, a'r acen ar y sillaf olaf, enw a oedd gynt yn drisill. Ymddengys mai ystyr yr enw yw 'gwastadedd Llaen', sef yr un enw ag sydd ym Mhortin-llaen, ond mater o ddadl yw'r berthynas â'r llwyth o Wyddyl o'r un enw. Cil-y-cwm a Llanwrda oedd y ddau blwyf a gynhwysid ym Malláen.

Cantref mwyaf dwyreiniol Sir Gaerfyrddin oedd y *Cantref Bychan* a ymestynnai ar hyd Dyffryn Tywi. Yr oedd ynddo dri chwmwd, sef Hirfryn, Perfedd ac Is Cennen.

Mae enw *Hirfryn* yn ei esbonio ei hun, a chedwir ef mewn enw fferm hyd heddiw, sef Cefnhirfryn. Yma yr oedd dau blwyf Llanfair-ar-y-bryn a Llandingad, gan gynnwys castell a thref Llanymddyfri. Y *Cwmwd Perfedd* oedd y cwmwd canol rhwng Hirfryn ac Is Cennen. Cwmwd nid anenwog oedd hwn gan ei fod yn cynnwys eglwysi Myddfai a Llanddeusant a Llangadog Fawr ynghyd â Chapel Gwynfe. Dyma gartref y meddygon

enwog a'r chwedl am Lyn y Fan. Codai'r cwmwd o
diroedd breision Dyffryn Tywi hyd at ucheldir y Mynydd
Du am y ffin â Morgannwg.

Mae enw *Cwmwd Is Cennen* yn awgrymu bod iddo
bwysigrwydd gweinyddol gynt, a rhaid cofio am gadernid
Castell Carreg Cennen. Y plwyfi oedd Llanfihangel Aber-
bythych, Llanarthne, Llanddarog, Llandybïe a'r Betws.
Yn sgîl datblygiad y diwydiant glo y daeth bri ar bentrefi
fel Pen-y-groes a Glanaman a'r Garnant, ac ar drefi fel
Rhydaman (gynt yn ddim namyn tafarn ar groesffordd,
sef Cross Inn).

Dau o gantrefi yr hen *Ystrad Tywi* oedd y Cantref Mawr
a'r Cantref Bychan a drafodwyd hyd yn hyn, sef y broydd
a ychwanegwyd at Geredigion yn nyddiau Seisyll.

Enw'r trydydd cantref oedd *Eginog,* ond nid yw hwn
yn digwydd yn aml iawn. Mae'n ymddangos fel tarddair
oddi wrth y gair *egin,* o bosibl yn un o'i ystyron ffigurol,
sef 'disgynyddion'. Gellid hefyd awgrymu enw personol.
Beth bynnag am hynny, nid enw'r cantref oedd yn bwysig
gynt ond enwau ei dri chwmwd, sef Cedweli, Carnwyllion
a Gŵyr. Gwelsom eisoes y gallwn olrhain *Cedweli* a
Charnwyllion yn ôl at enwau personol fel Cadwal a
Charnwyll. Ffurfiai Cedweli a Charnwyllion un
arglwyddiaeth dan y Normaniaid. Canolfan Cedweli
(Cydweli heddiw) oedd y dref a'r castell o'r un enw, a
thrueni mawr fod y ffurf 'Kidwelly' wedi cael oes mor
hir. Ymestynnai cwmwd Cedweli o Langynnwr yn y
gogledd trwy Langyndeyrn â Llandyfaelog at Lanismel
a Llan-saint a Phen-bre yn y de. Dioddefodd *Pen-bre*
hefyd gan y newidwyr orgraff. Yr ynganiad lleol yw *Pem-
bre,* ac nid yw ffurf fel 'Pembrey' ond yn ymgais i ddynodi
hyn mewn ysgrifen.

Yr oedd Carnwyllion yn gwmwd ar wahân ond cyplysid
ef fel rheol â Chedweli. Yr oedd ynddo bedwar plwyf,

gan gynnwys Llanelli, Llangennech, Llan-non a Llanedi.
Ceir cryn dipyn o'i hanes ym mhapurau stadau fel
Mwdlwsgwm a Derwydd a Chilymaenllwyd.

Y trydydd cwmwd yng Nghantref Eginog oedd *Gŵyr*,
yn rhan o Ystrad Tywi. Wedi'r Ddeddf Uno y daeth Gŵyr
yn rhan swyddogol o Sir Forgannwg, ond yr oedd ei safle
ac Afon Tawe yn ffin orllewinol yr hen Forgannwg wedi
gwneud Gŵyr yn asgwrn y gynnen am ganrifoedd. *Gwhyr*
oedd yr hen ffurf, ac nid yw 'Gower' ond ffurf Seisnigaidd
ar yr enw Cymraeg. Ond nid y penrhyn yn unig a elwid
Gŵyr gynt. Rhennid y cwmwd yn ddau hanner gan
goedwig fawr, a'r enwau ar y rhaniadau oedd *Gŵyr Is Coed*
a *Gŵyr Uwch Coed*, ac yn Lladin *Sub Boscus* a *Supra
Boscus*. Yn Is Coed yr oedd canolfan y cwmwd pan ddaeth
yn faenor, sef yn Nhrewyddfa ger y lle a elwir bellach
Treforys. Mae olion y goedwig o hyd ar gof yn Fforest-
fach yng Nghoed Penlle'r-gaer a Chefn Fforest ym
mhlwyf Llangyfelach.

Gŵyr Is Coed felly a ddaw i feddwl pobl heddiw pan
fyddant yn sôn am Fro Gŵyr, sef y penrhyn ei hun o
Abertawe a Llansamlet yn y dwyrain hyd at Rosili yn y
gorllewin a'r traethau eang a'r baeau enwog. Gadawodd
y Norman a'r Sais eu hôl yn drwm ar y darn hwn yn
Cheriton, Knelston, Oxwich a Nicholaston, a cheir yr un
math o raniad rhwng Saesneg a Chymraeg ag a geir ym
Mhenfro, a'r un math o batrwm hefyd yn nifer y plwyfi
bychain cryno ag a welir yn y Fro ym Morgannwg. Ond
yr oedd hen hanes i Ŵyr Is Coed a'r cof am seintiau
Cymraeg fel Dewi ac Illtud a Theilo yn aros. Fe gofir mai
Llanilltud Gŵyr yw Ilston ac mai Llandeilo Ferwallt yw
Bishopston. Yr oedd olion y Rhufeiniaid yma hefyd yng
Nghasllwchwr, heb sôn am olion oesoedd cynt o lawer.

Ymestynnai *Gŵyr Uwch Coed* hyd at droed y Mynydd
Du rhwng afonydd Llwchwr a Thawe. Gwlad y rhosydd
a'r gweundiroedd oedd hon, a thri phlwyf yn unig ynddi

gynt. Un oedd Llandeilo Tal-y-bont, yr hen eglwys sydd wedi gorfod ildio mewn bri i Bontarddulais erbyn hyn, gyda dyfodiad y diwydiant alcam. Yn nesaf yr oedd plwyf enfawr Llangyfelach a'i eglwys bwysig wedi ei chyflwyno i Ddewi. Yr oedd ffair Llangyfelach yn enwog, ac y mae'r eglwys ei hun o hyd mewn safle nodedig. Ond erbyn hyn darniwyd yr hen blwyf i'w barselau, sef Mawr a Rhyndwyglydach, a llyncwyd darn helaeth ohono gan dref Abertawe. Y trydydd plwyf oedd Llan-giwg. Yn hwn yr oedd Cegyrwen, enw o gryn bwys yn y dogfennau sy'n ymwneud â maenor Gŵyr, ond sydd bellach yn fwy adnabyddus yn y ffurf Gwauncaegurwen. A phwysicach byth yw Ystalyfera ym mhen ucha'r plwyf, a Phontardawe (Pen-y-bont ar Dawe gynt) yn y pen isaf. Rhaid fod Cwm Tawe gynt yn hynod brydferth, gan fod olion yr hen lendid yn aros hyd heddiw. Ond llygrodd diwydiant a chynnydd degwch natur gan droi Tawe yn ffrwd felen halog, a newid ardal Glandŵr yn anialwch gwenwynig.

MORGANNWG

Erbyn hyn yr ydym wedi cyrraedd hen deyrnas Morgannwg, a bellach bydd yn rhaid inni sôn am gantrefi fel Gwrinydd a Phenychen a Senghennydd. Mae hen hanes y broydd hyn yn bur eglur, a rhaid aros tan ddyfodiad y Norman a'r Sais er mwyn cael gafael ar dystiolaeth ynglŷn â'r hen raniadau.

Cymerwn, er enghraifft, hanes y cwmwd rhwng afonydd Tawe a Nedd a elwir fel rheol yn *Nedd* (Neath). Sefydlodd y Normaniaid arglwyddiaeth yma o gwmpas hen orsaf Rufeinig. Bu Illtud a Chadog yn brysur yma fel y gwelir yn enwau eglwysi Llangatwg Nedd (Cadoxton) a Llanilltud Nedd. Cedwir cof am y Norman yn enw hen drefgordd a berthynai i Langatwg, sef Coed-ffranc sydd yn aros yn enw ar blwyf sifil ac ar ysgol, ond

mai Sgiwen yw enw'r pentref mwyaf. Cynhwysai Maenor
Nedd ddau raniad ac enwau Lladin arnynt, sef *Neath
Citra* a *Neath Ultra.*

Yn *Neath Citra* (yr ochr hon) yr oedd Castell-nedd ei
hun a'r fynachlog ynghyd â phlwyf Llansawel (Briton
Ferry). Nid oes cofnod am enwau Cymraeg ar y
rhaniadau hyn hyd y gwn i, ond pe buasai fe ddisgwylid
rhywbeth fel Nedd Is Nedd a Nedd Uwch Nedd.

Ymestynnai *Neath Ultra* (yr ochr draw) i fyny at
Fynydd y Drum ac Afon Pyrddin. Yma yr oedd plwyf
Cilybebyll a thref Dulais (un o drefgorddau Llangatwg).
Cawn gip ar hanes yr ardal ym mhapurau Cilybebyll ac
yng nghofnodion yr hen faenor. Bu cryn sôn un adeg am
Gapel y Creunant, a daeth enwau fel Onllwyn a Seven
Sisters (y Sefn ar lafar gwlad) yn adnabyddus wedi suddo
pyllau glo.

Cwmwd *Afan* a ddeuai wedyn, a chafodd ei enw oddi
wrth yr afon a lifai drwyddo. Anodd onid amhosibl erbyn
hyn ddewis rhwng y gwahanol esboniadau ar yr enw Afan
— ai enw personol, ai ffurf ar y gair Gwyddeleg am afon,
ai'r llysieuyn. Sut bynnag, cymysgwyd yr enw'n gynnar
â'r gair cyffredin afon, a dyna sy'n cyfrif am ffurfiau fel
Aberafon yn hytrach nag *Aberafan.* Yr hen blwyfi yn y
cwmwd hwn oedd Baglan a Llanfihangel-ynys-Afan
(Michaelston). Yn uwch i fyny yr oedd Glyncorrwg a
Resolfen (gynt Rhos Soflen) a Blaen-gwrach. Gelwid yr
ardal tu allan i fwrdeisdref Afan ei hun yn *Afan Wallia*
neu Afan Gymraeg.

Ffurfiai plwyf Margam uned ar ei phen ei hun a'r abaty
enwog yn ganolfan. Ni ellir gweld hyn yn well nag ym
mhapurau stad Pen-rhys a Margam lle y darlunnir cyfoeth
tiriog y mynaich ac fel y cawsant roddion helaeth trwy
gydol y Canol Oesoedd. Mae Margam erbyn hyn wedi
mynd yn aberth i ddur, a thref fel Port Talbot wedi

llyncu'r cwbl o'r hen blwyf, yn ogystal â Baglan ac Aberafan.

Arglwyddiaeth fechan arall yn ffinio â Margam oedd *Cynffig,* gan gynnwys y plwyf o'r un enw, ynghyd â'r Pîl (Pyle).

Yng ngogledd cantref *Gwrinydd* fe gadwodd dau gwmwd eu hunoliaeth fwy neu lai wedi dyfod y Normaniaid. Y ddau hyn oedd *Tir Iarll* a *Glynogwr,* dau gwmwd yn y Blaenau a gafodd ryw gymaint o lonydd i fyw eu bywyd eu hunain. Rhaid fod enw arall ar Dir Iarll cyn cyfnod y Normaniaid, ond nid oes unrhyw dystiolaeth amdano. Y ddau blwyf yn y cwmwd hwn oedd Llangynwyd a'r Betws, enwau adnabyddus iawn i'r sawl sy'n ymddiddori ym mharhad Cymreictod Morgannwg. Un o hen raniadau Llangynwyd oedd Cwm-du, ac y mae hwn bellach yn blwyf sifil ar ei ben ei hun, ond unwaith eto gyda chynnydd diwydiant enw arall sydd wedi dod i'r amlwg yn y parthau hyn, sef Maesteg.

Mae enw *Glynogwr* yn dwyn i'n cof fod Ogwr yn un o afonydd pwysig Morgannwg. Y ffurf ysgrifenedig hynaf yw *Ocmur,* a diau mai hyn sy'n cyfrif am y ffurf Seisnig 'Ogmore'. Mae'n digwydd yn aml fod hen ffurf Gymraeg yn ymgaregu ar dafodau Saeson ac felly cedwir olion hynafol. Yn Gymraeg fodd bynnag ceid *Ogfwr* i ddechrau ac wedyn yn naturiol iawn symleiddiwyd hon yn *Ogwr.* Gellir awgrymu mai 'cyflym' yw ystyr yr elfen *og-*, beth bynnag yw'r gweddill. Dau blwyf eto a oedd yng nghwmwd Glynogwr, sef Llandyfodwg a Llangeinwyr. Ffurfiau eraill ar enwau'r plwyfi hyn a welir yn aml yn yr hen gofnodion yw Eglwys Glynogwr ac Eglwys Geinwyr. Nawddsant y naill oedd Tyfodwg a nawddsant y llall oedd Cain (Cain Wyry), un o ferched Brychan.

Pan rannwyd y wlad yn ddosbarthau gwlad a thref aethpwyd â phlwyf y Betws oddi ar Dir Iarll a'i ychwanegu at Langeinwyr a Llandyfodwg i ffurfio uned newydd *Ogwr a Garw,* gan gynnwys enwau'r ddwy afon.

Yr oedd dwy arglwyddiaeth yn stribyn ar draws canol cantref Gwrinydd. Y naill oedd *Coety,* gan gynnwys Coety ei hun, a phlwyfi Llangrallo, Pen-coed a Llansanffraid-ar-Ogwr (St. Brides Minor). Y llall oedd *Castellnewydd-ar-Ogwr* (Newcastle) gan gynnwys Pen-y-bont, Trelales (Laleston), Llandudwg (Tythegston), Drenewydd yn Notais (Newton Nottage) a Merthyr Mawr (gynt Merthyr Myfor). Fe welir dylanwad Saesneg ar rai o'r enwau hyn, ac fe dalai inni gofio bod cryn lawer o gyfieithu ac ystumio wedi bod yn y Fro, y Saeson yn trosi enwau Cymraeg, a'r Cymry'n trosi enwau Saesneg.

Yr oedd adran ddeheuol hen gantref Gwrinydd yn Ogmore a rhan o'r hyn a elwid yn Saesneg yn 'shire-fee', sef rhan o hen Sir Forgannwg y Normaniaid. Cynhwysai Ogmore blwyfi fel Tregolwyn (Colwinston), Ewenni, Llandŵ, Llan-gan, Marcroes, Yr As Fawr (Monknash), Pen-llin, Saint-y-brid (St. Brides Major), Sain Dunwyd (St. Donat's) a'r Wig.

Mae'n rhaid mai rhan dde-ddwyreiniol Gwrinydd oedd y rhan bwysicaf gynt. Yma yr oedd llys y cantref, yn *Llyswrinydd,* y lle a newidiodd yng nghwrs y canrifoedd yn *Llysorfynydd, Llysybronnydd,* a gorffen fel *Llyswyrny.* Dyma'r adran o Wrinydd a oedd yn 'shire-fee' Morgannwg, sef plwyfi fel Llandochau, Llanfihangel y Bont-faen, Yr As Fach (Nash), Llan-faes, Trefflemin (Flimston), Eglwys Brewys, Sain Tathan a Silstwn (Gileston). Bro bwysig oedd hon gynt gan mai yma hefyd yr oedd canolfan eglwysig enwog Llanilltud Fawr.

Symudwn ymlaen at gantref arall a welodd gyfnewidiadau mawrion. *Penychen* oedd hwn, beth bynnag yw arwyddocâd arbennig yr elfen anifeilaidd yn yr enw. Hwyrach fod yn y fan hyn rywbryd ryw fath o gwlt totemistaidd, ond dyfalu yn unig a allwn bellach.

Cadwyd cof am un o benaethiaid y cantref ym Muchedd Cadog, lle y sonnir am y teyrn Poul Penychen.

Ni welir y gwahaniaeth rhwng Bro a Blaenau yn well nag yn yr hen gantref hwn. Yn y fro fras amaethyddol ceir lliaws o blwyfi bychain crwn, ond yn y Blaenau mynyddig, anodd eu trin, dim ond dau neu dri phlwyf gwasgaredig. Y ddau gwmwd yn y Blaenau, sef y rhan Gymraeg o Benychen, oedd *Glynrhondda* a *Meisgyn.* Digon hawdd gweld pam yr enwyd cwmwd Glynrhondda, gan ei fod yn cynnwys cwrs uchaf Rhondda Fawr a Rhondda Fechan, ac yn ymestyn o'r Porth (y drws i'r ddwy Rhondda) hyd at Flaenrhondda. Dylem gofio mai *Glynrhoddni* oedd hen ffurf enw'r cwmwd a cheir ffurfiau fel *Rhoddne* ar yr afon. Datblygiad diweddarach yw trawsosod y seiniau yn yr enw a chael ffurf fel *Rhondda.* Yr awgrym mwyaf derbyniol ar yr ystyr yw bod yr elfen *rhawdd,* fel yn *adrodd,* yn golygu llafar neu siaradus, ac y mae'r teip hwn o enw ar afon yn bur gyffredin yng Nghymru.

I bob pwrpas ymarferol un plwyf yn unig oedd yng Nghwmwd Glynrhondda, sef *Ystradyfodwg.* Goroesodd yr enw hwn yn Ystrad Rhondda, neu'n syml yr Ystrad.

Enw anodd iawn ei esbonio yw *Meisgyn,* y cwmwd arall ym mlaenau Penychen, a rhaid gadael unrhyw ddyfalu ar ei ystyr. Cynhwysai ddau blwyf Aberdâr a Llanwynno, a'r brif afon yn y cwmwd oedd Cynon. Fel y gwelsom droeon erbyn hyn diflannodd bri yr hen ganolfannau, a chiliodd Llanwynno i'r cysgodion pan dyfodd diwydiant Aberpennar (Mountain Ash).

Trown yn awr at arglwyddiaethau Normanaidd y Fro. Y gyntaf o'r rhain oedd *Rhuthun,* arglwyddiaeth fechan a gynhwysai blwyfi Llanharan, Llanilid, Llanbedr-ar-fynydd (Peterston-super-montem) ac Eglwys Fair y Mynydd (St. Mary Hill). Mae'n debyg mai'r un ffurf sydd ar enw'r arglwyddiaeth hon ag ar yr un yn Sir Ddinbych, sef *rhudd* a *din*, neu'r Gaer Goch.

Arglwyddiaeth arall ym Mhenychen oedd *Clown*, neu *Clun* fel y sillafwyd yr enw'n ddiweddarach. Erys tarddiad yr enw yn dywyll ar hyn o bryd. Canolfan yr arglwyddiaeth oedd Llantrisant, a chynhwysai blwyfi Llanilltud Faerdref, Pen-tyrch, Llanilltern, Radur a rhan o Sain Ffagan.

Cymerodd arglwyddiaeth *Tal-y-fan* ei henw oddi wrth y lle o'r un enw ym mhlwyf Ystradowen. Y plwyfi eraill oedd Y Bont-faen, Llanfleiddan, Llanhari, Llansanwyr, Pendeulwyn, Saint Hilari a Llanddunwyd (Welsh St. Donats).

Gwelsom fod hanner arglwyddiaeth Morgannwg yng nghantref Gwrinydd (Gorfynydd). Yr oedd yr hanner arall ym Mhenychen, a chynhwysai ddarn helaeth o'r Fro, sef o Lansanffraid-ar-Elái a Llanbedr-y-fro yn y gogledd hyd at Borthceri, Tregatwg (Y Barri) a Sili (Sully) yn y de. Fel yr oedd Llanilltud Fawr yn nodedig yng Ngwrinydd, felly hefyd yr oedd Llancarfan (gynt Nantcarfan) yn yr ardal hon yn enwog am ei bod yn brif eglwys Cadog. Ond eglwys fawr Teilo yn Llandaf a ddaeth yn bwysicaf o ddigon. Fel gyda dwy eglwys gadeiriol arall, Bangor a Llanelwy, yr oedd Llandaf ar gyrion dau gantref, sef Penychen a Senghennydd. Mae'n ddiddorol sylwi hefyd fod yr eglwys hon fel eglwys Llanelwy wedi cymryd ei henw oddi wrth yr afon y safai arni, sef Taf. Oddi wrth yr eglwys hon y daeth un o'r llyfrau pwysicaf a gyfansoddwyd yng Nghymru erioed, sef Llyfr Llandaf, casgliad o ysgrifau a chofnodion er gogoniant i Deilo a'r esgobaeth. Prin yr ydys wedi dechrau astudio'r gyfrol fawr hon eto, a diau fod darganfyddiadau lawer ar y ffordd.

Cantref olaf Morgannwg oedd y *Cantref Breiniol*, a rhoi un hen enw arno. Ni wyddom bellach pa fraint arbennig a barodd roi'r fath enw, ond yr enw mwyaf arferol oedd *Senghennydd.* Yr wyf eisoes wedi ceisio esbonio'r enw hwn, a dylid nodi iddo oroesi yn enw pentref ym mhlwyf Eglwysilan ac i'r enw ddod yn adnabyddus o achos trychineb y gwaith glo yno.

Y tri chwmwd a ffurfiai Senghennydd oedd Cibwr, Is Caeach ac Uwch Caeach. Cymerodd y ddau gwmwd olaf eu henw oddi wrth Nant Caeach, sy'n ffurfio rhan o'u ffin, ac yn *Is Caeach* yr oedd y castell yng Nghaerffili. Yn Is Caeach hefyd yr oedd Llanfabon a Rhydri a Llanfedw, ac ar gyffiniau Caerdydd yr oedd yr Eglwys Newydd (Whitchurch).

Dim ond dau blwyf oedd yn y cwmwd uchaf, sef *Uwch Caeach,* fel y gellid disgwyl o gofio am ddaearyddiaeth yr ardal. Y ddau hyn oedd Merthyr Tudful a Gelli-gaer. Gwnaeth y Chwyldro Diwydiannol Ferthyr y dref fwyaf yng Nghymru ar un adeg, ond pentrefi fel Bargoed a Phontlotyn a'r Gilfach a dyfodd yng Ngelli-gaer.

Yn y trydydd cwmwd, *Cibwr,* yr oedd Caerdydd ei hun ynghyd â phlwyfi fel y Rhath a'r Llysfaen a Llanisien a Llanedern. Llyncodd dinas Caerdydd lawer iawn o'r hen gwmwd erbyn hyn a diau y bydd iddi lyncu'r gweddill cyn bo hir, a rhannau o ardaloedd eraill yn ogystal.

GWYNLLŴG

Byddwn yn croesi'r ffin yn awr o Forgannwg ac yn ystyried y darn gwlad sy'n gorwedd ar lan y môr rhwng Caerdydd a Chasnewydd, neu rhwng afonydd Rhymni ac Wysg, ac sy'n ymestyn i fyny i'r cymoedd at Fedwellte. Gwynllŵg oedd hen enw'r ardal hon, sef gwlad Gwynllyw, mab y brenin Glywys. Cyflwynwyd eglwys iddo yng Nghasnewydd, ond dirywiodd yr enw o St Gwynllyw i St. Woolos. Felly hefyd llurguniwyd enw'r wlad, Gwynllŵg, nes gorffen fel *Wentloog* dan ddylanwad y frenhiniaeth gyffiniol arall, Gwent. Yn y fro hon y ceir yr unig enghraifft o'r gair Basaleg sy'n golygu eglwys.

Ar y morfa gwastad rhwng Caerdydd a Chasnewydd gwelwn olion y cymysgu cynnar rhwng Cymro a Sais a Norman. Cawn yma y ddeuoliaeth mewn enwau lleoedd sydd mor nodweddiadol o'r cymysgu hwn — Llaneirwg ochr yn ochr â St. Mellons; Maerun a Marshfield; Llanbedr Gwynllŵg a Peterstone Wentloog; Llansanffraid Gwynllŵg a St. Bride's Wentloog. Hen enw'r dref a elwir bellach Rumney oedd Tredelerch. Arhosodd rhai enwau Cymraeg fel Llanfihangel-y-fedw a Choedcernyw. Ceir un enghraifft o Ladin-Ffrangeg ym Malpas, y Bwlch Anodd.

Yn uwch i fyny yng Ngwynllŵg enwau Cymraeg yn unig a geir, fel ym mhlwyfi Bedwas (y llwyn bedw), a Machen a'r Betws; Henllys a Rhisga; Mynyddislwyn a Bedwellte (Bodfelltau gynt). Bro yw hon a ddaliodd yn dynn yn ei threftadaeth Gymraeg a Chymreig. Yma yr oedd Gwernyclepa, yma y tyfodd teulu'r Morganiaid yn Nhredegyr. A beth bynnag am yr iseldir ar lan y môr, o Gasnewydd i fyny yng nghymoedd Sirhywi ac Ebwy, enwau Cymraeg pur sydd gan y trigolion trwy gydol y Canol Oesoedd, ac yn ddiweddarach tan gyfnod y Chwyldro Diwydiannol a dod ag enwau pentrefi newydd i'r amlwg, Cross Keys a Newbridge a New Tredegar.

GWENT

Ffurfiwyd Sir Fynwy trwy ychwanegu Gwynllŵg at yr hen Went. Rhennid y fro helaeth ddiwethaf hon gan y goedwig fawr yn *Went Is Coed* a *Gwent Uwch Coed*. (Arglwydd Gwent Is Coed, fel y gŵyr pawb, oedd Teyrnon ym Mabinogi Pwyll.) Ond hyd yn oed wedi rhannu fel hyn, yr oedd y ddau hanner yn ddigon mawr i gael eu hadrannu'n fanylach.

Dewch i ni gael gweld beth a geid yn *Is Coed* yn gyntaf. Cymysgedd sydd yma o hen gymydau Cymreig ac

arglwyddiaethau Normanaidd. Trafodais rai o'r rhain
eisoes. Ymestynnai *Llebenydd* ar hyd glan Môr Hafren
o Dre'ronnen (Nash) ac Allteuryn (Goldcliff) — a oes
yma atgof am y plentyn Gwri Wallt Euryn yn y Gainc
gyntaf? — hyd at Lanfihangel a Roggiett. Yr oedd maenor
bwysig gan Esgob Llandaf yn Llebenydd, yn
Llangadwaladr. Mae'r enw Saesneg Bishton ar y plwyf
hwn yn cadw'r cof am yr hen gysylltiad esgobol. Yma
hefyd yr oedd Christchurch neu Eglwys y Drindod. Erbyn
hyn wrth gwrs mae'r teithiwr syn ar y rheilffordd yn
edrych o'i gerbyd ar ryfeddod gwaith dur Llan-wern.

Cwmwd arall yng Ngwent Is Coed oedd *Edeligion*, neu
dir Edelig. Yn y cwmwd yr oedd y llecyn a ddaeth mor
bwysig yn y chwedl Arthuraidd wedi i Sieffre o Fynwy
ddisgrifio'n fanwl rwysg a rhodres Caerllion-ar-Wysg.
Plwyfi pwysig eraill oedd Llanfihangel Llantarnam (Nant
Teyrnon gynt), Llanfrechfa, Llanhenwg a Thredynog.
Cynhwysai Edeligion hefyd arglwyddiaeth fechan *Tre-grug*
a oedd yn cydredeg â ffiniau plwyf Llangybi. Yn wir,
sonnir am y faenor dan y naill neu'r llall o'r enwau hyn,
sef Tre-grug a Llangybi.

Enw Saesneg sydd ar y darn nesaf o Is Coed, sef *Strigoil*,
neu *Caldicot* fel y daethpwyd i'w adnabod yn
ddiweddarach. Yn y fro hon yr oedd prif ganolfan y
llwythau brodorol dan y Rhufeiniaid, sef *Caer-went* neu
Venta Silurum, sef maes y Siluriaid, heb fod yn bell oddi
wrth Caldicot ei hun, a Phorth Ysgewin (Portskewett)
ar lan y môr. Cynhwysai'r arglwyddiaeth blwyfi fel
Llanfaches a Llanfair Disgoed a Chas-gwent (Chepstow).
Yn uwch i fyny yr oedd Llanddinol (Itton) a Phen-tyrch
(Penterry) hyd at Devauden. Yn y gongl fwyaf ogleddol
yr oedd abaty enwog Tyndyrn (Tintern). O fewn Caldicot
yr oedd maenor Newton, gan gynnwys Shirenewton neu
Drenewydd Gelli-farch.

Ymestynnai Is Coed gynt i mewn i'r hyn sydd yn awr

yn rhan o Swydd Gaerloyw, gyda glan yr afon, a dyna paham y gelwid yr ardal hon yn *Ystrad Hafren* (Tidenham).

Adran bwysig arall o'r hen Went Is Coed oedd arglwyddiaeth *Usk*. Cynhwysai hon yr holl blwyfi rhwng Llanfihangel Cilgoegan a Chemais Comawndwr yn y gorllewin, trwy Frynbuga (Usk) ei hun a Llanbadog hyd at Gilgwrrwg a Llanwynnell (Wolvesnewton). Yng ngogledd arglwyddiaeth Usk yr oedd plwyfi fel Llan-gwm, Llan-soe, Llandenni i fyny at Raglan a Phen-clawdd.

Yr oedd arglwyddiaeth gryno ym mhen draw Is Coed, sef *Tryleg*. Enw diddorol yw hwn ac y mae ffurfiau llygredig fel *Treleck* yn tueddu i dywyllu barn. Temtir fi i gynnig bod yma gyfuniad o'r rhagair cryfhaol *try* (tebyg i'r un a welir mewn geiriau fel trywanu, tryloyw) ac elfen *lleg* sy'n ymddangos mewn enwau eraill. Tybed na all lleg fod yn amrywiad, a bod Tryleg yn golygu rhywbeth fel *llech* neu garreg fawr? Yr oedd gan abaty mawr Tyndyrn diroedd yn Nhryleg ac enw'r fferm fel rheol yn y dogfennau yw Trelleck's Grange, gan gofio bod *grange* yn cael ei ddefnyddio am diroedd mynachlog. Yr oedd gan Esgob Llandaf yntau hawl ar Laneuddogwy (Llandogo). Nid rhyfedd hyn o gofio mai Euddogwy a ddilynodd ei ewythr Teilo i'r esgobaeth. Heblaw Llaneuddogwy a Thryleg ei hun yr oedd plwyfi eraill yn yr arglwyddiaeth, sef Llanisien, Cwmcarfan, Pen-allt a Llanfihangel Troddi (Mitchel Troy).

Rhennid *Gwent Uwch Coed* yn dair arglwyddiaeth, sef Abergafenni, Teirtref a Mynwy. *Abergafenni* oedd y fwyaf o'r rhain a chynhwysai nifer o blwyfi na ellir enwi ond rhai ohonynt. Yn eu plith yr oedd *Trefddyn* (yr un enw â Treuddyn, Sir y Fflint), a'r peth nodedig am enw'r plwyf hwn yw iddo oroesi mewn hen orgraff, sef *Trevethin*. Yn y gongl orllewinol hon yr oedd Llanhiledd ac Abersychan, Mamheilad a'r Goetre. Ymhlith plwyfi eraill a enwir yn aml yn yr hen gofnodion yr oedd Llanarth Llanddewi Rydderch, Llandeilo Bertholau (Borth-halog gynt), Llanddewi Ysgyryd a Llanfihangel Crucornau. Enwau Cymraeg oedd y rhain oll.

Yr ail raniad oedd *Teirtref,* sef cyfuniad o dair arglwyddiaeth fechan. *Grysmwnt* (Ffrangeg *Grosmont*) oedd un o'r rhain, ynghyd â Llangiwa. *Skenfrith* oedd yr ail, sef Ynys Gynwraidd, lle gwelir rhan gyntaf yr enw wedi treulio o *ynys* yn ddim ond *s-*. Y drydedd oedd *Whitecastle,* yn cynnwys Llandeilo Groesynyr, neu Gresynni, ac eglwys Llanfair.

Gwelir gwahaniaeth amlwg yn enwau'r drydedd arglwyddiaeth, *Mynwy* neu *Monmouth*. Yr oedd hon am y ffin â Swyddi Henffordd a Chaerloyw, ac yn fwy agored felly i ddylanwadau'r Gororau. Mae enwau'r plwyfi yn adlewyrchu cydfodolaeth dwy genedl. Dyna sy'n cyfrif am barau fel Trefynwy a Monmouth, Llanfocha a St. Maughans, Llanwarw a Wonastow, Llanddingad a Dingestow. Heblaw'r rhain yr oedd plwyf ag enw Saesneg yn unig, sef *Rockfield* wedi ei newid oddi wrth enw Ffrangeg gwreiddiol, sef *Rocheville*. Yr oedd un enw Cymraeg, sef Llangatwg Feibion Afel.

ERGYNG

Wrth sôn am Swydd Henffordd bydd yn werth inni gofio am y rhan orllewinol sy'n cyffinio â Gwent. Yr oedd hen enw ar y rhan hon, sef *Ariconium,* hen gaer Rufeinig. Goroesodd hwn yn y ffurf *Ergyng,* a chafodd yr ardal hanes digon cyffrous. Ailenillodd y Cymry eu treftadaeth wedi ymosodiadau cyntaf y Saeson a gwelir eu holion mewn enwau lleoedd ymhell i'r dwyrain. Mae'r rhan fwyaf o enwau plwyfi Ergyng yn ddwyieithog er bod rhai hefyd yn bendant Gymraeg neu Saesneg. Dyma rai o'r enwau dwbl: Llan-gain (Kentchurch), Llanfartin (Marstow), Llanbedr (Peterstow), Llansainwenarth (St.

Weonards), Llansanffraid (Bridstow), Llanddewi Rhos Ceirion (Much Dewchurch). Weithiau nid yw'r ffurf Saesneg ond dull arall neu dalfyriad ar yr enw Cymraeg, megis yn Llansulwg a Sellack, Llandyfoi a Foy, Llanddewi Cilpeddeg a Kilpeck. Mae enghraifft o rannu un eglwys yn ddwy, fel y mae Llanfihangel Cil-llwch wedi newid yn Michaelchurch a Gillow. Mae'r enwau Cymraeg wedi hen ddiflannu erbyn hyn.

BRYCHEINIOG

Y sir olaf y mae'n rhaid inni sôn amdani yw Brycheiniog. Dangoswyd eisoes mai gwlad Brychan oedd hon, ac ynddi dri chantref, sef Cantref Selyf, Cantref Mawr a Thalgarth. Er mwyn llunio'r sir newydd wedi'r Ddeddf Uno ychwanegwyd at yr hen Frycheiniog gantref Buellt. Soniwyd eisoes am raniadau Buellt ond cystal inni fanylu ryw ychydig.

Yr oedd ynddo bedwar cwmwd, Treflys, Penbuellt, Dinan ac Is Irfon, ac y mae'r enwau hyn yn eu hesbonio eu hunain. *Treflys,* hen drefgordd ym mhlwyf Llangamarch, oedd canolfan y cwmwd o'r un enw. Ffurfiai *Penbuellt* hanner arall hen blwyf Llangamarch ac yma yr oedd pencadlys y cwmwd. Erbyn hyn y mae Treflys a Phenbuellt wedi mynd yn blwyfi sifil, ac eglwys Llangamarch ym mhlwyf Penbuellt. Yng ngorllewin Buellt, gyda glannau Afon Irfon, yr oedd plwyfi Llanfihangel Abergwesyn a Llanddewi Abergwesyn ynghyd â Llanwrtud, yng nghwmwd *Irfon.* Yr oedd gan gwmwd *Dinan* yn y gogledd ei lys ei hun yn Llysinan — Llysdinam heddiw ger Tal-y-bont ar Wy (Newbridge on Wye) ym mhlwyf Llanafan Fawr, eglwys Afan Buellt. Plwyfi eraill yn yr ardal hon oedd Llanwrthwl a Llanfihangel Brynpabuan. Pencadlys y cantref oll fodd bynnag oedd y Castell yn Llanfair-ym-Muellt. Ardal y ffynhonnau iachusol oedd hon, a chais i ddenu ymwelwyr oedd ychwanegu'r gair 'Wells' at leoedd fel Llanwrtud, Llangamarch a Builth yn y ganrif ddiwethaf.

Yn ôl hen draddodiad, rywbryd cyn dyfod y Norman y rhannwyd yr hen Frycheiniog rhwng tri mab Einion ap Gruffudd ab Elis. Selyf a gafodd Gantref Selyf, Tewdos a gafodd Gantref Tewdos, ac Einion a gafodd Gantref Talgarth.

Gorweddai *Cantref Selyf* yn y gogledd rhwng Mynydd Epynt ac Afon Wysg. Ymestynnai felly o Wenddwr yn y gogledd hyd at Aberhonddu yn y de, ac o Landeilo'r-fân yn y gorllewin hyd at y Llys-wen a Llandyfalle a Bronllys yn y dwyrain. Yr oedd gan yr eglwys gynnar afael ar diroedd yma, gan fod Esgob Tyddewi yn hawlio Garthbrengi a Thrallong (gynt Trallwng Cynfyn) a Llan-faes. Yr oedd llawer o blwyf Gwenddwr a rhostir mynyddig Epynt yn nwylo Abaty Ystrad-dour (Dore).

Enw arall ar *Gantref Tewdos* oedd y *Cantref Mawr*, enw a wir haeddai gan ei ehangder. Dyma'r wlad a orweddai rhwng Afon Wysg a mynyddoedd Morgannwg a Bannau Brycheiniog. Cynhwysai blwyfi Ystradgynlais, Ystradfellte a Phenderyn yn y de a Llywel, Defynnog a Llansbyddyd yn y gogledd hyd at Aberhonddu. Yn y dwyrain aeth rhan o'r Cantref Mawr yn gwmwd dan yr enw *Tir Ralf* neu *Dir Raff*. Yma, er enghraifft, yr oedd Llanddeti a Llansanffraid, Llanfrynach a Llanhamlach, Llanfihangel Tal-y-llyn a Llangasty o gwmpas Llyn Syfaddan. Yr oedd y santes Saesneg Millburgh yn hawlio Llanfilo.

Caer, Din- a Dinas

Buom yn trafod hyd yn hyn yr enwau a oedd gan y Cymry gynt ar ddarnau helaeth o'u gwlad, y trefniant gwleidyddol a chymdeithasol. O hyn allan bydd yn rhaid inni ymdroi gyda'r enwau a oedd ganddynt am eu cartrefi, naill ai at bwrpas byw gyda'i gilydd er mwyn cydamddiffyniad, neu yn ddiweddarach yn deuluoedd bychain yn eu hanhedd-dai eu hunain.

Os dechreuwn gyda'r enwau cyfannedd cynharaf, bydd yn rhaid inni gael help archaeoleg gan fod olion yr hen amddiffynfeydd ar wasgar ar hyd a lled y wlad. Fe gawn weld mai'r syniad llywodraethol y tu ôl i'r enwau hyn yw'r angen am sicrwydd a diogelwch i ddyn ac i anifail.

Yr un mwyaf nodedig o'r rhain yw'r gair *caer*. Gwyddom oll am res hir o enwau lleoedd Cymraeg sy'n cynnwys yr elfen hon. Mae llawer ohonynt yn cyfateb i hen gadarnleoedd y Rhufeiniaid gynt, y rhai a elwid yn Lladin yn *castra* 'gwersyll'. O achos y cyd-drawiad hwn dechreuodd dynion feddwl mai ffurf Gymraeg ar *castra* oedd *caer*, a thybio bod caer bob amser yn dystiolaeth sicr i olion Rhufeinig. Aethpwyd ati wedyn i gynnig bod y gair Lladin *castra*, wedi troi'n *casera*, a bod hyn wedi cynhyrchu *caer*. Y gwir amdani yw bod *caer* yn cael ei ddefnyddio am hen amddiffynfeydd y Brython ac mai gair yn perthyn i'r ieithoedd Celtaidd ydyw. Arwyddocâd y gair *caer* yw ei fod yn ffurf ar yr enw *cae* a'r ferf *caeaf*. Lle wedi ei gau i mewn yw caer, amddiffynfa gaeëdig, ddiogel. Cyfeirio y mae at y rhagfuriau gwarcheidiol. Dyna yn wreiddiol oedd ystyr y gair *cae*, wrth gwrs. Y cyferbyniad yma yw'r maes agored digloddiau, a'r cae,

sef y clawdd neu'r berth o gwmpas darn o dir. Cam byr
wedyn yw synied am yr hyn sydd o fewn y clawdd, a galw
hwnnw'n *gae*. Mewn rhai ardaloedd defnyddid coed a
fyddai'n tyfu'n gyflym i wneud perth, a gelwid y math
hwn o berth yn *goetgae*. Gellid defnyddio polion at yr un
pwrpas. Y cam nesaf oedd galw'r hyn a gaeid i mewn yn
goetgae hefyd. Mae'r math yma o drawsnewid ystyr yn
digwydd yn bur gyffredin fel y cawn weld yn nes ymlaen
gyda geiriau fel *din, dinas, llan* a *llys*.

Cystal inni ddechrau trwy drafod y ceyrydd yng
Nghymru a gysylltir yn arbennig â'r Rhufeiniaid. Fel y
gwyddys, cafodd y Rhufeiniaid gryn drafferth yng
Nghymru o achos natur y tir ei hun a natur y trigolion.
Gwir iddynt heddychu darnau helaeth a medru byw
bywyd sefydlog mewn *villa* hwnt ac yma. Ond milwrol
oedd hanfod y goresgyniad yng Nghymru, a sefydlwyd
cadwyn o gaerau er mwyn ceisio sicrhau'r darostyngiad.

Y fwyaf o'r caerau hyn oedd gorsaf yr Ugeinfed Leng,
ac nid oes ryfedd fod cof am y milwyr hyn wedi parhau
yn enw *Caer Lleon* neu *Gaer y Llengau*. *Castra Legionum*,
wedi hynny *Caer* yn syml a *Chester* yn Saesneg. Ond nid
dyna enw'r Rhufeiniaid eu hunain ar yr orsaf. Pan
gyraeddasant hwy, y peth a'u trawodd fwyaf oedd aber
eang yr afon, ac wrth holi'r trigolion cawsant ei bod yn
afon wedi ei chyflwyno i Dduwies Rhyfel y Brython. Y
ffurf agosaf at y gair am dduwies oedd *Deva*, a hon a
fabwysiadwyd gan y Rhufeiniaid yn enw ar eu gwersyllfa.
Rhoes Deva yn Gymraeg y ffurf Dwfw, Dwy, a dyna pam
y byddwn yn dal i sôn am *Ddyfrdwy*, yr afon santaidd.
Enw'r dduwies arbennig hon oedd Aerfen, enw sy'n
cynnwys y gair adnabyddus aer sy'n golygu 'brwydr,
lladdfa'. Ar dafodau'r Saeson yn ddiweddarach troes
Deva yn *Dee*.

Ar eu hynt trwy Ogledd Cymru cododd y Rhufeiniaid
geyrydd eraill. I wylio'r ffordd drwy a thros Afon Conwy

sefydlwyd gorsaf *Canovium,* wedi ei henwi oddi wrth yr afon. Mater i ddadlau yw gwreiddyn yr enw *Canovium,* ai'r gair *cawn,* y planhigyn, ai'r gair a welir mewn ffurfiau fel *digon, gogoniant,* Gwgon, ac yn y blaen. Os yr olaf, gallwn yn hawdd gyfaddef bod *Afon Conwy* yn haeddu enw fel 'llawn, cyfoethog, gwych'. Eithr enw arall sydd ar y gaer yn Gymraeg, sef *Caerhun,* pwy bynnag oedd y Rhun a goffeir. Gwych o beth fyddai medru profi mai Rhun Hir fab Maelgwn Gwynedd oedd hwn.

Âi'r ffordd Rufeinig dros uchelderau Arllechwedd nes cyrraedd yr arfordir rhwng Llanfairfechan ac Aber, ac ymlaen wedyn am y gaer fawr yn Arfon. Yma eto cymerodd y Rhufeiniaid afael ar enw lleol, a galw'r gaer yn *Segontium.* Gallai hwn olygu'r afon, ac mae'n weddol sicr y gwelir y gair Brythoneg *segos* 'hy(f)' yn nharddiad Segontium. Aeth *Segont* yn *Seiont* ac yna'n *Saint,* a gedwir yn enw'r afon ac yn yr enw arall ar y gaer, sef *Caer Saint.* Nid oes gan yr enw, felly, gysylltiadau eglwysig, yn wahanol i *Gaergybi* ym Môn lle y cedwir traddodiad am sant enwog y codwyd eglwys i'w goffadwriaeth ger y gaer a gadwai olwg ar y porthladd.

Ymlaen â ni i Ardudwy er mwyn cyrraedd y gaer nesaf. Ni wyddys pa enw oedd gan y Rhufeiniaid ar hon, ond anfarwolwyd hi ym Mhedwaredd Gainc y Mabinogi trwy osod yno lys Lleu Llawgyffes, sef Mur y Castell 'yng ngwrthdir Ardudwy'. Mae olion adeiladu canoloesol o fewn tir y gaer Rufeinig. Yr enw bellach yw *Tomen-y-mur,* ar gyffiniau plwyfi Maentwrog a Thrawsfynydd. Safle digon annymunol oedd yma, bron mil o droedfeddi uwchlaw'r môr, yng nghanol ucheldir anghynnes, noethlwm.

Y mae enw gwreiddiol y gaer fach ym Mhennal hefyd yn anhysbys, ond cedwir y cof amdani yn enw ffermdy sylweddol *Cefn-caer.* Diau fod y gaer hon yn gwylio'r rhyd ar Afon Dyfi yn yr oesoedd cyn bod sôn am bont drosti ger Machynlleth. Mae sôn am Fachynlleth yn rhoi cyfle inni daflu dŵr oer am ben yr hen dyb fod a wnelo enw *Machynlleth* â'r gaer Rufeinig a elwid *Maglona* neu *Maglova*. Ni ŵyr neb hyd sicrwydd ymhle yr oedd *Maglona* na hyd yn oed p'run a oedd yng Nghymru o gwbl. Ond byth er yr unfed ganrif ar bymtheg y mae'r gred hynafiaethol wedi ffynnu bod Machynlleth rywsut neu'i gilydd yn ffurf ar *Maglona,* a pharodd y gred hon fod degau ac ugeiniau o ferched wedi eu bedyddio'n Maglona, heb sôn am dai yn dwyn yr enw Maglona ar hyd a lled y wlad. Rhaid cael enw yn dechrau â *Mael* i leoli *Maglona, Maglova.*

Anodd iawn yw enwau tair caer arall yn y Gogledd. Yr oedd cysylltiad rhwng *Caergwrle* a *Chaer* neu *Deva,* ond mae'r ffurf *Cwrle,* neu *Cwrlei* yn aros yn dywyll. Dangosodd Mr A. J. Taylor fod cyfeiriad cynnar at y castell Normanaidd yno yn y flwyddyn 1278 dan yr enw *Kaierguill.*

Mae *Caersŵs* yn Sir Drefaldwyn hefyd yn gneuen galed, ac erys y ffurf *Swys* neu *Swyswen* yn ddiesboniad. Y farn gyffredin erbyn hyn yw mai'r enw Rhufeinig ar y gaer oedd *Mediomano,* a gellir esbonio hanner cyntaf y gair hwn yn weddol hyderus, sef 'canol', yr hyn sydd yn bur addas o gofio am safle Caersŵs.

Enw Cymraeg moel erbyn hyn sydd ar y drydedd gaer, sef *Y Gaer* ym mhlwyf Ffordun ac ni wyddys o ble y daeth y ffurf *Flos* neu *Fflos* a gysylltir â'r gaer hon weithiau. Bernir eto mai'r enw Lladin arni oedd *La Lavobrinta,* sef rhywbeth fel 'ffrwd gref', enw priodol iawn pan gofiwn am lifogydd nerthol Afon Hafren yn y parthau hyn. Yr hyn sy'n ddiddorol yw bod y Gaer yn Ffordun wedi dal ei phwysigrwydd fel enw ar dref, neu ganolfan llywodraeth leol, trwy gydol y Canol Oesoedd, a bod y Saeson wedi gweld manteision arbennig yma, a'u bod wedi defnyddio'r safle ar gyfer amddiffynfa. Galwent hi yn *Thornbury* neu'r

'gaer ddreiniog', caer a amddiffynnid gan berth ddrain.
Yn wir ceir ymadroddion fel 'Gaer alias Thornbury' yn
yr hen ddogfennau.

Rhedai ffordd Rufeinig o Gefn-caer ger Pennal i
Geredigion ac i gaer a elwid *Bremia*. Y safle sy'n addas
i'r gaer hon yw Llanio, heb fod ymhell o Landdewibrefi.
Ac y mae enw'r afon unwaith eto yn arwain at esbonio
enw'r gaer, sef *bref* a'r terfyniad *-i*. Enw priodol ar Afon
Brefi yw 'afon sy'n rhuo'.

Alabum oedd y gaer nesaf ar y ffordd i'r dwyrain. Yr
oedd hon ar y bryn y tu allan i Lanymddyfri, lle y mae
eglwys Llanfair-ar-y-bryn yn coffáu'r codiad tir. Byddai
Alabum yn troi'n *alaf* yn Gymraeg, ac y mae dau esboniad
posibl — naill ai'r *alaf* sy'n golygu golud (gwreiddyn y
gair *cyfalaf)* neu *alafon* (asgwrn y ddwyfron). Yn yr ystyr
olaf hon gellid meddwl am air fel crib, cefnen, a byddai
hyn yn ffitio safle'r gaer.

Mae'n debyg mai enw'r gaer enwog ger Aberhonddu
oedd *Cicutio*. Ni oroesodd enw Cymraeg arbennig ar y
gaer hon, ond mae'r enw Lladin-Brythoneg yn golygu
rhywbeth fel 'bron', a gall hyn fod yn esboniad ar safle'r
gaer.

Yr orsaf nesaf oedd *Gobannio*, ac mae'n sicr mai dyma'r
lle a elwid wedyn yn *Abergafenni* neu'r *Fenni*. Enw'r afon
oedd *Gefenni,* a rhaid derbyn bod yno gysylltiad â'r
ffurfiau Cymraeg *gof, gofan* a *gefail*. A oedd yno efail
nodedig?

O Gobannio rhedai'r ffordd at y gaer fawr a oedd yn
bencadlys yr Ail Leng. *Isca Augusta* oedd hon, a dyma
gysylltu enw'r gaer â'r afon y safai ar ei glannau. Oddi
wrth ryw ffurf fel *Isca* y cafwyd Wysg, a'r tebygolrwydd
yw bod hwn yn air sy'n golygu pysgod, pe gellid profi
bod y ffurf Ladin *Isca* yn air am *Eisca*. Yr enw Cymraeg
ar y gaer sydd wedi ei gadw yw *Caerllion-ar-Wysg*, sef Caer

y llengau, fel y cawsom Caerlleon am Gaer yr Ugeinfed
Leng.

Yr wyf eisoes wedi sôn am Gaer-went, *Venta Silurum,*
prif ganolfan y Siluriaid. Y gaer Rufeinig arall yn y
cyffiniau hyn oedd *Burrium.* I esbonio hwn rhaid meddwl,
mae'n debyg, am y gair Cymraeg *mwr,* ac sy'n digwydd
fel llysenw (fel yn Einion Fwr). Nid *Burrium* a gadwyd
yn enw ar y gaer, ond *Brynbuga* yn Gymraeg ac *Usk* yn
Saesneg. Fe ddigwydd yr enw *Buga* hefyd yn siroedd
Trefaldwyn a Meirionnydd.

Ym Morgannwg dylid cyfeirio at dair caer, sef *Caerdydd*
(gynt *Caerdyf,* y gaer ar lan Taf), *Nedd* (*Nidum* y
Rhufeiniaid) lle yr adeiladwyd castell gan y Normaniaid
a chael yr enw *Castell-nedd,* ac yn drydydd *Casllwchwr* am
y ffin â Sir Gaerfyrddin. Enw'r gaer olaf hon yn Lladin
oedd *Leucarum* ar lan yr afon *Leuca.* Pe derbynnid
Leucarum a *Leuca* yn ffurfiau cywir, fe ddisgwylid *Llug*
yn Gymraeg, a gellid esbonio hyn fel 'gloyw, disglair'.
Ond gan mai *Llwchwr, Llychwr* a oroesodd yn Gymraeg,
rhaid tybio mai'r hen ffurf gywir fuasai *Leuccarum* neu
Luccarum, ac y mae hyn yn awgrymu'n gryf gysylltiad â'r
gair *llwch* sy'n golygu 'cors, llyn, pwll'.

Y gaer olaf o bwys yng Nghymru y dylid sôn amdani
yw *Maridunum.* Enw Brythoneg llwyr yw hwn, sef
cyfansoddair o'r geiriau 'môr' a 'din', y gaer ger y môr.
Wedi anghofio ystyr Myrddin ychwanegwyd ato y gair
caer a chael *Caerfyrddin.* Y cam nesaf oedd tybio'n
anghywir bod Myrddin yn ffurf ar enw personol, a dyma
ddechrau cysylltu Myrddin, dewin Arthur, â'r dref, a'r
hen goel am y dderwen. Perthyn i lwyth y Demetae yr
oedd Maridunum, ac enw'r eglwys wreiddiol a sefydlwyd
yno oedd *Llandeulyddog.* Dylanwad y Normaniaid, mae'n
debyg, a barodd gysegru'r eglwys yn ddiweddarach i Bedr.

Ni ddylid gadael oes y Rhufeiniaid heb sôn am gaerau
eraill yn Lloegr sy'n dwyn enwau Brythoneg. Ni ellir

manylu arnynt i gyd, ond mae'n rhaid sôn am y rhai mwyaf adnabyddus.

Glevum ocdd y gaer a'r dref wrth enau Hafren a oroesodd yn Gymraeg yn y ffurf *Caerloyw*. Rhaid derbyn ar hyn o bryd mai'r gair *gloyw* sydd yma, ac esbonio enw'r dref fel 'y llecyn disglair'.

Mae'r enw *Letocetum* yn Swydd Stafford wedi cael hanes diddorol. Enw Brythoneg pur eto oedd hwn, a gadwyd yn y Gymraeg yn y ffurf *Llwytgoed* a *Chaerlwytgoed*. Ar dafodau'r Saeson aeth *Letocetum* yn *Licced*, ac ychwanegwyd ato y gair *field* a chael *Lichfield*.

Un o gaerau pwysicaf y Rhufeiniaid oedd *Eboracum*. Hon yw ein *Caerefrog* ni, er nad ydys yn hollol sicr ai enw personol yw Efrog yma, ai gair am le ac ynddo lawer o goed yw. Beth bynnag am hynny, cysylltodd y Saeson enw'r lle â'r arwydd am y dref, sef baedd. A newidiwyd yr enw i gydymffurfio â'r syniad hwn trwy ddefnyddio'r gair Hen Saesneg *eofor* 'baedd'. Dan ddylanwad y Norddmyn aeth *Eoforwic* yn *Iorvik*, a gorffen yn *York*.

Enw Llundain oedd *Londinium*, a rhaid tybio yma mai tref gŵr o'r enw Londinos oedd hon. Mae'n debyg mai'r gair am 'ffyrnig, creulon' sydd wrth wraidd yr enw personol. Cadwodd y Saeson yr enw yn gyntaf fel *Lundene*, ac yna *London*. Rhaid fod y Cymry wedi anghofio'r enw dros dro, ar wahân i ddefnyddio *Caer Ludd* (cymharer Ludgate), a bu'n rhaid iddynt fenthyca Llundain yn ddiweddarach gan y Saeson.

Yr oedd Llundain yng ngwlad y *Cantii*, enw a gadwyd yn Gymraeg fel *Caint*, ac yn Saesneg fel Kent. Bôn yr enw yw'r gair Cymraeg *cant*, sy'n golygu 'ymyl' a gallai *Cantii* gyfeirio at bobl yr arfordir, ystyr a weddai'n hollol i safle Caint. Enw eu caer oedd *Durovernum Cantiacorum*, sef y gaer yn y wern neu'r gaer yn ymyl y wern. Goroesodd yr enw mewn ffurf arall, sef *Caer-gaint* yn Gymraeg a *Canterbury* yn Saesneg. Porthladd Caint oedd *Dubris*, nad

yw'n ddim namyn lluosog 'dwfr' ac a ddatblygodd yn
Saesneg yn *Dover.*

Ar ein ffordd yn ôl i'r gogledd dylem alw heibio i un
gaer ar y gororau. Enw hon yw *Viroconium,* naill ai'r gaer
gadarn, neu gaer rhyw ŵr o'r enw Gwrygon. Goroesodd
yr enw yn y ffurf *Caer Wrygon,* ac yn Saesneg yn *Wroxeter*
am y dref a *Wrekin* am y bryn.

Yn y gogledd pell, yn Cumberland, dylid dweud gair
am ddau lecyn adnabyddus i'r Rhufeiniaid. Y naill oedd
Gabrosentum sydd yn gyfuniad o'r geiriau Cymraeg *gafr*
a *hynt,* hynny yw lle y byddai geifr yn arfer tramwyo. Yr
un math o syniad wrth reswm sydd yn yr enw *Epynt,* ym
Mrycheiniog, sef mynydd lle y byddai meirch yn rhedeg
(*eb* a *hynt*). Mae'n debyg mai *Moresby* sydd yn cynrychioli
Gabrosentum erbyn hyn.

Y llall yw *Derventio.* Goroesodd hwn yn enw'r afon
Derwent, a'r tebyg yw mai *Derwennydd* ydoedd yn
Gymraeg. Sonnir yn Llyfr Aneirin am raeadr
Derwennydd, a hwyrach mai ar hyd yr afon hon yr oedd
yr hela yn yr hen gân.

Luguvalium yw caer neu lecyn *Luguvalos.* Ni oroesodd
enw'r gŵr hwn yn Gymraeg: petasai fe fyddem wedi cael
rhywbeth fel *Lleuwal* (sef *lleu* a'r *gwal* sy'n golygu 'cryf',
megis yn *Idwal, Tudwal,* ac yn y blaen). Ond fe gadwyd
Luguvalium yn y ffurf *Lliwelydd* a *Chaerliwelydd,* ac yn
Saesneg yn *Carlisle.* Y dref hon oedd canolfan Rheged
yn ddiweddarach, y wlad a anfarwolwyd gan Urien
Rheged a'i fab Owain. I'r brenhinoedd hyn y canodd
Taliesin yn ystod y brwydro mawr yn erbyn y Saeson a
oedd yn gwasgu o'r dwyrain ar gyffiniau Rheged.

Dewch inni droi'n ôl i Gymru i nodi rhai o'r hen
geyrydd ac amddiffynfeydd nad oedd a wnelent hyd y
gwyddom â'r Rhufeiniaid, ond a oedd yn eiddo i'r
brodorion. Adeiledid y rhain yn aml iawn ar fryn mewn
sefyllfa gadarn naturiol, ac os byddent ar lan y môr

tueddid i'w rhoi ar benrhyn er mwyn ychwanegu at eu diogelrwydd. Ond nid pob caer oedd felly, os gallwn gymryd bod lle fel *Caer Arianrhod* yn esiampl ddilys. Fel y gŵyr pawb, cerrig isel mewn basle ar lan y môr ger Llandwrog yw'r gaer hon, a heb fod yn bell oddi wrth Ddinas Dinlle. Cysylltir y ddau le hyn yn annatod â Phedwaredd Gainc y Mabinogi. Fe newidiodd *Caer Arianrhod* ei ffurf yn bur gynnar i *Gaeranrhad*. Wedyn ychwanegwyd *tre* at y dechrau ac aeth y cwbl yn y diwedd ar lafar yn *Dregaranthrag*.

Wrth sôn am y Bedwaredd Gainc daw caer arall i'r meddwl, y gaer yr oedd Math fab Mathonwy yn byw ynddi, sef *Caer Dathal*. Bu cryn ddyfalu ymhle yr oedd hon. Yr unig beth sy'n sicr yw mai yn Arfon yr oedd hi, ac y mae rhai wedi nodi hawl Caernarfon ac eraill wedi sôn am Dre'r Ceiri. Nid ymddengys bod y naill na'r llall yn rhyw addas iawn o ran lleoliad. Mae'n bosibl mai'r enw Gwyddeleg *Tuathal* sydd yn ail elfen enw'r gaer, yr enw sy'n cyfateb i *Tudwal* yn Gymraeg.

Dylid dweud gair am *Dre'r Ceiri* wrth fynd heibio. Mae Tre'r Ceiri ar gyrion eithaf Arfon ym mhlwyf Llanaelhaearn. Nid lluosog y gair caer sydd yma, ond hen ffurf ar luosog *cawr*, a glywir o hyd yn Arfon. Am yr Eifl â Thre'r Ceiri y mae Nant Gwrtheyrn ac olion *Caer Wrtheyrn* sy'n atgof am y Gwrtheyrn helbulus y bu'r llyfrau hanes mor galed arno.

Mae'r hen geyrydd yn aml iawn (ac yn naturiol iawn) yn cadw ar gof hen enwau personol. Un felly yw *Caer Ddunod* yn Llanfihangel Glyn Myfyr yn yr hen Sir Ddinbych. Yr oedd yr enw *Dunod* mewn bri yn ystod yr Oesoedd Tywyll: yr enw hwn sydd wrth wraidd Cantref Dunoding (sef Eifionydd ac Ardudwy), a Dunod oedd abad Bangor Is-coed. Ond aeth yr enw allan o arfer yn bur gynnar. Wedyn y mae ardal yn Nhyddewi a elwir *Caerfarchell*. Yr un enw yw hwn (nid yr un gŵr) â *Marchell* yn *Ystrad Marchell* ger y Trallwng, a'r sant o'r un enw yn *Llanfarchell* (hen eglwys blwyf Dinbych).

Ni wyddys dim am y *Ffili* a roes ei enw i *Gaerffili*. Enw personol arall go brin yw *Unhwch* (er ei fod yn digwydd yn enw ar arwr yng Nghanu Llywarch Hen). Unhwch oedd ffurf wreiddiol y plas ger Dolgellau sydd wedi troi'n *Gaerynwch* erbyn hyn.

Enw adnabyddus arall ar amddiffynfa gan y Cymry gynt oedd *din*. Yr oedd hwn yn gyffredin i'r hen Geltiaid gan fod *dunom* yn arferedig yng Ngâl a *dun* yn Iwerddon. Mewn geiriau eraill mae'n un o'r ffurfiau hynaf yn Gymraeg. Dadlennir ei ystyr wreiddiol gan y ffaith fod y ferf *dunaim* mewn Gwyddeleg yn golygu 'caeaf', ac felly ystyr *din* yw lle wedi ei gau i mewn, tebyg i *caer*. At *din* weithiau ychwanegid terfyniad i gael *dinas*. Datblygiad diweddarach oedd defnyddio *dinas* yn gyfystyr â'r Saesneg 'city'. Newidiodd y gair ei genedl wrywaidd i fod yn fenywaidd o bosibl dan ddylanwad *tref*. Arhosodd yn wrywaidd mewn enwau lleoedd, megis *Bwlch y Dinas* a *Braich y Dinas*.

Weithiau ychwanegid *dinas* yn ddiangenraid at enwau lleoedd a oedd eisoes yn cynnwys yr elfen *din*. Dyna a ddigwyddodd yn *Dinas Dinlle*. Fel y gwelsom, mae cysylltiad agos iawn rhwng *Dinlle* neu'n hytrach *Dinlleu* a digwyddiadau'r Bedwaredd Gainc. Mae Dinlleu yn hen, hen ffurf sy'n coffáu caer wedi ei henwi ar ôl *Lleu*, y duw hwnnw a wnaed yn ddyn at bwrpas awdur y Pedair Cainc. Yr un duw a elwid yn *Lugos* ar y cyfandir ac a goffeid mewn lleoedd fel *Lugodunom* (buasai hwn wedi rhoi *Lleuddin* yn Gymraeg, gyda'r un elfennau â Dinlleu, ond o chwith).

Enghraifft arall o ychwanegu *dinas* yn afraid yw *Dinas Dinoethwy* ger Llanwnda, Arfon. Mae'n fwy na thebyg mai enw llwyth cynnar yw Oethwy, fel a geir yn *Dindaethwy* a *Dinsilwy* ym Môn. Gerllaw mae *Plas Dinas*.

Enw personol o ryw fath sy'n dilyn *din* neu *dinas* fel
rheol, ond yn yr enw *Dinbych* fe gawn hen ffurf ar yr
ansoddair 'bach'. Cadwyd y ffurf Gymraeg *Dinmawr* yn
Dinmore yn Swydd Henffordd, ac y mae'r hen
amddiffynfa yn llwyr haeddu'r fath enw fel y gŵyr y sawl
sydd wedi ei weld wrth deithio ar y ffordd fawr o Lanllieni
i gyfeiriad Henffordd.

Ni ellir gwneud na phen na chynffon o'r enw personol
weithiau. Ni allaf gynnig dim, er enghraifft, ar ystyr
Dinorben, y gaer ger Abergele a oedd yn sicr un amser
yn gartref i reolwr cwmwd Is Dulas. Erys amheuaeth o
hyd ynghylch *Dinorwig*, neu'n hytrach *Dinorweg* yn
Llanddeiniolen. Temtir pawb i awgrymu mai *Dinorddweg*
oedd enw'r gaer hon gynt ac i weld yma olion enw llwyth
yr Ordovices, gwŷr yr ordd. Ond peryglus fyddai adeiladu
gormod ar hyn. Mae problem debyg yn yr enw
Rhydorddwy ger Y Rhyl, er bod ffurf Orddwy yn
debycach i enw llwyth.

Crafu pen y mae dyn hefyd am ystyr *Dinas Maelor* ger
Aberystwyth, y gaer hynafol a elwid gynt yn *Allt Faelor*
a *Rhiw Faelor,* ac sydd wedi aros yn enw *Pendinas.*
Hwyrach mai'r un Maelor sydd yma ag yn enw cwmwd
Maelor o gylch Wrecsam. Ai enw torfol wedi ei adeiladu
ar y gair mael 'tywysog' ydyw?

Cynrychiolir chwedloniaeth Cymru o bosibl yn enw
Dinas Brân ger Llangollen. Ai cof sydd yma am Frân neu
Fendigeidfran fab Llŷr, neu ryw Frân arall? Yr hyn sy'n
ddiddorol yw mai enw'r drefgordd y saif Dinas Brân
ynddi yw *Dinbren* neu *Dinbran,* ffurf arall sy'n cynnwys
yr elfen Brân.

Enw enwog arall yw *Dinas Emrys* ger Beddgelert. Ei
hen ffurf oedd *Din* neu *Dinas Emereis,* sef benthyciad oddi
wrth yr enw Lladin *Ambrosius.* Bu dau Emrys hynod. Y
cyntaf ohonynt oedd Emrys Wledig, un o'r penaethiaid
cynnar a ymladdodd yn ddewr yn erbyn y Saeson, y gŵr

a elwir gan Gildas yn *Ambrosius Aurelianus.* Yr ail Emrys oedd yr un sy'n gysylltiedig â chwedl Gwrtheyrn. Fe gofiwch fod Gwrtheyrn wedi methu codi caer gadarn nes taenellu arni waed mab a aned heb dad. Emrys oedd y mab hwnnw, a gafodd yr enw Myrddin, ond cymysgwyd hwn yn bur gynnar ag Emrys Wledig. Emrys Myrddin yw'r un a gysylltir â Dinas Emrys.

Mae *Dinas Basi(ng)* yn enw y tâl inni ymdroi ag ef am funud. Yr enw Saesneg oedd gyntaf yma, sef *Basingwerk,* lle y ceir yr enw personol Saesneg *Basa* a'r gair *weorc* 'caer, amddiffynfa'. Tebyg fod y gaer hon wedi ei hadeiladu yn ystod ymgyrchoedd cynnar y Saeson i ogledd Cymru, ac i'r enw gael ei gyfieithu a'i addasu i'r Gymraeg pan adenillodd y Cymry eu tiroedd yn ôl. Digwyddodd hyn droeon yn y cwr yma, fel y cawn weld eto wrth drafod enwau fel Y Rhyl a Phrestatyn a Bagillt.

Cuddir bodolaeth yr elfen *din* weithiau. Rhyw ŵr o'r enw Meirchion a roes ei enw i *Dinmeirchion* yn Sir y Fflint. Ond aeth yn *Dymeirchion* ac wedyn *Tremeirchion.* Mae'n debyg mai'r cof am Dinmeirchion sydd wedi atal y treiglad ar ôl *tre.*

Newidiodd *Dindyrn* yng Ngwent ei ffurf mewn dull arall, trwy galedu'r ddwy *d.* Digwyddodd y caledu hwn yn enw *Dinbych-y-pysgod* nes cael y ffurf Seisnig *Tenby.* Mwy adnabyddus bellach yw Abaty Tintern na'r hen gaer Dindyrn.

Amddiffynfa ar benrhyn yw *Dinas Gynfor* ym mhlwyf Llanbadrig, Môn. Mae *Cynfor* yn hen enw yn Gymraeg, ond anodd penderfynu pwy oedd y gŵr a goffeir yn y gaer hon. Gerllaw y mae *Porth Cynfor.*

Bachigyn o *din* yw *dinan,* a cheir nifer o enghreifftiau yng Nghymru. Tueddir, fodd bynnag, i droi'r *n* derfynol yn *-m* ac felly mae *Dinan,* Sir Fynwy wedi ei newid yn *Dinham,* a *Llandinan,* Sir Drefaldwyn, wedi gorffen fel *Llandinam,* 'yr eglwys ger y gaer fechan'. Yr oedd *Llys*

Dinan ym Muellt yn bencadlys cwmwd *Dinan*. *Dinan* oedd ffurf hen drefgordd ym mhlwyf Llangaffo, ond troes yr enw hwn yn *Dinam* ers canrifoedd.

Un o'r ffurfiau symlaf ar amddiffynfa oedd y domen, sef pridd a meini wedi eu crynhoi ynghyd i wneud bryncyn crwn ac yna rhoi polion pren o gwmpas i roi rhyw gymaint o amddiffyn. Gelwid y math yma o domen yn *motte* yn Ffrangeg a Saesneg, a'r enw ar y polion neu'r palis amddiffynnol oedd *bailey*. Daeth hwn i'r Gymraeg yn y ffurf *beili*, enw a welir ar hyd a lled y wlad, ond nid yn yr un ystyr. Fel rheol golyga fath o fuarth neu ffald, a chyfeiria'n aml at y cwrt y tu cefn i dŷ fferm.

Mae *Tomen y Bala* yn adnabyddus iawn, a dyry hon syniad ac amcan da iawn am faint a ffurf y teip hwn o amddiffynfa.

Mae'r enw Tomen yn aml yn dangos lle'r oedd canolfan llywodraeth cwmwd neu gantref. Un o'r rhain yw *Tomen Gastell* yn Llanfechain, a diau fod hon ar safle'r hen Lys Fechain, sef pencadlys cantref Mechain ym Mhowys. Yn Llanarmon-yn-Iâl y mae *Tomen y Faerdre*, ac y mae hyn yn gyfuniad diddorol iawn gan mai fferm bersonol y tywysog neu'r brenin oedd y faerdre. Yn y faerdre yr oedd taeogion yn byw gyda'i gilydd dan awdurdod y maer biswail.

Mae'n anodd gwybod paham yr enwyd *Tomen y Gwyddel* yn Llangadwaladr, Sir Ddinbych. Peryglus yw neidio i'r casgliad fod pob Gwyddel yn cyfeirio at frodor o Iwerddon. Mae *gwyddel* hefyd yn golygu llwyn, ac y mae'n rhaid petruso cyn derbyn y naill na'r llall o'r ddwy ystyr bosibl.

Gwelsom o'r blaen mai hen enw ar un o gaerau'r Rhufeiniaid oedd *Mur y Castell*, ac mai *Tomen-y-mur* y gelwir hi heddiw. Fe godwyd y Domen yn y Canol Oesoedd gan ddefnyddio'r muriau Rhufeinig amgylchynol fel beili.

Tomen arall o bwys yn ei dydd oedd *Tomen y Rhodwydd* yn Llandegla. Codwyd y domen hon gan Owain Gwynedd yn 1149 wedi iddo oresgyn Ystrad Alun. Gall *rhodwydd* ddod o *rhawd* neu *rhod* gyda *gwydd*, yr un gair ag a geir yn Yr Wyddfa a'r Wyddgrug, sef crugyn coffa. Diau fod tomen yma mewn ystyr dechnegol. Aeth ystyr *rhodwydd* yn anadnabyddus, a chan fod *Tomen y Rhodwydd* yn naturiol yn mynd yn *Domen y Rhodwy* gorffennodd yr enw ei yrfa fel *Tomen yr Adwy* neu *Gastell yr Adwy*, gan ddefnyddio gair mwy adnabyddus ond anghywir.

Hen Lysoedd

Mewn llys y byddai'r brenin a'r tywysog yn byw. Yma eto ystyr wreiddiol y term yw amddiffynfa, cyfeiriad at y gwrych cadarn tew o gwmpas yr adeilad, a hwnnw wedyn yn dod yn enw ar yr adeilad ei hun. Nid bod llysoedd yr hen frenhinoedd hyn yn adeiladau gorwych, moethus. Coed oedd y defnyddiau, a pherygl tân yn hollbresennol. Nid rhyfedd felly nad oes fawr o olion o'r hen lysoedd i'w gweld heddiw fel y mae olion ceyrydd cerrig.

Ond yr oedd yr adeiladau yn ddigon sylweddol hefyd gan fod yno le i gadw carcharorion a drwgweithredwyr. Yno hefyd yr oedd y neuadd, prif fan ymgynnull y brenin a'i swyddogion, wedi ei rhannu'n ddwy, yn gyntedd ac yn is-gyntedd. Yr 'ystafell' oedd siambar breifat y brenin a'r frenhines. Heblaw'r adeiladau hyn yr oedd digon o gytiau ychwanegol megis cegin, bwtri, bracty, odyn a'r holl bethau eraill a oedd yn angenrheidiol i'r rhwysg brenhinol.

Gellid disgwyl i'r gair *llys* oroesi mewn enwau lleoedd ac felly arwain at leoli canolfannau pwysig gynt. Nid yw hyn yn golygu bod pob enghraifft o'r gair llys yn gyfeiriad at gartref rhyw bennaeth neu'i gilydd. Digon cyffredin yw defnyddio llys a neuadd yn enwau ar dai ein cyfnod ni.

Dewch i ni gael gweld yn awr pa hen lysoedd sydd wedi goroesi, a'u cymryd yn nhrefn yr wyddor fwy neu lai. Mae problem yn codi ar unwaith gyda *Llysbedydd* ym Maelor Saesneg, yr enw Cymraeg sy'n cyfateb i *Bettisfield* yn Saesneg. Y ffurf Saesneg yw'r hynaf — mae'n digwydd yn Llyfr Domesday, a'i hystyr yw 'maes Betti' neu 'maes

Bede' (enw personol Saesneg). Ond mae'r ffurf Gymraeg *Llys Faes Bedydd* yn digwydd yn 1356, a *Llys Bedydd* wedi hynny. Ymddengys mai cyfieithiad a chyfaddasiad yw'r ffurf Gymraeg. Ger Arthog ym Meirionnydd y mae olion *Llys Bradwen*, a diau fod yr enw'n coffáu teulu enwog Ednywain ap Bradwen. Ganed Ednywain tua 1130, a gallwn roi ei dad Bradwen tua 1100. Dyma deulu o fonedd canys rhestrir ef yn un o Bymtheg Llwyth Gwynedd a rhoir Ednywain yn ben arno.

Os trown i'r De fe gawn fod un o hen frenhinoedd Dyfed yn y chweched ganrif, sef Aergol Lawhir ('hael'), noddwr Teilo, yn byw yn *Llys Castell*. Nid oes olion erbyn hyn ond yn ôl traddodiad, safle'r llys oedd *Lydstep*, heb fod ymhell o Ddinbych-y-pysgod. Yma hefyd yn Ninbych yr oedd y 'gaer addwyn' a foliennir gan fardd anhysbys yn y nawfed ganrif.

Os down yn ôl i'r Gogledd fe gawn *Lys Dinmael* yn Llangwm ac ni ellir amau nad yma yr oedd cartref penaethiaid cwmwd *Dinmael*. Yn Sir Fôn mae *Llys Dulas* yn Llanwenllwyfo yn digwydd yn y cofnodion yn 1291, ac yn ôl pob tebyg yn gartref ar un adeg i reolwyr cwmwd *Twrcelyn*.

Heb fod ymhell i ffwrdd, yn y plwyf nesaf, Llaneilian, y mae *Llys Caswallon*, un arall o wŷr mawr Môn.

Mae *Llys Edwin* ym mhlwyf Llaneurgain, Sir y Fflint, yn coffáu o bosibl Edwin ap Gronwy, arglwydd Tegeingl. Ganed Edwin tua 1020 a chyfrifid ef yn bennaeth ar un o'r Pymtheg Llwyth. Yr oedd yn ddisgynnydd i Hywel Dda, ac mae'r enw Saesneg Edwin yn y teulu hwn yn deillio mae'n bosibl oddi wrth gysylltiadau a chyfathrach Hywel Dda â'r Saeson.

Yn ôl traddodiad cysylltir *Llys Euryn* a *Bryn Euryn* yn Llandrillo-yn-Rhos â Maelgwn Gwynedd. Dywed Pennant mai'r hen enw ar y llecyn oedd Llys Maelgwn Gwynedd a bod Ednyfed Fychan wedi cartrefu yma. Gall hyn fod yn wir, ond y prif le yn y Creuddyn a gysylltir â Maelgwn yn ddiau yw Degannwy yn Eglwys-rhos, yr ochr arall i'r penrhyn.

Rhwng Colwyn a Llanddulas y mae *Llysfaen*, enw plwyf sydd yn dwyn ar gof ddau beth. Yn gyntaf nad pren a choed oedd pob llys, ond bod cerrig yn cael eu defnyddio weithiau, ac yn ail mai benywaidd oedd y gair llys gynt, ond ei fod wedi troi'n wrywaidd erbyn heddiw. Mae *Llysfaen (Lisvane)* arall ger Caerdydd, un o hen ganolfannau cwmwd Cibwr, o bosibl.

Enw eithriadol ddiddorol yw *Llysfasi* yn Llanfair Dyffryn Clwyd. Mae'n enghraifft dda o barhad hen sefydliadau Cymreig hyd yn oed ar ôl y goncwest Normanaidd. Yr hen enw oedd *Llys Llannerch*, hynny yw, llys lleol cwmwd Llannerch a gynhwysai blwyfi Llanfair a Llanelidan. Yn ymyl Llys Llannerch y mae'r *Faenol*, enw arwyddocaol iawn arall o gofio am gysylltiadau'r gair. Pan ddaeth y Normaniaid i mewn i Ddyffryn Clwyd, teulu o'r enw *Massy* a gafodd y tiroedd o gwmpas Llys Llannerch a newidiwyd yr enw yn ddiweddarach i *Lys Fasi*. Yn y cofnodion sonnir am 'the manor of Massys'. Canolfan i weithgareddau o deip arall yw Llysfasi heddiw.

Gan ddal yn Sir Ddinbych dewch i weld beth a ellir ei wneud â'r llecyn a elwir heddiw *Llys*, ryw filltir i'r de o dref Dinbych ger Pont Ystrad. Yn Ninbych ei hun mae'n debyg yr oedd pencadlys arglwyddiaeth Dinbych, ond yr oedd y gongl hon gan gynnwys maenor frenhinol Ystrad Owain ei hun yn bwysig yn ei chysylltiadau â chwmwd Ceinmeirch. Pan fu Leland yn teithio yng Nghymru oddeutu'r blynyddoedd 1536-1539 cafodd mai enw llawn y llys oedd *Llys Gwenllian*.

Yr unig olion yno yn ôl Leland oedd cloddiau a llwyni. Gan fod y faenor yn eiddo i Wenllian de Lacy nid annhebyg mai oddi wrthi hi y cafodd y llys ei enwi. Un o ferched Llywelyn Fawr oedd hi, a phriodwyd hi, yn unol

â pholisi ei thad, â William de Lacy, un o arglwyddi'r
Mers. Bu ei gŵr farw yn 1233 ond goroesodd Gwenllian
tan 1281, yn weddw am agos i hanner canrif.

Mae enw un llys o leiaf yn mynd â ni yn ôl at bersonau
chwedlonol. Gŵyr pawb am stori Helig ap Glannog y
dywedir bod y môr wedi goresgyn ei diroedd, stori debyg
i'r un am Gantre'r Gwaelod. Nid oes a fynnom yn awr
â'r esboniad daearegol a daearyddol a all fod y tu ôl i'r
straeon, dim ond nodi bod Lewis Morris ar ei fapiau er
enghraifft yn dangos yr hyn a eilw yn *'Llys Elis ap
Clynnog'*, a bod map cyntaf yr Arolwg Ordnans yn rhoi
Llys Helig yn y môr ger Dwygyfylchi. Nac anghofier
chwaith mai hen enw Ynys Seiriol oedd *Ynys Lannog*.

Enw hen drefgordd ym mhlwyf Llanidan, Môn, oedd
Llyslew. Mae'n debyg mai'r un *Llew* sydd hefyd yn enw
trefgordd gyffiniol, *Bodlew*, yn y plwyf nesaf, Llanddaniel.

Yr oedd *Llys Llywarch* gynt ym mhlwyf Llanefydd. Gan
fod Llywarch yn enw mor gyffredin peryglus fyddai bod
yn bendant. Ond yr oedd un o ohebyddion Edward
Lhuyd yn awgrymu tua 1700 mai Llywarch Holbwrch
(Olbwch) a fu'n byw yma. Ganed hwn o gwmpas 1020
ac yr oedd yn bennaeth ar lwyth yn Sir Ddinbych. Yn
ôl Hanes Gruffudd ap Cynan yr oedd Llywarch Olbwch
yn ddistain ac yn drysorydd i Ruffudd ap Llywelyn ap
Seisyll, un o'r brenhinoedd grymusaf a galluocaf a welodd
Cymru erioed, bwgan Saeson y Gororau yn y cyfnod yn
union cyn dyfodiad y Normaniaid i Loegr. Mae'r
mapiau'n nodi *Llys Llywarch ap Brân* ym mhlwyf
Llanedwen, Môn. Ganed ef tua 1120 a chyfrifid yntau
a'i ddisgynyddion weithiau ymysg Pymtheg Llwyth
Gwynedd yng nghwmwd Menai. Dywedir hefyd mai ef
a goffeir yn Nhrelywarch yn Llanfwrog.

Mae'r enw *Peulwys* (dyna'i ffurf ar y map) ym mhlwyf
Llysfaen, Sir Ddinbych, wedi peri llawer o drafferth i
esbonwyr enwau lleoedd. Fe fyddwn i'n tybio un adeg

mai enw Saesneg oedd, rhywbeth tebyg i 'pile-house', hynny yw, tŷ wedi ei adeiladu ar bolion. Ond daeth goleuni sydyn o ddarganfod mai'r enw llawn gynt oedd *Llys Mab Pilws*. Rhaid felly mai enw personol yw *Pilws* o'r un ffurfiad â *Conws* ac *Einws*, ac mai'r enw hwn yn unig sydd wedi goroesi mewn ffurf lygredig. Ni welais yr enw yn unman arall.

Nid yw *Llysnewydd* yn Abertawe yn bell o Drewyddfa, hen ganolfan arglwyddiaeth Gŵyr, a gellid tybio bod cysylltiad rhyngddynt. Yr oedd *Llysnewydd* hefyd ym mhlwyf Llanilar, Ceredigion, a gyfrifid yn ganolfan cwmwd Mefenydd. Hen enw plwyf Newton yn Sir Benfro oedd *Llys Prawst*. Enw merch oedd *Prawst*, ac o bosibl gwraig Brychan a goffeir yma. Yr oedd Prawst arall yn wraig i Einion Yrth fab Cunedda, mam Cadwallon Lawhir.

Gynt yr oedd maenor yng Nghaerdydd a enwid yn *Llys Tal-y-bont*, ac y mae'r enw wedi goroesi. Mae *Llys-wen* ym Mrycheiniog yn profi'r pwynt mai benywaidd oedd llys gynt. Yr oedd un arall ym mhlwyf Cegidfa, Trefaldwyn, ac yn Nhrefdraeth, Sir Fôn. Go bwysig oedd *Llys-wen* yn Henfynyw, Ceredigion, gan ei bod yn faenor, ac yn wir ceir cofnodion fel 'manor of Aberaeron alias Llys Wen'. Mae'r 'manor house' yn sefyll o hyd.

Yr wyf eisoes, mi gredaf, wedi trafod enw *Llyswyrny* ym Mro Morgannwg, ac wedi dangos mai ei hen ffurf oedd *Llyswrinydd*, hynny yw mai dyma ganolfan *Cantref Gwrinydd* (Gorfynydd yn ddiweddarach). Mae'r enw *Llyscil* ym mhlwyf Llanferres, Sir Ddinbych, yn haeddu ei gofnodi. Hen drefgordd oedd hon a oedd fwy nau lai yn gymesur â'r plwyf ei hun. Dywed un hen gofnod, 'Llysickill alias Llanferres'. Bydd yn rhaid imi gyfeirio eto at yr enwau dwbl hyn yn enwedig at yr ymgodymu a geir weithiau rhwng enw lleyg ac enw eglwysig.

O feddwl, nid yw'n rhyfedd fod rhai hen drefgorddau'n

dwyn yr enw llys. Yr oedd un arall ym mhlwyf Cilcain, ac y mae hwn yn un o'r ychydig enwau Cymraeg sy'n digwydd yn Llyfr Domesday, yn y ffurf *Lessecoit*. Yn y bedwaredd ganrif ar ddeg rhennid y dref hon yn dair uned, sef *Llys-y-coed Cynrig, Llys-y-coed Iorwerth* a *Llys-y-coed Ithel*, mae'n debyg wedi eu henwi ar ôl perchenogion tir cyfrifol yn yr ardal.

Pan ddown ni ar draws enwau fel *Llys-y-dryw* ym Mathri yn Sir Benfro, neu *Llysyfalwen* yn Llansannan, neu *Llys-y-frân*, yn Llanwnda, Penfro, mae'n bur debyg fod yn rhaid inni feddwl am enwau gwawdlyd ar hen furddunod. Fe gewch yr un peth gyda'r gair castell ac yn Lloegr fe ddigwydd llawer *Rat's Castle, Owl's Castle* ac yn y blaen. Ond nid yw hyn mor glir yn achos enw plwyf *Llys-y-frân* yn Sir Benfro. Yr hen ffurf yma oedd *Llys-frân*, lle y mae brân yn ymddangos fel enw personol. Yn yr unfed ganrif ar bymtheg y dechreuwyd ysgrifennu *Llys-y-frân*.

Enw gwatwarus arall yw *Llys-y-gwynt*, heb fod mor hen â'r lleill.

O gofio am safle Sir Fôn ni ddylem synnu fod cymaint o'r rhain yno, sef *Llys-y-gwynt* yn Amlwch, Caergybi, Carreg-lefn, Llanddyfnan, Llaneilian a Llanfair Mathafarn Eithaf. Yn Sir Gaernarfon y mae'r gweddill yng Nghaerhun, Llanddeiniolen, Llanfairfechan a Waunfawr. Cyfieithiad yw *Llysyllewod* o'r enw Lladin am Holt, sef *Castrum Leonis*.

Cawsom enghreifftiau uchod o *Llysnewydd*. Mae *Henllys* yn digwydd yn bur aml hefyd, a gall fod yn dystiolaeth ddigamsyniol i safle o bwys gynt. Yr oedd *Henllys* yng Nghil-y-cwm, Sir Gaerfyrddin, ac ym mhlwyf Diserth, Maesyfed. Rhaid fod trefgordd *Henllys* yng Ngenau'r-glyn yn hen. Ym mhlwyf Llanbedrog, Sir Gaernarfon, ceir cyfosodiad od, sef *Henllys* a *Henllysnewydd*. Yr oedd *Henllys* ym mhlwyfi Llanddewi,

Gŵyr, Llan-faes, Môn, Llangwyfan, ger Aberffraw, a
Llannor. Mae'n enw plwyf yn Sir Fynwy, ac onid canolfan
Cantref Cemais gynt oedd yr Henllys yn Nyfer?

Mae un enghraifft o'r enw *llysan*, bachigyn o llys. Yn
Llanfihangel Glyn Myfyr y mae hwn, ac y mae rhes o
gyfeiriadau yn profi mai *llysan* oedd y ffurf a bod y llecyn
yn hen drefgordd. Mynn rhai mai *Llys Ann* yw'r ffurf
gywir, ac yn wir dyna a geir ar rai mapiau. Nid oes a
fynno'r lle ag unrhyw Ann, ac mae'n rhaid fod yr
hynafiaethwyr wedi bod wrthi'n bur gynnar yn ymyrryd
â sillebu'r enw, a'i ystumio i *Llys Ann*.

Bachigyn arall yw *Llysyn*. Fe ddigwydd yr enw hwn ym
mhlwyf Carno fel hen drefgordd. Yn Llanerfyl y mae
castell tomen a beili ar safle Llysyn, ac enwir y Llysyn
hwn gan Gynddelw Brydydd Mawr. *Llysyn* oedd ffurf y
lle o'r enw hwn ym mhlwyf Llanfihangel Rhydieithon,
Sir Faesyfed, ond dan ddylanwad yr hynafiaethydd
Jonathan Williams, hanesydd y sir, ceisiwyd newid hwn
yn *Llysdin*, fel petasai'n gyfansawdd o *llys* a *din*.

Cyfansawdd yw *Llystyn* o *llys* a'r elfen *dynn* a welir
mewn geiriau fel *treuddyn* a *creuddyn*. Mae'n amlwg fod
dynn yn cyfateb i'r Wyddeleg *din* 'bryn' a'r awgrym yw
bod llys efallai wedi ei godi ar ben crugyn. Mae'n debyg
hefyd fod peth cymysgu wedi bod rhwng y *dynn* hwn a'r
din 'caer'. Mae un *Llystyn* yn Nolbenmaen yn ymyl
Bryncir, lle y cafwyd olion Rhufeinig. Nid annhebyg fod
rhyw gymaint o barhad yma, a bod rhyw bennaeth lleol
wedi ymgartrefu yn Llystyn. Yn nhreigl amser ymledodd
y *Llystyn* hwn a chafwyd *Llystyn-gwyn* a *Llystyn-rhudd*.
Ceir lleoedd eraill â'r enw *Llystyn* ym mhlwyfi Llandrillo,
Meirionnydd, Llanddaniel, Llanfihangel Rhos-y-corn
(*Llystyn Dafydd*), a Nyfer.

Yr oedd hen, hen drefgordd ym mhlwyf Cilcain sef
Llystyn Hunydd. Dyma un arall o'r ychydig enwau
Cymraeg a nodir yn Llyfr Domesday yn y ffurf *Lestunied*.

Enw merch yw *Hunydd*, a defnyddid hwn yn weddol fynych mewn oesoedd cynt. Ni allaf gytuno ag awgrym Phillimore mai *Anhunedd* yw'r enw sy'n digwydd yn *Llystyn Hunydd*.

Mae problemau'n codi gyda *Llystynwallon* ym mhlwyf Llansilin. Nid oes amheuaeth am ei hen ffurf gan fod Cynddelw yn ei farwnad i Ririd Flaidd yn cyfeirio at *Llystynwallawn*. Gallwn anwybyddu ffurfiau llwgr *Estymwallon, Estynallan* ac *Ystumwallon*. Ond os *Gwallon* yw'r ail elfen mae'n anodd cyfrif am y treiglad. Mae'r un anhawster yn codi gyda *Llystynwynnan* ym mhlwyf Llangadfan. Lle o gryn bwysigrwydd oedd hwn gynt gan ei fod yn gartref i lwyth Cyndrwyn, un o welygorddau Powys. Mae'n bosibl fod y *Gwynnan* a goffeir yn yr enw i'w gael yn achau hynafiaid Bleddyn ap Cynfyn, brenin Powys a fu farw yn 1075.

Cystal inni orffen sôn am enwau sy'n cynnwys yr elfen *dynn* a welsom eisoes yn *Llystyn*. Y mwyaf cyffredin o'r rhain yw tyddyn, ond gan fod hwn yn digwydd mor aml bydd yn rhaid gadael yr ymdriniaeth ar gyfer rhyw dro arall. Dau enw arall sy'n cynnwys yr elfen hon yw *treuddyn* a *creuddyn*. Digon prin ydynt mewn gwirionedd. Cyfansawdd o *tref* a *dynn* yw *trefddyn*, a thuedd ynddo i newid i *treuddyn*. Anodd dweud beth yw grym *dynn*. Cyfeirir o bosibl at dref neu fferm a amgylchynid gan balis drain. Yr un mwyaf adnabyddus yw *Treuddyn*, yn Sir y Fflint. Hen drefgordd oedd hon ym mhlwyf Yr Wyddgrug ac aeth yn blwyf sifil ei hun. Rhennid y drefgordd yn *Treuddyn Fawr* a *Treuddyn Fechan*. Yr oedd *Trefddyn* arall yn Sir Fynwy, ac mewn un hen restr gelwir ef yn *Trefddyn Catwg*. Ond sillafiad yr enw mewn Cymraeg Canol oedd *Trevethin* (h.y. *Trefddyn*), a dyma'r ffurf a ymgaregodd megis yng nghofnodion yr Eglwys. Collodd Trefddyn Sir Fynwy ei hen fri wedi dyfod diwydiant i Abersychan a Phont-y-pŵl. Nid yw'n hollol glir ai *Trefddyn* ai *Trefddin*

yw hen ffurf *Tre-fin* yn Sir Benfro ym min y môr. Yr ail
mae'n debyg, gyda'r *dd* wedi diflannu, a'r acen ar y sillaf
olaf.

Digwydd *Treuddyn* mewn enw cyfansawdd fel
Taltreuddyn (gynt *Talytrefddyn*) ym mhlwyf Llanenddwyn.
Efallai nad cyd-drawiad yw bod Taltreuddyn ynghanol
llecyn hanesyddol iawn, gerllaw y Faeldref ac
Ystumgwern. Yr oedd hefyd yn gartref uchelwyr. Mae
Treuddyn arall wedi ei gadw ym mhlwyf Caeo mewn
enwau fel *Maestrouddyn, Llystrouddyn, Glantrouddyn* a
Nant Trouddyn. Yma y mae'r sain *eu* yn cael ei hynganu
yn *oy* neu *ou* fel y digwydd yn y dafodiaith hon gyda
geiriau fel *haul (houl), dau (dou), beudy (boudy)*, ac yn
y blaen.

Nawr i droi at *Y Creuddyn.* Y ddau fwyaf adnabyddus
yw'r penrhyn a'r cwmwd yn Sir Gaernarfon, a'r cwmwd
yng Ngheredigion, y cedwir cof amdano yn enwau'r
plwyfi *Llanbadarn-y-Creuddyn* a *Llanfihangel-y-Creuddyn.*
Yng Ngheredigion hefyd seinir *eu* yn *ou* ac felly sonnir
am *Lanbadarn-y-Crouddyn* a *Llanfihangel-y-Crouddyn.*
Mae gan y gair *crau* nifer o ystyron, neu yn hytrach
wahanol agweddau ar yr un ystyr. Yr un sydd o
ddiddordeb i ni yw'r *crau* a ddefnyddid mewn ystyr
filwrol, un a geir yn yr hen ganu am filwyr yn wynebu'r
gelyn, a'u tariannau a'u gwaywffyn yn ffurfio cylch. Yr
oedd yr un arfer yn bod yn Iwerddon a'r un term sef *cro.*
Mae *Creuddyn* yn ymddangos felly yn gyfuniad o ddau
air yn golygu amddiffynfa. Mae dwy enghraifft arall o
Creuddyn, y naill yn enw afon gynt yn Abergwaun, a'r
llall yn enw ar nant yn Llanbedr Pont Steffan.

Gair arall yn yr hen farddoniaeth am gaer neu wersyll
neu amddiffynfa yw *esgor* neu *ysgor.* Yr oedd un *Ysgor*
ym Mangor ym Maelor Saesneg ac un arall, *Ysgor-fawr*
yng Ngharno. Anodd gweld beth yw grym *Ebrill* yn
Esgorebrill ym mhlwyf Eglwys-bach. Ond *esgor* neu *ysgor*

yn sicr yw'r elfen gyntaf, nid *esgair* fel y gwelir weithiau. Felly hefyd y lle yn yr un plwyf sy'n ymddangos ar fapiau yn y ffurf *Esgairheulog*. *Esgorheulog* oedd y ffurf yn y ddeunawfed ganrif. Yr un *ysgor* sydd yn *Sgorlegan* yn Llangynhafal, er bod ffurfiau anghywir fel *Esgairlygan* a *Slygen* ar gael. Credaf fod yr ail elfen *llegan* i'w gweld mewn enwau fel *Tryleg* a *Garthlegfa*.

Bod, Tref a Phentref

Bellach trown at elfennau eraill sy'n cyfeirio at drigfan neu breswylfod. Y ddwy elfen bwysicaf yw *tref* a *bod*, a chan fod cannoedd ar gannoedd o'r ffurfiau hyn ar gael bydd yn rhaid dethol. Am ryw reswm mae *bod* yn digwydd yn amlach yn Sir Fôn nag yn yr un o ardaloedd eraill Cymru. Mae *tref* hefyd yn digwydd yn amlach ym Môn ac ym Mhenfro, beth bynnag yw'r rheswm.

Os dechreuwn gyda'r elfen *bod* (yr un â'r berfenw bod) fe gawn ar unwaith fod rhyw gymaint o ystyr crefyddol iddi mewn rhai cysylltiadau. Cyfeirio yr wyf at *bod* mewn enwau eglwysi a phlwyfi. Mae *Bodedern* ym Môn yn ein hatgoffa fod *Edern* yn digwydd ar ei ben ei hun yn Llŷn ar eglwys blwyf (ceid *Llanedern* weithiau gynt ar Edern Llŷn). Daw *Edern* o'r enw Lladin *Eternus*. Nid yw tarddiad *Bodewryd* (eglwys arall ym Môn) mor eglur. Gallai'r ail elfen gynrychioli *ewryd* neu *gewryd*. Os y cyntaf, cofiwn fod *Awr* yn enw gŵr gynt, a thrwy ychwanegu'r terfyniad -*yd* fe gaem *Ewryd*. Os yr ail, gallwn feddwl am y gair *gawr* 'bloedd, gwaedd', gyda'r un terfyniad -*yd*.

Y gneuen galetaf yw *Bodfari* neu *Botffari* yn Sir y Fflint. Nid bod prinder o hen ffurfiau. Mae digon o'r rheini, ond rhywsut ni chawn gymaint o oleuni oddi wrthynt ag y dymunem ei gael. Enwir y lle yn 1086 yn Llyfr Domesday yn y ffurf *Boteuuarul* a cheir un enghraifft gynnar iawn yn 1093 sef *Batavari*. A oes rhywbeth wedi mynd ar goll yng nghanol yr enw? Mae'r sillaf olaf yn peri trafferth hefyd. Bûm yn tybio y deuai rhyw obaith o ystyried enw nawddsant Bodfari, sef *Deheufyr* (neu *Deifer, Diar*).

Rhoesai hwnnw'r rheswm dros gael *t* yng nghanol yr enw. Ond nid wyf wedi medru esbonio'r *i* ar y diwedd yn foddhaol. Mae *Ffynnon Ddier* heb fod ymhell o'r eglwys.

Mae *Bodferin* yn Aberdaron yn cadw cof am yr enw *Merin*. Felly hefyd *Boduan* yn Llŷn yn mynd â ni yn ôl at enw sant, *Buan*, gan mai'r hen ffurf oedd *Bodfuan*. Sillebiad gwael yw *Bodfean*. Erbyn hyn *Buan* yn unig yw'r enw ar y plwyf sifil. Tebyg hefyd fod *Bodwrog* ym Môn wedi colli *f* a rhaid tybio mai *Bodfwrog* oedd y ffurf wreiddiol. Ymddengys enw *Mwrog* mewn eglwys fel *Llanfwrog* yn Sir Ddinbych. Y cysylltiad crefyddol olaf yw *Botwnnog* yn Llŷn. Enw'r sant yw *Tywynnog*, sef ffurf anwes ar *Gwyn*.

O hyn ymlaen bydd yn rhaid trafod *bod* yn ôl yr wyddor, gan sylwi'n unig ar y rhai mwyaf diddorol ac arwyddocaol. Cymerwn *Bodafon* ym Môn, enw hen drefgordd a phlas a mynydd ym Mhenrhosllugwy a Llanfihangel Tre'r-beirdd. Awgrymodd Syr Ifor Williams flynyddoedd yn ôl mai atgof sydd yma am hen bennaeth o'r enw *Aeddon*, a bod *Bodafon* yn ffurf ar *Bodaeddon*. Yr oedd trefgordd arall yn Llandudno o'r enw *Bodafon* hefyd, ond gwyddom hyd sicrwydd mai *Bodfafon* oedd hon gynt, sef *bod* a'r enw personol *Mafon*. Mae dwy neu dair *Bodfafon* arall, ond diweddar yw'r rhain, a chynhwysant yr enw cyffredin *afon*.

Mae *Bodangharad* yn enw hen drefgordd arall ym mhlwyf Llanfwrog, Sir Ddinbych. Mae enwau merched ar hen ganolfannau fel hyn yn ddigon prin, ond eto i gyd mae digon o enghreifftiau i ddangos bwysiced oedd safle cymdeithasol merched yng Nghymru gynt.

Rhaid bod y lle yn ddigon anghynnes a digysur i ddechrau pan alwyd hen drefgordd ym mhlwyf Bryneglwys yn *Fodanwydog*. Dyma hefyd a geir yn *Hafodanwydog*, er mai *Hafodnwydog* yw'r ffurf a ddigwydd weithiau.

Chwilen, chwilod sydd wrth wraidd enwau fel *Bodchwil* yn Llanfair Talhaearn, a *Bodchwilog* yn Llansanffraid, Ceredigion. Gallwn gymharu enw fel *Chwilog* yn Llanystumdwy a *Chwibren* (gynt *Chwilbren*) yn Llansannan.

Enw personol yw *Egri* yn enw'r drefgordd *Bodegri* yn Llanrhuddlad, Môn. Gynt rhennid y dref yn ddwy yn ôl ansawdd y gwŷr a oedd yn byw yno. Gwyddom mai'r llinell derfyn fawr mewn cymdeithas yng Nghymru'r Canol Oesoedd oedd y gwahaniaeth rhwng y Cymro bonheddig rhydd a'r gŵr caeth. Nid yw bonheddig yn y cyswllt yma yn golygu mwy na bod Cymro felly yn medru olrhain ei ach a phrofi fod ganddo hawl ar freintiau'r genedl. Yr oedd y gŵr caeth, fodd bynnag, yn llafurwr dihawliau, gŵr o wlad arall, carcharor rhyfel, gŵr a oedd ynghlwm wrth y tir ac yn feddiant personol i'w feistr. Yn wir gellid ei brynu a'i werthu fel unrhyw anifail neu ddodrefnyn arall, a cheir sawl cyfeiriad at drosglwyddo gwŷr caethion o'r naill berchennog i'r llall. Nid rhyfedd felly ein bod yn cael enwau fel *Bodegri Rydd* a *Bodegri Gaeth*. Yr oedd trefgordd adnabyddus iawn ym Mangor gynt, sef *Tre'r Gwŷr Rhyddion*. Onid caeth yn yr ystyr arbennig hon sydd yn yr enw *Caethle* ger Tywyn, Meirionnydd?

Mae'n anodd bod yn sicr beth yw *Bodegroes* yn Nolwyddelan ac yn Llannor. Ar yr olwg gyntaf ymddengys mai'r planhigyn *egroes* sydd yma, ond pan gofiwn fod y fannod *y* weithiau ynghanol enw cyfansawdd yn troi'n *e* mae'n rhaid inni feddwl am bosibilrwydd *bod* a *croes*, hynny yw, *Bodygroes* a'r acen ar y sillaf olaf yn troi'n *Bodegroes*, yn hollol fel y ceir *Llanycil*, a *Llanecil*, *Bachygraig* a *Bachegraig*, a hefyd *Penegoes* yn Sir Drefaldwyn.

Mae rhai problemau ynglŷn â *Bodfel* yn Llannor. Llecyn hynafol yw hwn, safle hen drefgordd. Gall *Bodfel* o ran ffurf gynnwys yr enw personol *Mael* neu'r gair *mael* sy'n golygu 'tywysog'. Ond yr oedd trefgordd arall yn y cyffiniau a elwid *Bodfeilion*. Ai ffurf ar *Bodfel* sydd yma, gyda'r terfyniad *-ion*? Ac ai hon sydd wedi goroesi yn yr enw *Bodeilian* gerllaw? Anodd yw rhoi ateb terfynol ar hyn o bryd.

Ymddengys bod *Bodeilias* ym mhlwyf Pistyll i'w olrhain i *eilias* 'pennaeth, tywysog'. Mae'n bur debyg hefyd mai enw personol sydd yn *Bodelwa* yn Llangwyfan, Sir Fôn, ac yn *Cadairelwa* yn Eifionydd. Ffurf lawn yr enw hwn gynt oedd *Cadairelwydd*, lle y mae *Elwydd* yn gyfansoddair o *el* 'llawer' a *gwydd* 'gwybod'. Ffurf fachigol ar *Elwydd* yw *Elwyddan* a dyna'r esboniad ar gyfer *Bodelwyddan* ger Llanelwy, trefgordd gynt cyn bod yn blwyf sifil.

Rhaid sôn am ddau lecyn ym mhlwyf Aberdaron. Y naill yw *Bodermid*, sy'n cynnwys y gair Saesneg Canol *ermit* 'meudwy'. Nid annisgwyl cael cysylltiadau crefyddol mor agos i Ynys Enlli, a dylid cofio fod Porth Meudwy heb fod ymhell. Y llall yw *Bodernabwy*. Yr unig enw addas yma yw *Gwernabwy*, megis yn y chwedl am yr Anifeiliaid Hynaf lle y sonnir am Eryr Gwernabwy. Rhaid tybio bod *Bodwernabwy* wedi rhoi *Bodernabwy*.

Yr oedd trefgordd gynt yn Llandyrnog, Dyffryn Clwyd, o'r enw *Boderwog*. Petasai'r enw hwn yn tarddu o *bod* a *derwog* cawsem rywbeth fel *Boterwog*. Felly rhaid cymryd mai *bod* ac *erwog* sydd yma, sef ffurf ar *erw*.

Enw diddorol yw *Bodewran*, yn Heneglwys, Môn. Yr hen ffurf oedd *Bodefran*, a phan sylwn fod *ewr* yn amrywiad yn y Gogledd ar *efwr*, y planhigyn a elwir yn Saesneg 'cow-parsnip', gallwn ddeall sut y cafwyd *efran* neu *ewran*. Cymharer hefyd yr enwau *Dinefwr* ac *Efrog*.

Mae'n eglur mai'r enw *Meurig* sydd yn *Bodfeurig* yn Aberffro a Llandygái. Gallesid disgwyl ffurf fel *Bodeurig*, ond nid yw'n digwydd hyd y gwn i. Mae *Bodrida* yn

Llangeinwen wedi colli *f* gan mai'r ffurfiau cynharaf yw Bodfrida neu Bodfryda. Ni allaf gynnig dim ar hyn o bryd ar y ffurf *Brida*, ar wahân i nodi'r posibilrwydd bod yma enw personol yn diweddu yn *a*, fel y cawn yn *Twna, Hwfa, Cwna* ac yn y blaen.

Mae *Bodffordd* neu *Botffordd* yn hen enw yn Heneglwys, o *bod* a *ffordd*. Yr oedd yn drefgordd gynt yn rhan o feddiannau Esgob Bangor, ac felly cawn ffurfiau fel *Bodffordd Ddeiniol* a *Bodffordd Esgob*.

Dengys *Bodgadfa* yn Amlwch berygl derbyn ffurf enw fel y mae heddiw. Temtid ni i awgrymu bod yma atgof am frwydr, ond rhaid ailfeddwl pan ystyriwn mai'r ffurf hyd at y ddeunawfed ganrif oedd *Bodgadfedd*, hynny yw *bod* a'r enw personol *Cadfedd*.

Yr enw personol *Cadfan* sydd yn *Bodgadfan* yn Llangelynnin, Meirionnydd. Ni wn a ellir profi mai'r un yw hwn ag enw'r sant a goffeir yn Eglwys Tywyn. Enw personol arall eto sydd yn *Bodgedwydd* yn Llangwyfan, Môn. Ymddengys hwn yn gyfuniad o *cadw* ac *ydd*.

Mae'n ddrwg gennyf ddyrnu ar enwau personol o hyd ond mae hyn yn anorfod gan eu bod yn rhan mor bwysig o'r holl astudiaeth. Mae *Bodgynda* yn Llaneugrad yn enghraifft dda arall. *Bodgynddelw* oedd hwn gynt. Enw personol wedyn sydd yn *Bodgynfel* ym mhlwyf Gwyddelwern.

Trefgordd yn Llangar oedd *Boteulog*, sef *Bod Heulog* neu *Gynwyd Fawr*. Dychwelwn at enw personol gyda *Bodidris*, Llandegla. Amrywiad arno gynt oedd *Bodidrist*, lle y gwelir tuedd i ychwanegu *t* at eiriau'n diweddu ag *s*, megis yn *ffalst* o'r Saesneg *false*.

Tybiaf fod *Bodlywydd* yn Llanelidan i'w gymharu â *Bodfael* o gofio fod *llywydd* gynt yn golygu 'arweinydd, tywysog'. Profir mai *Bodlywydd* sydd yma, nid *Bodliwydd*, gan y ffurfiau tafodieithol *Bodlowydd*.

Mae gan *Bodnant* ym mhlwyf Eglwys-bach (lle mae'r

gerddi enwog) hanes diddorol. Yr hen ffurf wreiddiol oedd *Bodnod*, yn ddieithriad o'r drydedd ganrif ar ddeg ymlaen. *Bodnod* oedd enw'r drefedigaeth sifil neu leyg — canolfan yr ardal.

Yr oedd tair tref arall, sef *Cefn-y-coed, Esgorebrill* a *Phennant Erethlyn* ond *Bodnod* oedd bwysicaf, a bu cryn ansicrwydd yn y cyfnod cynnar ai'r enw lleyg *Bodnod* ynteu'r enw eglwysig *Eglwys-bach* fyddai drechaf. Yn wir y mae nifer o enghreifftiau o'r gwrthdaro hwn rhwng enw lleyg y dreflan ac enw'r llan ei hun. Yn y gair treflan gwelir cyfuniad o'r ddau. *Eglwys-bach* fodd bynnag a enillodd y frwydr a dod yn enw ar y plwyf. Gallwn egluro bod *Bodnod* yn cynnwys y gair *nod* yn yr ystyr o farc neu le arbennig, a buaswn yn barod i'w gymharu ag enw fel *Bryn Nodol*, y plas yn Nhudweiliog, am fryn nodedig, amlwg. Erbyn diwedd y ddeunawfed ganrif yr oedd *Bodnod* wedi newid yn *Bodnant*, canys dyna'r ffurf a geir ar fap John Evans yn 1795.

Mae'r ffurf *Bodneithior* yn digwydd mewn dau le yn Sir Fôn, y naill yn Llandyfrydog a'r llall yn Llanddyfnan ac fel petai'n cynnwys *neithior* 'gwledd briodas'.

Rhaid fod *Bodnithoedd* ym Motwnnog yn cynnwys ffurf luosog y gair *nith*, ond mae'n anodd gweld pam yr enwyd y lle felly. Mae'n wir fod geiriau fel *meibion, merched, gwragedd* ac yn y blaen yn elfen bur bwysig mewn enwau lleoedd.

Dywedir yn aml mai ystyr *Bodorgan* ym Môn yw *Bodforgan*. Ond mae hyn yn amheus yn wyneb hen ffurfiau fel *Bodgorgyn* a *Bodgorgan*, a bydd yn rhaid meddwl yn ddyfal am ystyr ac esboniad boddhaol. Enw hen drefgordd ym mhlwyf Corwen yw *Bodorlas*. Gallem feddwl am ffurf fel *gorlas* neu *Morlas* yn y cyswllt yma, a chymharu *Rhyd Forlas* yng Nghanu Llywarch Hen. Ond rhaid pwyllo eto gan mai'r ffurf hynaf yw *Bodorloes*. Mae hon yn awgrymu enw personol *Gorloes*, un o gymeriadau'r

Chwedl Arthuraidd, sef Iarll Cernyw, gŵr Eigr fam Arthur. Mae *Bosworlas* a *Treworlas* yng Nghernyw yn ffurfiau y dylid eu hystyried hefyd.

Trefgordd arall ym mhlwyf Abergele yw *Bodoryn*. Mae'n anodd penderfynu beth yn hollol yw'r ail elfen, gan mai'r hen ffurfiau yw *Bodorrin*, *Bodorryn* a *Bodoryn*. Y peth tebycaf ar hyn o bryd efallai yw'r hen air *gorun* sy'n golygu 'gwaedd, bloedd, cynnwrf, rhyfel'.

Mae *Bodowen*, gyda'r enw personol *Owen*, yn digwydd droeon. Ni wn beth a ellir ei wneud â'r ddau le *Bodowyr*, y naill ym Modedern a'r llall yn Llanidan.

Mae dau le o'r enw *Bodran*, y naill yn Llanfair Talhaearn a'r llall yn Llanfyllin. Rhaid fod *rhan* yma yn derm technegol am raniad o dir, yn union fel y ceir *rhandir*. *Bodringallt* yw enw presennol llecyn yn y Rhondda, ond pur ddiweddar yw'r *t* ar ddiwedd yr enw. Yr hen ffurf yn ddieithriad oedd *Bodringyll*. Yr ail elfen yma yw *rhingyll*, swyddog pwysig iawn gynt ym mhob cwmwd ac arglwyddiaeth, y gŵr a gasglai drethi a rhenti a rhoi cyfrif amdanynt i'r arglwydd. Seisnigeiddiwyd y swydd yn y ffurf *ringild*.

Ai cartref rhingyll Glynrhondda oedd Bodringyll? Ychwanegwyd *t* ar y diwedd gan fod hyn yn duedd ar ôl *ll* ond mae'n debyg fod dylanwad y gair *allt* i'w weld hefyd.

Trefgordd bur adnabyddus yn Llanfair-yng-Nghornwy oedd *Bodronyn*. Gellid cynnig mai enw personol yw *Rhonyn*, wedi ei adeiladu ar *rhawn*. Mae'n ogleisiol bod Ynysoedd y Moelrhoniaid yn perthyn i'r plwyf hwn, a bod moelrhon yn enw arall ar forlo. Mwy annhebyg, ond nid amhosibl, fyddai *grawn*, *gronyn*, yn sail i Fodronyn.

Achosodd *Bodrual* ym mhlwyf Llanrug ryw gymaint o drafferth. Pan awgrymodd J. Lloyd-Jones mai *Bod-yr-hual* oedd hwn, gwrthodwyd yr esboniad gan W. J. Gruffydd ar y tir mai *Bodrual* yw'r ffurf, nid *Bodrhual*, a chynigiodd mai'r enw Normanaidd *Ruel* oedd yma. Ond rhaid cofio am *Bodruala* yn Aber-erch ar y naill law (*? Bodyrhualau*), a *Rhual* yn Yr Wyddgrug ar y llaw arall (gynt *Yr Hual*). Diau fod *hual* 'llyffethair' yn cyfeirio yma at lun y tir. Eithr rhaid cyfaddef na welais eto ffurf fel *Bodrhual* na *Bodrhuala*.

Enw a gollwyd erbyn hyn yw *Bodrugan* ym mhlwyf Llaneilian, Môn, ac ymddengys hwn yn gyfuniad o *bod* a'r enw personol *Grugan* (sef *grug* + *an*). Gallai Bodrwyn yng Ngherrigceinwen ddod oddi wrth *bod* a *brwyn*, ond ni chefais eto ffurf fel *Bodfrwyn*. Lle pur adnabyddus gynt oedd trefgordd *Bodrychwyn* ar y ffin rhwng Abergele a Llanfair Talhaearn. *Rhychwyn* yw'r enw personol yma, a sonia un hen ach am Rychwyn Farfog o Fodrychwyn yn Rhos, y gŵr y disgynnodd llwyth Braint Hir oddi wrtho. Mae'n debyg mai *Rhychwyn* arall oedd y sant a goffeir yn Llanrhychwyn, Sir Gaernarfon.

Daw *Bodrydd* yn Aberdaron â ni yn ôl at raddau cymdeithas pan oedd Cymry naill ai'n rhyddion neu'n gaethion. Enw tebyg o ran ffurf yw *Bodryddan* ym mhlwyf Diserth, Sir y Fflint, ond yma dilynir *bod* gan yr enw personol *Rhyddan*. Ai'r enw *Selyf, Selau* sydd ym *Modsela* ym Moduan? (*Bodseley* a geir yn yr ail ganrif ar bymtheg). Yr enw *Silin*, megis yn Llansilin, sydd ym Modsilin yn Aber.

Enw hyfryd sydd wedi diflannu erbyn hyn oedd *Bodwanwyn* ym mhlwyf Llaniestyn, Môn. Nid *Bodwenni* oedd ffurf wreiddiol enw plasty yn Llandderfel. Yr enw gynt oedd *Bedwenni*, sef lluosog *bedwen*. Yr oedd *Bedwenni* arall ym mhlwyf Penderyn.

Mae'n debyg fod *Bodwigan* yn Llanddeusant, Môn, yn cynnwys yr un *gwigan* â *Lledwigan* (coed bychan). Arhosodd hwn, yn ôl y Saeson, yn Lloegr yn y ffurf *Wigan*. Ni wn i ddim beth yw'r *gwigiad* ym *Modwigiad*, Penderyn.

Trefgordd ym mhlwyf Henryd, Sir Gaernarfon, oedd *Bodidda*, a cheir tystiolaeth ddigonol i'r ffurf o'r bymthegfed ganrif ymlaen ond tua chanol y bedwaredd ganrif ar bymtheg y ffurf oedd *Bodiddan*, ac y mae hyn yn profi mai hen enw personol *Iddan* sydd yma, ond bod yr *n* derfynol wedi colli ers canrifoedd lawer. Ar fap yr Ordnans yn 1838 digwydd y ffurf *Bod Eidda*, fel petai rhyw hynafiaethydd lleol wedi awgrymu bod a fynno'r enw ag *Eidda* yn Sir Ddinbych.

Perthyn i dref Crymlyn Heilin yn Llanddona yr oedd *Bodiordderch*. Enw personol digon anghyffredin yw *Yordderch*, ond mae'r dystiolaeth yn eglur. Mae rhai ysgrifenwyr diweddar ar hanes Môn yn y Canol Oesoedd wedi cymysgu hyn â Bwrdd Arthur yn Llanfihangel Dinsilwy.

Mae *Glasan* ym *Modlasan*, Llanfachraeth, Môn, yn debycach i enw personol na'r gair cyffredin *glasan* am bysgodyn. Felly hefyd *llyman* yn yr enw *Bodlyman*, yr hen ffurf gynt ar drefgordd leyg Betws Abergele. Mae tipyn o gymysgu yn y cofnodion rhwng y ffurf hon a *Bodlennan*, trefgordd leyg Llaneilian-yn-Rhos.

Ni ellir bod yn sicr ai *llew* ai *glew* sydd wrth wraidd trefgordd adnabyddus *Bodlew* yn Llanddaniel. Tebyg mai *llew* sydd yma o gofio am drefgordd gyfagos *Llyslew* yn Llanidan.

Tebyg mai'r gair cyffredin *lloffion* am yr hyn a geir trwy loffa sydd yn yr enw *Bodloffion* yn Llangefni. Ond beth yw *Bodloegan* yn Llanllibio? Beth yw cysylltiad *golosg* neu *golosged* â *Bodlosged* yn Ffestiniog? Defnyddir *golosg* am 'charcoal' a *golosged* am rywbeth wedi hanner llosgi.

Ymddengys bod *llwyfan* yn esboniad eithaf i *Bodlwyfan* yn Llanfechell a Llansadwrn. Ond yn y ddeunawfed ganrif *Bodlwyddan* oedd y ffurf yn Llanfechell. Gwelir yma yr amrywio cyffredin rhwng *dd* ac *f*.

Ni raid esbonio *Bodwilym* yn Llanaber a Llangernyw.

Mae'n debyg mai'r lliw *gwinau* 'coch tywyll' sydd ym *Modwinau* yn Nhrewalchmai. Yr enw personol *Gwion* sydd ym *Modwion* yn Nolbenmaen, Llanfair Mathafarn Eithaf a Llangwyllog.

Hen drefgordd yn Llangernyw oedd *Bodrach*, a gellid meddwl mai *gwrach* yw'r ail elfen. Yr unig ffurf debyg i hyn sydd gennyf yw *Bod-y-wrach* ar hen fap Ordnans, ond ni ellir dibynnu ar y rhain bob amser gan y byddai hynafiaethwyr lleol weithiau yn dylanwadu ar swyddogion yr Ordnans.

Dau enw anodd yw *Bodwrdin* yn Aberffraw, Môn (*?Gwrdin*), a *Bodwrdda* yn Aberdaron. *Bodwrda* sydd yn digwydd fynychaf, a thuedda hyn inni feddwl am y gair *gwrda* 'uchelwr', ond yn y bedwaredd ganrif ar ddeg ceir *Bodurtha* (sef *Bodwrdda*), a rhaid ailfeddwl. Nid oes sicrwydd chwaith am yr enw *Dwrdan* a *Ffynnon Ddwrdan* sydd yn agos i Fodwrdda. Llecyn arall yn Aberdaron yw *Bodwyddog*, ac ymddengys mai ansoddair sydd yma o'r enw *gwŷdd* 'coed', onid enw personol yw *Gwyddog* hefyd.

Er mai *Bodwylan* sydd ar y mapiau yn Llangelynnin, Meirionnydd, a bod hyn yn peri inni feddwl am y gair *gwylan*, y ffurf gynt oedd Bodwlan, ac yn y flwyddyn 1592 sonnir am *Dyddyn Modwllan Vechan*.

Enw anodd yw *Bodwylog* yn Llandegfan. Mae'r ffurf *Bodwylog* yn digwydd yn gynnar iawn ond *Bodfilog* yw'r ffurf arferol tan y ganrif ddiwethaf. Mae'r amrywio hwn rhwng *f* ac *w* yn beth cyffredin, ond nid yw hynny'n help inni benderfynu rhwng *Bodfilog* a *Bodwylog*.

Digwydd y gair cyffredin *ychen* yn yr enw *Bodychen*, yn Ffestiniog, Clynnog a Bodwrog. Mae *Iddon* yn enw personol adnabyddus, ac efallai mai amrywiad arno yw'r *Yddon* a welir yn hen drefgordd *Bodyddon* yn Llanfyllin.

Cysylltiadau amaethyddol sydd gan *Bodyfuddai* yn Nhrawsfynydd, er gwaethaf ymdrechion i droi'r enw yn *Bodyfyddin* er mwyn cael ystyr ddramatig a chyffrous.

Ond *Bodyfuddai* yw'r ffurf er dechrau'r unfed ganrif ar bymtheg o leiaf. Y planhigyn gwinwydd mae'n debyg sydd yn *Bodygwinwydd* gynt yn Llangernyw. Ni wn eto beth yw *Bodynfol* neu *Bodynfoel* yn Llanfechain, na chwaith *Bodynlliw* ym Metws Gwerful Goch.

Ai enw personol *Gwenolwyn* neu *Gynolwyn* sydd yn *Bodynolwyn* ym mhlwyf Llantrisaint, Môn? Os felly, dyma gymar i *Abergynolwyn* yn Llanfihangel-y-Pennant, Meirionnydd. Ffurf yr enw olaf hwn yn 1592 oedd *Abergwenolwyn*. Ceir ymhellach *Bodynolwyn-groes*, *Bodynolwyn-hir* a *Bodynolwyn-wen* yn Llantrisaint, Môn. Tebyg mai camsyniad yw'r enw personol *Cynolwyn* am *Gynolwyn*.

Mae tipyn o dystiolaeth i ffurf *Bodysgallen* yn Llan-rhos yn y Creuddyn. Yr oedd hon yn hen drefgordd a phlas ac nid oes amheuaeth nad *ysgallen* yw'r ail elfen. Gellir cymharu hon â *Bodysgaw*, gynt *Bodysgawen*, yn Llanefydd, lle y dilynir *bod* gan air am blanhigyn neu goeden, fel y gwelsom gyda *Bodygwinwydd*.

Cyn gorffen â'r elfen *bod* rhaid cyfeirio at un ffurf arall, sef *Bedlinog* a geir ym mhlwyf Gelli-gaer, Morgannwg bellach, ond y ffurf yn yr ail ganrif ar bymtheg oedd *Bodlwynog*.

Rhaid aros am foment gydag enghreifftiau o *bod* yn troi'n *bot* o flaen rhai cytseiniaid. Yr oedd *Botalog* yn hen drefgordd ym mhlwyf Tywyn, Meirionnydd. Mae'n bur debyg mai *bod* a *halog* sydd yma, yn yr ystyr 'budr'. Nid amhosibl fyddai *bod* a *talog*, ond y llall sydd fwyaf tebygol. Trefgordd arall yn Llanfair-is-gaer oedd *Botanreg*. Mae rhes hir o enghreifftiau o'r ffurf hon ar gael, gyda rhai ffurfiau amrywiol fel *Botandreg* a *Botangreg*. Gellir esbonio *Botandreg* yn hawdd am fod y cyfuniad *nr* yng nghanol gair yn un anodd ei ynganu, a bod tuedd i'w droi'n *ndr*, fel y gwneir gydag *andras* o *anras*, *Hendri* o *Henri*, ac yn y blaen. Effaith yr *g* olaf a welir yn *Botangreg*. Beth ynteu sydd yma? Gellir awgrymu'n bur sicr mai *bod* a'r enw personol *Tanreg*. Mae hwn hefyd yn digwydd yn *Hafotanreg* ym Meddgelert, ond yno y mae'r esbonwyr lleol wedi ceisio troi'r enw anghyffredin *Tanreg* yn rhywbeth haws ei ddeall, ac felly fe gawn *Hafod Tan-y-graig*, ffurf nad oes dim sail iddi o gwbl.

Enw sy'n digwydd yn aml yn y cofnodion ym mhlwyf Abergele yw *Botegwal*, a hynny eto am mai trefgordd ydoedd. Chwe chanrif yn ôl y ffurf oedd *Bottegwall*. Ar fap yr Ordnans yn 1840, ceir *Bodtegwal*, ac y mae'n amlwg fod yr esboniwr lleol yno wedi ceisio adfer ffurf 'gywir' yn ôl ei dyb ef, er mai *Botegwal* yr oedd pawb wedi ei ddweud ers canrifoedd lawer. Cymeraf mai *bod* gyda'r enw personol *Tegwal* sydd yma.

Mae golwg hynafol ar drefgordd arall ym mhlwyf Llangwm, Sir Ddinbych, sef *Botegyr*. Mae'n wir fod ffurfiau fel *Botegyrn* ar gael, ond digon hawdd esbonio hyn os cofiwn fod *r* ar ddiwedd gair yn Gymraeg yn tueddu i droi'n *rn* (cawsom sawl enghraifft o hyn eisoes). Mae'n rhydd inni felly feddwl am *bod* a'r enw personol *Tegyr*. A chadarnheir hyn gan hen ffurf *Tredegar* yn Sir Fynwy (y plas), sef *Tredegyr*. Nid yn unig hynny, ond beth am ffurf o'r chweched ganrif, sef *Tecorix*.

Troes *Bod Ddeiniol* yn Llanbabo yn *Boteiniol*, a cheir amrywiaeth o ffurfiau fel *Boteniel, Boteynol* ac yn y blaen. Llecyn arall, yn Llandegfan, oedd *Botenog*, a gall hyn gynrychioli *bod* a *Henog* neu *Hynog*. Y ffurf olaf â *Bot* yw *Botewin*, trefgordd gynt yn Llanystumdwy. Y cynnig gorau yw *bod* a *dewin*.

Soniais eisoes am *Bodlwynog* wedi troi'n *Bedlinog*. Gall hyn fod yn nodwedd ar enwau Morgannwg a Mynwy, canys hen ffurf *Bedwellte* oedd *Bodfelltau*, ac ymddengys mai'r un enw sydd yma ag yn Afon *Mellte* yn Sir Frycheiniog. Yr oedd hefyd le ym mhlwyf Eglwysilan, sef *Bedwenarth*. Gellid esbonio hwn trwy gymryd *bod* a'r enw personol *Gwenarth* (cymharer *Llanwenarth* yn Sir Fynwy).

Cawn droi bellach at yr elfen bwysig arall sy'n dynodi cyfannedd. *Tref* yw hon, sef y gair a olygai'n wreiddiol 'fferm' neu 'annedd unigol', a'r ystyr hon yn aros mewn ffurfiau fel *cartref* ac *adref*. Yna mewn rhai achosion, yn enwedig mewn cysylltiad â theuluoedd arbennig o flaengar, daeth y gair i olygu 'canolfan llywodraeth leol' a hefyd i ddynodi uned a oedd yn eithriadol bwysig yn yr Oesoedd Canol, ac a gadwodd lawer o'i bwysigrwydd tan yn gymharol ddiweddar. Yn wir, hyd yn oed heddiw mewn rhai ardaloedd mae'r hen *dref* yn dal yn effeithiol. Y cam olaf oedd defnyddio *tref* am gasgliad o anheddau ac yn gyfystyr â'r Saesneg *town*.

Yma soniwn am y ffurfiau mwyaf arwyddocaol a diddorol gan fod cymaint ohonynt, ac unwaith eto er mwyn cael rhyw linyn cysylltiol, eu cymryd yn ôl yr wyddor. Fe gawn weld bod *tref* yn digwydd yn fynych iawn yn siroedd Môn a Phenfro. Awn i'r Gororau am ein ffurf gyntaf, i Swydd Henffordd a *Treaddow* (dyna'r ffurf bellach). Ond yn ôl yn y bymthegfed ganrif gelwid y lle *Treradowe*, sef Tre'r Adwy. Dyma enw Cymraeg wedi goroesi, fel y gwnaeth llawer eraill yn Henffordd ac Amwythig. Ond yn yr enghraifft nesaf cawn enw Saesneg-Ffrangeg mewn gwisg Gymraeg, sef *Treamlod* yn Sir Benfro a ddaw o 'Amelot's tun'.

Ceidw *Trearddur*, Caergybi, hen enw personol Cymraeg, sef *Iarddur*, enw a aeth allan o arfer ers canrifoedd, a dyma'r rheswm mae'n debyg pam y ceir ymdrechion weithiau i roi *Trearthur* yn ei le. *Porth y Capel* oedd enw Trearddur Bay. Gwelir rhywbeth tebyg yn Sir Benfro gyda'r enw *Treathro* ym mhlwyf Llanwnda. Nid athro sydd yma, ond enw personol, *Iarthro*, gan mai *Trefiarthro* ydoedd chwe chan mlynedd yn ôl.

Anodd fyddai cael gafael ar ystyr wirioneddol *Treban* yn Llechylched, Môn, oni wyddech chi fod y ffurf yn cynrychioli dwy hen, hen drefgordd sef *Tre Feibion Meurig* a *Tre Feibion Pyll*. Mae 'meibion' yma yn golygu rhywbeth fel etifeddion. Yr oedd gynt *Tre Feibion Maelog* yn Llanddeusant. Cymharer hefyd *Tre Feibion Gwyn* yn Llangatwg Feibion Afel yn Sir Fynwy, a *Tre Feibion Iago* yn Llandudoch.

Tebyg fod *Trebandy* yn Llangarren, Henffordd, yn atgof am hen bandy, ac felly hefyd enwau fel *Trebannau* ym mhlwyfi Cellan a Chil-y-cwm. Defnyddir *Cae'r Pannau* am gae lle yr arferid trin brethyn. O bosibl hefyd yn *Trebannog* ym Mhenderyn a'r Rhondda. Ond ymddengys *Trebannws* yng Nghilybebyll (gynt Trebannos) fel petai'n cynnwys ffurf dorfol o'r gair *pan* am blu'r gweunydd.

Mae *Trebared* Aberteifi, a *Trebaried* Llanfair-ar-y-bryn a Llandyfalle yn atgof am ryw ffurf ar y cyfenw Saesneg *Barret*. Yr oedd dau Sais a'r enw Maurice Bareth a Walter Bareth yn byw yn Aberteifi ddechrau'r bedwaredd ganrif ar ddeg. Digwydd *Treberfedd* droeon yn ystyr y dref ganol. Cyfieithwyd *Treberfedd* Sir Drefaldwyn yn *Middletown*.

Cyn dechrau defnyddio cerrig i adeiladu rhaid fod anheddau pren yn mynd ar dân yn aml, a dyry'r Cyfreithiau sylw manwl i hyn ac i gyfrifoldeb perchenogion tai cyfagos. Ai hyn sy'n esbonio'r rhes hir o enwau fel *Tre-boeth* yn Abergwaun, Abertawe, Bleddfa, Eglwysilan, Llantrisant, ac yn y blaen, fel y dywedir am *Goed-poeth* mai coed wedi eu llosgi ydynt? Gall yr elfen *poeth* gyfeirio hefyd at natur y tir.

Enw sydd wedi diflannu oddi ar y mapiau yw *Trebwll* yn Llansanffraid Glan Conwy. *Pwll* sydd yma, wrth reswm, ac yr oedd yn llecyn adnabyddus iawn gynt, yn drefgordd yn y plwyf. Mae amryw leoedd â'r enw *Trecastell* neu *Dre'rcastell* — yn Amlwch, Diserth, Llangoed, Llangwyfan (Môn), Rhuthun a'r Traean-mawr ym Mrycheiniog — a phrin fod eisiau eu hegluro. Tre'r cŵn yw *Trecŵn* Llandudoch, Llandygwydd, Llanfair Nant-y-gof a Llantwyd. Enw diweddar ei ffurf yw *Trecynon* yn Aberdâr wedi ei lunio ar ddelw *Abercynon*, gan mai *Tregynon* a ddisgwylid.

Hen le yw *Tredefaid* yn Llantwyd ac mae tystiolaeth iddo yn y bedwaredd ganrif ar ddeg yn y ffurf *Trefydefaid*. Ond unwaith eto fe gripiodd ffurf fwy 'parchus' i fapiau'r Ordnans cynnar, ac yno ceir *Treddafydd*.

Esboniwyd enw hen blas *Tredegyr* yn Sir Fynwy uchod wrth drafod *Botegyr*. Gwelir yr 'esbonwyr' wrthi ar hen fap yr Ordnans, lle ceir *Tre Deg Erw*! Pan sefydlwyd pentref newydd yng ngogledd y sir rhoddwyd enw *Tredegar* arno.

Cedwir hen enw personol Cymraeg *Deicws* yn y lle *Tre Dicws* ym mhlwyf Llanfeuno yn Swydd Henffordd. Enw Cymraeg *Rhymni* yn Sir Fynwy eto yw *Tredelerch*, sef *tre* a'r enw *Telerch* neu *Tylerch*, fel yn yr enw *Elerch* yng Ngheredigion.

Digwydd *Tredomen* yn bur fynych, a'i ystyr yn berffaith glir, ym mhlwyfi Dorstone (Henffordd), Llanbedr Ystrad Yw, Llanddewibrefi, Llanfabon, Llanfilo a Phencarreg. Yr enw *Trahaearn* sydd yn *Tredreharn* yn Llan-ddew, Brycheiniog, ac yr oedd ffurf Saesneg gynt, sef *Traharneston*. Ond yr oedd yn rhaid 'esbonio' *Tredreharn* ac fe'i trowyd yn *Droed-yr-harn*. Digwyddodd peth tebyg gyda *Tredreyr* yng Ngheredigion, a'i droi'n *Droed-yr-aur*.

Mae *Tredrysi* yn Nyfer yn mynd yn ôl i *Dre'rdrysi*, a cheir cyfieithiad Saesneg ohono yn yr ail ganrif ar bymtheg sef *Bremleton*, hynny yw, 'Brambleton'. Cymharer hefyd *Tredustan* yn Nhalgarth â'r ffurf *Dorstanton* yn y bymthegfed ganrif. Mae mwy nag un *Tredderwen*, fel y gellid disgwyl, ond yr un mwyaf diddorol yw enw'r hen drefgordd *Tredderwen Feibion Gwnwas* ym mhlwyf Llandrinio, lle y cawn 'meibion' eto yn enw'r dref.

Golwg hagr sydd ar yr enw *Treddiffrwyth* a oedd gynt

ym mhlwyf Llanhari, Morgannwg. Ceidw *Treddolffin* yn Llechylched, trefgordd gynt, yr enw personol *Dolffin* sydd yn digwydd yn achlysurol yng Nghymru'r Oesoedd Canol. Cymerodd *Rinaston* ym mhlwyf Treamlod ei enw oddi wrth estron â'r cyfenw *Reyner*. Troswyd hwn i'r Gymraeg yn y ffurf *Trereinar*, ond erbyn hyn aeth yn *Tre-einer*.

O gofio am yr holl waith arloesi a chlirio a diwyllio a oedd gan bobl yn y canrifoedd gynt nid yw'n rhyfedd fod cynifer o ffermydd yn dwyn yr enw *Tre-faes*, gan bwysleisio eu hagosrwydd at y meysydd agored, beth bynnag yw eu sefyllfa erbyn hyn. Ceir yr enwau hyn ym mhlwyfi Botwnnog, Llanbadarn Trefeglwys, Llandygwydd, Llanegryn a Llangelynnin, Llanilar, Llannarth a Threwyddel.

Yn Hen Domen yr oedd y castell a godwyd gan Roger de Montgomery rywbryd cyn 1086. Pan symudwyd y castell i *Montgomery* mae'n debyg mai *Castell Baldwyn* y galwyd yr arglwyddiaeth a gafodd y Norman Baldwin de Bollers yn 1102. Daethpwyd i alw'r dref a dyfodd yng nghysgod y castell yn *Drefaldwyn*, ac oddi yno lledodd yn enw ar y sir i gyd.

Ar lan Afon Alun yn Sir Ddinbych y mae *Trefalun*, ond y mae'n bur debyg fod yr enw hwn yn enghraifft gynnar o drosi ffurf Saesneg fel *Allington* (hynny yw, *Alun* a'r gair *tun*). Cawn ragor o esiamplau o hyn, sef rhoi'r term Cymraeg nesaf at y term Saesneg. Diddorol nodi bod *Trefalun* gynt yn cael ei rhannu'n *Drefalun Faes* a *Trefalun-y-coed*. Dyma eto bwysleisio'r gwahaniaeth rhwng y tir a gliriwyd a'r tir coediog anodd.

Mae *Trefarclawdd* ym mhlwyf Croesoswallt yn ei esbonio ei hun gan ei safle ar Glawdd Offa. Mae'n partneru'n dda â *Threfyclawdd* neu *Drefyclo* yn Sir Faesyfed, sydd hefyd wrth y Clawdd (ceisiwch ymweld â'r dref hon er mwyn ichi ddeall mor addas yw'r enw).

I'r Cymry, y Clawdd oedd nodwedd fawr y dref, ond hen enw'r Saeson arni oedd *Knighton*, neu 'dref y gweision'.

Mae dwy *Drefdraeth* yng Nghymru, y naill yn Sir Benfro a'r llall ym Môn, a'r ystyr yn berffaith amlwg. Enw llawn y traeth ym Mhenfro oedd *Traeth Edrywy*. Rhennid *Trefdraeth* Môn yn ddwy dref gynt, sef *Trefdraeth Ddisteiniaid* a *Threfdraeth Wastrodion*, neu mewn ffurf ferrach, *Trefddisteiniaid* a *Threfwastrodion*. Swyddogion uchel eu safle yng ngwasanaeth y brenin oedd y distain neu'r stiward, a'r gwastrod, neu'r meistr ar y meirch, a chan mor agos oedd Trefdraeth i lys Aberffraw nid ffansïol yw tybio bod y dref wedi ei neilltuo at gynhaliaeth y swyddogion hyn.

Dau enw personol sydd yn y ddwy dref nesaf, dwy hen drefgordd, sef *Trefednyfed* yn Llanfaethlu, Môn, a *Threfednywain* yn Chwitffordd, Sir y Fflint. Trowyd yr enw olaf hwn yn *Downing*.

Anodd dweud a oedd yr eglwys yn *Nhrefeglwys*, Sir Drefaldwyn, yn un hynod iawn. Beth bynnag am hynny, dyma'r nodwedd a roes ei henw i'r dref. Felly hefyd yn Ngheredigion cawn *Llanbadarn Trefeglwys*.

Arwydd o bwysigrwydd y beirdd llys gynt yw *Trewalchmai* ym Môn. Bardd llys Gruffudd ap Cynan oedd tad Gwalchmai, sef Meilyr Brydydd. Canodd Gwalchmai i Owain Gwynedd ac i Fadog ap Maredudd o Bowys. Bardd hefyd oedd Meilyr ap Gwalchmai, a choffeir ei enw yn *Nhrefeilyr* ym mhlwyf Trefdraeth. Cawn weld eto fod amryw *Dre'r Beirdd* ar gael.

Ymddengys mai'r hen enw *Elgar* sydd y tu ôl i *Drefelgarn* yn Nhremarchog, Penfro. *Trefelgar* oedd yr hen ffurf, ond tybiwyd yn ddiweddarach fod a wnelo'r enw â *carn*.

Mae *Treferedd* yn Y Ferwig, Ceredigion, yn creu problem. Mae'n hen enw ond yr oedd ffurf arall arno yn y drydedd ganrif ar ddeg, sef *Gerardston*. Erbyn yr ail

ganrif ar bymtheg mae'r dogfennau'n cofnodi ffurfiau fel
'*Geraldston* otherwise *Trevereth*', ac yn y ganrif wedyn
'*Geralds Town* or *Treverwidd*'. Ymddengys felly mai enw
Saesneg oedd yma yn wreiddiol ac mai ymdrech i
Gymreigio *Gerard* neu *Gerald* yw *Treferedd*.

Esgob Llandaf oedd perchen maenor Llangadwaladr
yn Sir Fynwy. Dyma'r rheswm am yr enw dwbl ar y dref,
sef *Bishton* (gynt *Bishopstown*) yn Saesneg, a *Threfesgob*
yn Gymraeg. Dyry *Tregolwyn* ym Morgannwg enghraifft
arall o enw gwreiddiol Saesneg, sef *Colwinston*, yn cael
ei gyfieithu i'r Gymraeg, peth sy'n gyffredin iawn yn yr
ardaloedd a deimlodd ddylanwad y Saeson yn gynnar,
megis Mynwy, Bro Morgannwg a Phenfro. Hyd yn oed
ym mhlwyf Clydog (Clodock) yn Swydd Henffordd, caed
cyfieithiad o *Longtown* fel y *Dref-hir*.

Tre Ieuan ab Iddon oedd enw llawn *Tre-ifan* ym
Modedern, Môn. Tybed ai enw'r tad sy'n ymddangos
yn *Tre Iddon* yn Aberffraw. Ffurf arall ar *Dreflech*,
Llansannan, yw *Llech Talhaearn*. Yr un enw personol sydd
yma ag yn *Llanfair Talhaearn*, mae'n debyg, pwy bynnag
oedd y gŵr a goffeir.

Pwysleisir cysylltiadau Teilo â'r gongl honno o Sir
Benfro yn enw *Treflwyn* neu *Tre'r-llwyn* ger Dinbych-y-
pysgod. Yr enw arall ar y llecyn oedd *Llwyn Teilo*. Ni raid
pendrymu ar ystyr *Treflyn* yn Nhregaron, Llanidloes,
Nanmel na chwaith yn achos *Treflys*, ond bod y rhai olaf
hyn yn bur arwyddocaol pan fyddom yn chwilio am yr
hen ganolfannau gweinyddol, yn arbennig ym
Mrycheiniog, ac yn Eifionydd (Ynyscynhaearn). Ffurfiau
ychwanegol ar *Dreflys* yn Nhremarchog, Penfro oedd *Tre-
llys-y-cnwc* a *Tre-llys-y-coed*. Mae mwy nag un *Trefnant*
fel y gwyddys. Ym mhlwyf Meifod cyfunwyd *Trefnant
Fechan* a *Trefnant Fawr* a chael ffurf luosog, sef *Tref
Nannau*.

Mae'r ddwy dref *Trefollwyn* yn Llangefni a Llanengan

yn codi problem ddiddorol. Beth yw'r enw personol sydd y tu ôl i'r rhain? O ran ffurf gellid meddwl am *Ollwyn* (ond nid oes unrhyw enghraifft o hwn), neu *Bollwyn* (enw sy'n digwydd yn brin yn Sir Ddinbych), neu'n well byth, *Collwyn*. Digwydd yr enw hwn yn bur aml yn yr achau, a chan fod llwyth Collwyn ap Tango yn dal cysylltiad ag Ardudwy ac Eifionydd, tybed ai ef a goffeir yn Llanengan. Mae sawl *Trefonnen*, yn arbennig y ddwy ym mhlwyf Cefn-llys, Maesyfed, a'r un hynafol iawn ym mhlwyf Croesoswallt. Dyma'r unig ffurfiau ar y ddwy dref hon, ond gall *Trefonnen* neu *Dre'ronnen* yn Sir Fynwy ymffrostio bod ganddi o leiaf bedair ffurf. Mae'r ffurf *Nash* yn cynrychioli Saesneg Canol *'atten ashe'* 'ger yr onnen'. Enw Lladin yr eglwys oedd *'capella'* neu *'ecclesia de Fraxino'*, 'yr onnen'.

Ni ddown i ben ag enwi pob *Trefor*, neu yn ei ffurf hynaf, *Tre-fawr*, ond y mae llawer ohonynt yn bur hen, gan gynnwys y rhai ym mhlwyfi Ceri, Y Gyffylliog a Llansadwrn, Môn.

Yr un fwyaf nodedig ohonynt ar un olwg yw Trefor, Llangollen, gan mai hon a gymerwyd yn gyfenw gan deulu *Trefor* neu *Trevor*, enw a ddaeth mor boblogaidd fel enw bedydd yn y ganrif ddiwethaf.

Enw diweddar yw *Trefor*, pentre'r chwarel yn Llanaelhaearn. Un arall o'r enwau cymharol ddiweddar hyn yw *Treforgan* neu *Morganston* yn Radur, Caerdydd a *Threforys* neu *Morriston* ger Abertawe. Dwy hen drefgordd y mae llawer o dystiolaeth iddynt yw *Tre-fraint* ym Mhenmynydd (oddi wrth enw Afon *Braint*), a *Tre-fraith* yn Ysgeifiog, Sir y Fflint, (sef *braith* ffurf fenywaidd *brith*).

I'r rhan fwyaf o bobl nid oes ond un lle o'r enw *Trefriw*, y dref honno a nodweddir gan riw enbyd ar lethrau Dyffryn Conwy. Ond y mae *Trefriw* arall ym mhlwyf Gwnnws, Ceredigion.

Ceidw *Trefuchdryd* ym mhlwyf Caergybi gof am hen enw personol *Uchdryd*, yr un enw ag yn ffurf hynaf *Hafoduchdryd* neu'r Hafod adnabyddus ym mhlwyf Llanfihangel-y-Creuddyn, Ceredigion. Mae'n ddiddorol cofio bod Uchdryd ab Edwin yn achau'r Creuddyn. Yr oedd yr enw Uchdryd yn adnabyddus ar y Gororau, ym mhlwyf Farndon, yn y bedwaredd ganrif ar ddeg. Ni oroesodd yr enw *Trefuchdryd* yng Nghaergybi, ond yr oedd y lle rywle yn ymyl Porthdafarch. Enw arall a aeth ar goll ym Môn yw *Trefwaspadrig* yn Aberffro.

Enw cymysg yw *Trewrdan* yn Sir Benfro, sef *Jordanston* yn Saesneg. Mae'r enw'n mynd yn ôl i'r drydedd ganrif ar ddeg pan gafodd rhyw Jordan de Cantington diroedd yn y cyffiniau. Ceir cyfeiriad arall at ddeuoliaeth poblogaeth Morgannwg yn *Nhrefflemin* neu *Flemingston*. Yr oedd *Flemyng* yn enw teuluol yn yr ardal yn y bedwaredd ganrif ar ddeg, ac y mae'n dra diddorol mai enw Lladin y lle oedd '*villa Flandrensis*', 'tref y Fflemisiaid'.

Hen, hen drefgordd ym mhlwyf Llansadwrn, Môn, yw *Treffos*. Un o faenoriaid Esgobion Bangor ydoedd, a dyna paham y ceir llawer iawn o dystiolaeth ddogfennol iddi. Yr un oedd y ffurf yn y flwyddyn 1277 â heddiw, sef *Treffos*, a rhaid mai cyfuniad o *tref* a *ffos* sydd yma. 'Wn i ddim pam y ceir *Treffyliaid* yn Llanfair-ar-y-bryn, gan nad oes gennyf hen enghreifftiau o'r ffurf, ond diau ei fod yn perthyn i ddosbarth niferus o enwau gwatwar.

O'r holl leoedd â'r enw *Treffynnon*, yr un yn Sir y Fflint yw'r mwyaf adnabyddus o ddigon. *Treffynnon* oedd y ffurf yn 1329, a cheir amrywiol ffurfiau ar *Holywell* yn y drydedd ganrif ar ddeg. Fe fu ar un adeg ddwy ffurf Gymraeg arall ar y lle, sef *Ffynnon Wenfrewi*, a *Llanwenfrewi*, ill dwy'n tanlinellu pwysigrwydd y ffynnon a darddodd, yn ôl traddodiad, o'r fan lle y trawyd Gwenfrewi. Bu'r ffynnon yn gyrchfan pererinion, nid o

Gymru'n unig ond o Loegr a gwledydd eraill. Fe gofir
am ddisgrifiad Tudur Aled o Wenfrewi:

Trwy'i mwmwgl, taro meinwen,
Treiglo'r arf trwy goler wen

a sut y bu i Feuno roi ei phen yn ôl wrth ei chorff a
hithau'n holliach, ond bod

Nod yr arf yn edau rudd.

ar ei gwddf.

Tregadrod oedd enw un o'r trefgorddau ym mhlwyf
Caergybi, ond aeth yr enw ar goll erbyn hyn. *Cadrod* yw'r
enw personol yma, a chredaf mai yng nghyffiniau
Trearddur yr oedd y dref. Ceir hen enw personol,
Cadwgan, hefyd yn *Tregadwgan* yn yr Eglwys Wen,
Penfro. Fel y digwydd mor aml yn y parthau hyn, ceir
ffurf neu addasiad Saesneg ar yr enw, sef *Cadoganston.*
Yr oedd dwy *Dregadwgan* arall, y naill ym Modedern a'r
llall yn Sanclêr.

Cynhwysa *Tregaean* ger Llangefni hen enw *Caean,* wedi
ei seilio mae'n debyg ar yr enw *Cae.*

Enghraifft arall o ddyblu enwau yn Sir Benfro yw
Treganeithw ym mhlwyf Breudeth. Yr oedd hen enw
personol *Cynaethwy,* a thrwy gymysgu'r seiniau *th* ac *f*
aeth enw'r fferm yn *Knaveston* yn Saesneg. Daw'r ddwy
enghraifft nesaf o enwau dwbl o Forgannwg. Mae *Canton*
yn rhan o Gaerdydd, a phrin fod neb o'r trigolion
presennol yn sôn am *Dreganna.* Yr oedd yr enw *Canna*
ar gael yn yr ardal, gan fod yno *Nant Canna* a *Pwll Canna,*
ac y mae'r stiwdio deledu wedi gwneud *Pontcanna* yn
adnabyddus iawn.

Mae *Tregantlo* ym mhlwyf Merthyr Mawr yn gyfieithiad
o *Cantleston,* ac â hwn yn ôl i'r teulu Normanaidd, de
Cantelupo. *Caron* yw enw'r plwyf yng Ngheredigion, ond
Tregaron yw enw'r dref, a hwn yn mynd yn ôl bedair canrif
o leiaf. Mae *Tregarwed* yn Llangaffo, Môn, yn cynnwys
yr enw personol *Carwed* a welir hefyd yn Sir Ddinbych

(*Carwedfynydd*). Tybiaf mai ffurf ar yr enw cyffredin *carw* yw hon. Gwyddom oll mae'n debyg am *Dregeiriog* yng Nglyn Ceiriog. Ond yr oedd un arall hefyd yn Nhryleg, Mynwy.

Rhaid mai meini oedd defnydd adeiladau fferm *Tregerrig* ger Dolgellau. Mae cyfeiriad ati yn y flwyddyn 1592 yn y ffurf *y Dre Gerrig*. Yn y ffurf *Tregetin* ym mhlwyf Camros, Penfro, gwelwn amrywiad Cymraeg ar yr enw *Keting's Ton* a newidiodd yn *Keeston*. Mae'n bosibl mai adffurfiad o'r gair *cethin* sydd yma. Cymer *Tre-gib* ger Llandeilo enw'r nant *Cib* sy'n llifo i Dywi ger Ffair-fach. Ystyr *cib* yw 'cwpan' neu 'lestr', ac o bosibl ceir yma ystyr ffigurol, sef gwely'r nant megis cwpan yn dal y ffrwd.

Plas bychan oedd Tre-gib. Mae cyfeiriad ato tua 1500 fel *Drefgibe*, ond aethpwyd i sgrifennu'r ffurf lwgr *Tregeyb*. *Tregidreg* yw ffurf bresennol fferm ym Mathri, Penfro, ond ceir gwell amcan am ei hystyr trwy fynd yn ôl at Lyfr Du Tyddewi yn y flwyddyn 1326 a chael yno *Trefkedryg*.

Gellir casglu mai enw personol yw *Cedrig* (tebyg i *Cedrys*), ac mai ei sail yw *cadr* 'hardd, grymus'. A dal yn Sir Benfro ni ddylem adael i *Treglemais* yn Llanhywel ein dallu. Y ffurfiau hynaf yw *Trefglemens* a *Clementiston*, ac felly yr enw Saesneg *Clement* a geir yma.

Mae *Tre-groes* yn digwydd yn aml, ond anodd yw penderfynu bob tro ai croes wirioneddol a goffeir, ai croesffordd. Ceir *Tre-groes* yn Abergwaun, ac un arall yn Llandysul (yr enw llawn yn yr unfed ganrif ar bymtheg oedd *Tre'r Groes ar Gerdin*). Yr oedd *Tre-groes* adnabyddus hefyd ym mhlwyf Pen-coed, Morgannwg.

Er mai *Tregyddulan* yw ffurf y mapiau ar fferm yn Nhremarchog, Penfro, ceir *Treganddylan* yn 1670, ac y mae hyn yn ddigon i ddangos mai *Cynddylan* oedd yr enw personol. Yr enw personol *Cynon* sydd yn *Tregynon*, wrth reswm, yn Llanrhian, Meline a Sir Drefaldwyn. Mae *Heilin* yn brinnach, ond dyna sydd wrth wraidd y ffurf anghywir *Trehillin* a welir ar y mapiau yn Llanwnda, Penfro. Yn 1326 y ffurf oedd *Trefheylyn*.

Gan fod *Hwfa* yn enw adnabyddus iawn ym Môn nid syn fod tri *Trehwfa* yno, ym Modedern, Caergybi a Cherrigceinwen. Mae tri *Treiago* hefyd, yn Llanfaelog, St. Weonards (Henffordd) a Thyddewi. Yr oedd *Efa* yn enw cyffredin iawn ar ferched yn y Canol Oesoedd, ac *Adda* ar fechgyn, o ran hynny. Hen ffurf *Tre-ifa* yn Llan-lwy, Penfro, oedd *Tre-efa*. Gan fod *Ieuan* mor gyffredin hefyd, naturiol cael llawer *Tre Ieuan* neu *Tre Ifan*.

Yr oedd lleoedd o'r enw ym Modedern, Llangarren a Llanidan. Enw llawn *Tre Ifan* yn Llanfair-yn-neubwll oedd *Tre Ieuan ab Iddon*, lle yr ychwanegir enw'r tad. Mewn rhai dogfennau dywedir mai enw arall ar *Dreflesg* ydoedd. Fe ddigwydd yr enw Iddon hefyd yn *Tre Iddon* yn Aberffro. Yn Llanfocha, Mynwy, gwelir y ffurf *Trivor*. Cywasgiad yw hon o *Tre-ifor*, a cheid cyfaddasiad Saesneg arni gynt, sef *Iverston*. Digwydd *Tre-iorwerth* mor gynnar â 1294 ym Modedern. Ychwanegwyd llysenw yn y Beifil, Penfro, sef *Tre Iorwerth Foel*. Mae'r enw cyffredin Ithel ar gael yn *Tre-ithel* yn swydd Henffordd *(Trythel* ar y mapiau).

Trelái â'r acen ar y sillaf olaf yw enw Cymraeg y dref ger Caerdydd a elwir yn *Ely*. Enw'r afon yw *Elái*, ac yma ar y gwastadedd i'r gorllewin o Gaerdydd yr oedd yr hen *Ystrad Elái*. Tarddiad Saesneg sydd i *Drelales* ger Margam. Enwyd y llecyn yn *Laleston* yn Saesneg am fod teulu o'r enw *Lageles* yn byw yn yr ardal yn y drydedd ganrif ar ddeg.

Hanes cymysg sydd i'r enw *Trelawnyd* yn Sir y Fflint. Mae'r ffurfiau cynnar yn anwadalu rhwng *Rhiwlyfnwyd*, *Rhydlyfnwyd* a *Threlyfnwyd*, a rhaid mai enw personol yw *Llyfnwyd*, sef 'llyfn' a'r terfyniad *-wyd*. Yr oedd enw Cymraeg arall ar y dref, sef y *Farchnad Newydd*, ond y ffurf Saesneg *Newmarket* a orfu yn y diwedd.

Tref a *llech* sydd yn *Tre-lech* yn Sir Gaerfyrddin (gynt *Treflech*), a cheir yr enw fel rheol mewn cyfuniad fel *Tre-lech a'r Betws*. Mae digon o brawf fod *Treleddyn* ym mhlwyfi Bridell a Thyddewi yn mynd yn ôl i *Drefleddyn*. Dyna yw ffurf Bridell yn 1596, a cheir *Trefulethyn* am y ffurf yn Nhyddewi yn 1326.

Trueni fod *Treleidr* yn Nhyddewi yn cael y fath gam. Nid lladron oedd yn byw yma, ond gŵr o'r enw *Elidir*, a *Trefelydyr* oedd y ffurf yn 1326. Enghraifft gynnar o ymsefydlu gan Saeson a Fflemisiaid yn Sir Benfro yw *Letterston*. Yr oedd gwŷr o'r enw *Lettard* neu *Litard* yn byw yma yn y drydedd ganrif ar ddeg. *Treletert* yw'r ffurf Gymraeg, a honno'n fyw o hyd.

Trelogan yw'r unig ffurf ar y pentref hwnnw yn Sir y Fflint ers canrifoedd, ond mae enghreifftiau fel *Trefalogan* yn y bedwaredd ganrif ar ddeg yn awgrymu'n gryf fod sillaf wedi mynd ar goll. Ar antur ac yn betrus cynigiwn enw personol fel *Halogan* yn gynsail. Gallwn gymharu enwau nentydd a elwid gynt *Halogyn* am eu bod yn fudr, ac sydd wedi troi'n *Logyn* erbyn heddiw.

Enw disgrifiadol pur yw *Trelydan* ym mhlwyf Cegidfa, Sir Drefladwyn. Yr oedd yn un o feddiannau Abaty Ystrad Marchell, ac yn y cofnodion Lladin gelwir ef '*lata villa*'. Dengys *Trelimin* ym mhlwyf Llanwnda, duedd gwŷr Penfro i droi *y* yn *i*. *Trelymyn* oedd yr hen ffurf, a diau fod yma enw personol *Llymyn* (naill ai ar sail *llym* neu *llwm*).

Cyfyd enw *Trelystan* ar ffin ddwyreiniol Trefaldwyn gwestiynau diddorol. Yn Llyfr Domesday yn 1086 y ffurf oedd *Ulestanesmude*, a cheir yn ddiweddarach *Wolstanmynd*. Mae hyn yn o debyg i enw Saesneg *Wulfstan* a'r ffurf *mynd* sy'n digwydd ar y Gororau yn fenthyciad o *mynydd* (cymharer y *Long Mynd*). Ar y llaw arall mae *Trelystan* fel pe bai'n cynnwys yr enw *Elystan*, a dwg hyn ar gof y tywysog Elystan Glodrydd a reolai wlad Rhwng Gwy a Hafren yn yr unfed ganrif ar ddeg. Cymhlethdod arall yw bod yr enw *Elystan* yn ymddangos yn fenthyciad o'r enw Saesneg *Edelstan* neu *Athelstan.* Dylid cofio ei bod yn ffasiwn gan dywysogion Cymraeg yn y cyfnod hwn ddwyn enwau Saesneg yn ganlyniad mae'n debyg i bolisi Hywel Dda a'i gyfeillgarwch â brenhinoedd Lloegr. Yn ôl traddodiad achyddol claddwyd Elystan yng Nghapel Trelystan. Mae hefyd groes yn eglwys Llanrhaeadr-ym-Mochnant sy'n cofnodi Gwgon fab Edelstan. Mae hyn oll yn awgrymu bod tiroedd Elystan yn lletach nag eiddo ei ddisgynyddion.

Dengys *Tremadog* yn ôl ei ffurf ei fod yn enw cymharol ddiweddar, gan mai *Trefadog* a ddisgwylid. Gwyddys mai enw gwneud yw hwn a'i fod yn coffáu William Alexander Madocks, y gŵr a gododd Gob Porthmadog i gau'r Traeth Mawr. Mewn hen enwau fel *Tre-maen* (Coety a Llanfaredd) a *Tre-main* (Ceredigion) mae'r *r* yn mynd ar goll, a'r ffurfiau llawn yw *Tre'r-maen* a *Tre'r-main* (*main* yw hen ffurf luosog *maen* 'carreg').

Ni wyddys pwy oedd y marchog y cyfeirir ato yn enw *Tremarchog* yn Sir Benfro. *St. Nicholas* yw'r enw Saesneg, a cheid enw Lladin gynt, sef *Villa Camerarii,* neu 'Dre'r Siamberlen'. Yr oedd yn rhan o diroedd Esgob Tyddewi.

Ni ddown i ben ag enwi pob *Trenewydd,* ond y mae'n rhaid tynnu sylw at ambell un. Mae *Newton Nottage* ym Morgannwg yn gyfuniad o enw'r faenor a'r plwyf. Yn Gymraeg gynt y ffurf oedd *Y Drenewydd yn Notais.* Mae gan *Y Drenewydd* yn Sir Drefaldwyn fwy nag un enw. Gelwid hi gynt yn Lladin yn *Nova Villa,* ac wedyn yn Saesneg yn *Newtown.* Enw'r eglwys fodd bynnag yw *Llanfair-yng-Nghedewain,* gan gyfeirio at yr hen gwmwd.

Galwyd *Wolvesnewton* yn Sir Fynwy felly am mai teulu o'r enw *Wolf* oedd yn berchenogion ar y faenor. Yr enw Cymraeg cyfatebol oedd y *Drenewydd dan y Gaer,* ond yr enw Cymraeg gwreiddiol ar yr eglwys oedd

Llanwynnell. Fferm y siryf oedd *Shirenewton,* eto yn Sir Fynwy. *Drenewydd Gelli-farch* (neu *farchog*) oedd yr enw Cymraeg.

Rhyw ffurf anghyfiaith yw ail elfen *Treopert* yn Sir Benfro, gellid tybio. Mae gan y lle ffurf Saesneg hefyd, sef *Granston,* hen enw yn mynd yn ôl i'r drydedd ganrif ar ddeg, ac yn golygu, mae'n debyg, fferm rhyw Ffrancwr o'r enw *Grand.* Tywyll i mi hefyd yw *Treoda* ger Caerdydd. Enw rhyfedd arall yw *Tre-os yn y Fro,* ym mhlwyf Llan-gan. Cyfetyb i'r enw Saesneg *Goston,* ac y mae'n amlwg fod y naill yn gyfieithiad neu'n gyfaddasiad o'r llall. Yn Sir Fynwy hefyd ceir y gyfatebiaeth rhwng *tref* a *ton,* megis *Treowen* (*Owenston*) ym mhlwyf Llanfihangel Troddi. Enw anodd arall yn Sir Benfro yw *Treowman,* y ffurf Gymraeg ar *Brimaston.* Nid hollol sicr yw tarddiad *Brimaston* (*Bromeston*) o'r gair Saesneg am fanadl 'broom'. *Trephilip* sydd wedi goroesi ym Mronllys, Brycheiniog, ond ceid *Philipston* gynt hefyd. Mae *Tre'rabad* yn Chwitffordd, Fflint, yn mynd â ni'n ôl i ddyddiau'r abaty yn Ninas Basing pan oedd yr abad yn berchen ar dir yn y plwyf. Ymddengys i mi fod hen drefgordd *Tre'r Bachiaid* ym Maenol Bangor yn coffáu teulu â'r llysenw *bach,* a bod y ffurf yn cyfateb yn hollol i drefgordd arall yn yr un faenol, sef *Tre'r Llwydiaid* (*llwyd*).

Cafodd y beirdd le amlwg yn *Llanfihangel Tre'r-beirdd* ym Môn. Yr oedd hefyd hen drefgordd *Tre'r-beirdd* ym mhlwyf Llanidan. Soniwyd eisoes am ddau o feirdd y Tywysogion yn dal tir ym Môn, sef Meilyr a Gwalchmai yn Nhrefeilyr a Threwalchmai. Ni wyddom pa feirdd a anrhydeddwyd yn *Nhre'r-beirdd* ger Yr Wyddgrug. Gwelsom mai ffurf dafodieithol ar *cewri* yw *ceiri* yn *Nhre'r Ceiri,* yr amddiffynfa gadarn honno yn Llanaelhaearn ar yr Eifl.

Mae *Harpton* yn Sir Faesyfed yn hen enw Saesneg sy'n

ymddangos mor gynnar â dechrau'r bedwaredd ganrif ar
ddeg o leiaf. Nid oes enghreifftiau cynnar iawn o'r ffurf
Gymraeg *Tre'rdelyn*, ac mae'n anodd penderfynu felly
p'run ohonynt sy'n cyfieithu'r llall. Dyma gartref y
Lewisiaid, un o brif deuluoedd y sir, uchelwyr a noddwyr
beirdd. Amhosibl dweud erbyn hyn beth yw arwyddocâd
y gair *telyn* yn y cyswllt hwn, ai lle y chwaraeid y delyn,
ai lle ar lun telyn, fel y ceir *Cae'r Delyn* a *Llain y Delyn*
yn enwau cyffredin ar ddarnau o dir trionglog. Mae'r un
anhawster yn codi gydag enwau'n cynnwys *harp* mewn
enwau lleoedd yn Lloegr.

Gwnaed môr a mynydd o'r enw *Tre'r-dryw* ym mhlwyf
Llanidan. Mynnai Henry Rowlands fod yma bencadlys
y derwyddon ym Môn, am fod y gair *dryw* yn golygu
'derwydd'. Ond tybed wedi'r cwbl nad yr aderyn, y dryw
bach, sydd yma?

Enw swynol iawn yw *Tre'r-ddôl*, sydd yn bur gyffredin
ac sydd yn digwydd ym mhlwyfi Bodedern, Corwen,
Llangynfelyn a Llechgynfarwy. Yr wyf yn hoffi hefyd
Tre'r-rhedyn yng Nghilymaenllwyd a Phendeulwyn. Mae
Treredynog yn enw ar blwyf gynt yng Ngwent, ond
digwydd yn gynnar mewn ffurf fel *Tredynog* a welir bellach
wedi ei hysgrifennu *Tredunnock*.

Os cofir am y beirdd yn *Nhre'r-beirdd*, mae *Tre'r-gof*
hefyd yn cyfeirio at y crefftwr mawr arall yn yr Oesoedd
Canol. Mae llawer ohonynt ym Môn, ym mhlwyfi
Bodedern, Caergybi, Heneglwys a Llanbadrig. Fe'u ceir
yn y De hefyd, yn Abergwaun ac Abertawe. Ond yr un
fwyaf od yw'r un ym mhlwyf Llancarfan, Morgannwg,
sydd wedi mynd yn *Treguff* ar y mapiau.

Beth yw *Tre'rgwehelyth*, hen drefgordd ym mhlwyf
Llantrisaint, Môn? Ystyr lluosog *gwehelyth* oedd 'tywysog,
pennaeth, uchelwr', ond daeth yn ddiweddarach i olygu
'disgynnydd' a 'bonedd' neu 'gyff'. Erbyn hyn mae'n
anodd dweud at ba fonedd arbennig y cyfeirir yn yr enw

uchod. Mae'r Gwyddyl yn ymrithio mewn enw sydd wedi mynd ar goll yn Llansanffraid Cwmteuddwr, sef *Tre'r Gwyddyll*. Enw arall arno oedd *Blaen Blysgyn*, ac yr oedd yn rhan o feddiannau abaty Ystrad-fflur yn yr ardal hon.

Mae dwy *Rickeston* yn Sir Benfro, ym mhlwyfi Breudeth a Robeston. Maent ill dwy'n cynnwys yr enw cyfandirol *Ricard*, ond yr un gyntaf yn unig a elwir yn *Drericert* neu *Dreicert* gan y Cymry.

Dengys *Treriffri* yn Llechgynfarwy enw personol a oedd yn gyffredin iawn gynt, sef *Griffri*. Rhaid mai'r aderyn chwedlonol, *y griff*, sydd yma a'r gair *rhi* 'brenin'. Felly hefyd Gruffudd, sef *griff* ac *udd* 'tywysog, pennaeth', ond bod yr ail lafariad wedi dylanwadu ar yr un flaenorol, a throi *griff* yn *gruff*. Mae peth cymysgu yn yr achau rhwng y ddau enw. Gwelsom o'r blaen fod *Bodringyll* yn y Rhondda yn cynnwys hen enw ar swyddog lleol. Felly hefyd *Trerhingyll* ym mhlwyf Ystradowen.

Un o'r ffurfiau sy'n digwydd fynychaf yw *Tre'r-llan*. Hawdd deall hyn o gofio am yr hen drefniant gyda'r trefi, neu'r trefi degwm. Mewn llawer o blwyfi gelwid y tiroedd o gwmpas yr eglwys blwyf yn dre'r llan. Collwyd llawer iawn o'r rhain a chan fod cymaint ohonynt afraid yw eu nodi i gyd. Goroesodd ambell un, megis *Tre'r-llan* yn Abergele, Cilcain, Craswell (Henffordd), Llandrillo, Llandderfel, Llanfor, Llangynog (Trefaldwyn) a Llanllawer.

Nid *Tref-y-nant* oedd enw gwreiddiol y llecyn ger Trefor, Llangollen. Yr hen ffurfiau yw *Terfynnant*, sef y nant a oedd ar derfyn neu ffin dau gwmwd Maelor Gymraeg a Nanheudwy.

Mae *Treronw*, plwyf Tremarchog, yn hen enw ac yn cynnwys ffurf ar yr enw personol *Goronwy*, fel y gwelir yn 1326 yn Llyfr Du Tyddewi, sef *Trefgronow*. Mae *Treruffydd* wedi goroesi mewn dau blwyf, sef yn Aberffraw, Môn a Threwyddel ym Mhenfro. Yr enw

personol *Rhys* a welir yn *Tre-rys*, Bodedern, Llandudoch
a Llangarren (Henffordd).

Y triawd crefftwyr gynt oedd y bardd, y gof a'r saer.
Cawsom eisoes Tre'r-beirdd a Thre'r-gof. Yr oedd *Tre-
saer* hefyd ym Mathri. Mae o leiaf bedwar enw yn sôn
am y Saeson. Ceir *Tre'r Saeson* ym mhlwyfi Clydau,
Eglwys Fair y Mynydd (Morgannwg), Llangynidr
(Kenderchurch) a Llanofer (Mynwy). Enw cymharol
ddiweddar yw *Tre-saith*, plwyf Penbryn, Ceredigion. Yr
hen ffurf bob amser oedd *Traeth-saith*, lle y mae *Nant
Saith* yn ymarllwys i'r môr. Yr hen enw *Seisyll* sydd ar
ddwy fferm yn Sir Benfro, y naill (*Treseisyllt*) yn
Nhreopert, a'r llall (*Treseisyllt-fach*) yn Llanwnda.
Trefseysil a geir yn 1326, a datblygiad diweddarach yw
ychwanegu *t* at gynffon yr enw. Cynnwys *Tresiencyn*
(Llanrhian) enw personol arall. Daw *Tresigin*,
Llanfihangel y Bont-faen) â ni'n ôl unwaith eto at y
cyfieithu a'r cyfaddasu a welir yn y Fro. *Siginstone* ydyw
yn Saesneg, ac yr oedd gŵr o'r enw Hugh Sigin yn byw
yno yng nghanol y drydedd ganrif ar ddeg. Fe welir y
ddeuoliaeth yn yr enwau mewn cofnod yn 1791 lle y
sonnir am '*Treshigin* or Sigginstone Farm'. Cymharer
hefyd *Tresimwn*, y ffurf Gymraeg ar Bonvilston. Yr oedd
Simon de Bonavilla yn byw yno. Y cyfenw *Bonville* a
ddewiswyd gan y Saeson, a'r enw bedydd *Simwn* yn
Gymraeg.

Enw-gwneud go ddiweddar yw *Tre Taliesin* ym mhlwyf
Llangynfelyn, fel y dengys y diffyg treiglo. Diau mai
bodolaeth yr heneb *Bedd Taliesin* a chysylltiad y Taliesin
chwedlonol â Phorth Wyddno (Y Borth) sy'n cyfrif am
yr enw newydd ar y pentref. Ymddengys mai *Comins y
Dafarn-fach* oedd yr enw hyd at ddechrau'r ganrif
ddiwethaf ond mae'n rhaid nad oedd hwn yn ddigon
parchus! Ffurf anodd ei esbonio ar yr olwg gyntaf yw
Treteio yn Nhyddewi. Dyma'r ffurf ar hyd y canrifoedd,

ond tybed na ddaw goleuni oddi wrth yr enw yn 1383, sef *Trefftheyaw*. Ymddengys hyn yn hynod debyg i *Dref Ddeio*.

Sylwyd uchod nad *tref* yw pob *tref*. Mae hyn yn wir iawn am le ym mhlwyf Llanfihangel, Henffordd, lle y ceir y ffurf *Tretir* ers pedwar can mlynedd. Ond cyn hynny, er enghraifft yn 1499, y ffurf oedd *Retire*, hynny yw *Rhyd-hir*. Cyfeirio at safle'r fferm, mae'n debyg, sydd yn yr enwau *Trewaelod* (plwyfi Cleiro, Goetre-fawr, Llanasa a Llandeilo Gresynni). Nid oes a fynno'r enw *Trewalcyn* ym mhlwyf Talgarth, Brycheiniog â'r gair cyffredin *gwalc*. *Walkyngeston* oedd y lle gynt, sef fferm rhyw estron â'r enw *Walkelin*. Cyfatebiaeth eto a geir yn *Trewallter*, Llancarfan i *Walterston* yn Saesneg, fel y ceir gyda *Trewalter* (Llan-gors, Brycheiniog) a *Walterstone*.

Mae *Tre-wen* yn gyffredin iawn, mor gyffredin fel nad oes eisiau nodi'r holl ffurfiau. Ond rhag i neb gael ei gamarwain, rhaid cyfeirio at y ffurf *Trewên* (tair sillaf) ym mhlwyf Breudeth, Penfro sy'n cyfateb i'r Saesneg *Eweston*. Nid oes a wnelo *Eweston* â defaid ond â'r enw *Owain*, gan mai *Owenston* oedd y ffurf gynt. Enw cyffredin arall yw *Tre-wern*, a 'does dim diben inni restru'r holl enghreifftiau, ond tynnu sylw at un neu ddwy. Mae *Tre-wern* ym mhlwyf Hope yn Sir Drefaldwyn, ac Afon Hafren a'r Trallwng, yn hen, hen gyfannedd. Yr oedd enw Saesneg ar y drefgordd yn 1277, sef *Olreton*. Nid yw hyn ond ffurf ar y gair *alor* yn Hen Saesneg, sydd wedi mynd yn *alder* 'gwern' yn ddiweddarach. Yr oedd Tre-wern yn rhan o faenor Teirtref. Y ddwy dref arall oedd Cletterwood neu Buttington a Hope. Enw Cymraeg yw *Cletterwood*, a phrofir gan yr hen gofnodion mai *Caletffrwd* oedd y ffurf wreiddiol, hynny yw, ffrwd galed. Gellir cymharu *Caled-ddwr* yn troi'n *Cletwr* a *Caled-ryd* yn mynd yn *Cledryd*. Yr oedd enw Cymraeg ar *Buttington* hefyd, sef *Tal-y-bont*. Sais o'r enw *Butta* a roes ei enw ar y llecyn hwn. *Tre-wern* arall o bwys oedd yr un ym mhlwyf yr hen drefgordd. Fe'i ceir weithiau yn y ffurf *Tre'r-wern*.

Digwydd *Trewilym* yn Sir Benfro. Mae'r un ym mhlwyf St. Lawrence yn amrywio rhwng *Trewilym* a *Threwiliam*, a diau mai cymreigiad ymwybodol yw *Trewilym* yn y cyswllt hwn gan mai *Williamston* oedd y ffurf gynharaf yn coffáu rhyw estron cynnar. Ceir yr un amrywio rhwng *Trewilym* a *Threwiliam* ym mhlwyf Eglwyswrw. Mae *Trewimwnt* ym mhlwyf Aber-porth, Ceredigion, yn cynnwys enw estron a mwy na thebyg y dylem feddwl am ryw enw Hen Saesneg fel *Wigmund*. Yr un enw o bosibl sydd ar gael yn *Womaston*, Sir Faesyfed.

Cawsom *Trefwrdan, Trewrdan* yn enw plwyf yn Sir Benfro. Y mae hefyd fferm *Trewrdan* ym mhlwyf Nyfer, wedi ei henwi ar ôl rhyw *Jordan*. Yr oedd Jordan Hood yn byw yn yr ardal yn y drydedd ganrif ar ddeg. *Trewreiddig* yw ffurf bresennol fferm ym mhlwyf Trefdraeth, Sir Benfro. Ond y mae hen ffurfiau fel *Trevreythyk* yn awgrymu'n gryf y dylid meddwl am yr hen enw personol *Moreiddig*. Mae *Treworgan* yn Swydd Henffordd ac yn Sir Fynwy yn codi problem fach, ai *Morgan* ai *Gwrgan* yw'r ail elfen. Ond mae ambell hen ffurf fel *Trewrgan* yn torri'r ddadl i bob golwg.

Trewyddel yw ffurf Gymraeg yr enw Saesneg *Moylgrove* yn Sir Benfro. Profir gan hen gofnodion mai *Moldegrove* oedd yr hen ffurf. Celli neu lwyn rhyw ferch o'r enw Matilda yw'r ystyr. Mae hyn yn codi amheuaeth ynglŷn â'r enw Cymraeg, ai *Gwyddel* yw'r ail elfen, sef gŵr o Iwerddon, ai'r *gwyddel* arall sy'n golygu 'prysgwydd', ac yn ymgais i gyfieithu'r 'grove' yn *Moylgrove*.

Llecyn digon di-nod yw *Trewyddfa* ger Abertawe erbyn hyn. Yr oedd gynt ym mhlwyf Llangyfelach, yng Ngŵyr Is Coed, ac yn ganolfan Maenor Gŵyr. Yr un gair *gwyddfa* sydd yma ag ym mynydd *Yr Wyddfa*, sef carnedd neu domen yn coffáu rhyw ŵr nodedig gynt. Mae nifer o leoedd â'r enw *Tre-wyn, Trewyn.* Nid yw hyn yn golygu bod y gair *tref* wedi newid ei genedl. Yn wir nid yr ansoddair cyffredin *gwyn* sydd yma, ond yr enw personol *Gwyn.* Felly ym mhlwyfi Corwen, Llanelidan a Llanfihangel Tre'r-beirdd. A hefyd yn Llanfihangel Crucornau, Sir Fynwy, lle y ceir amrywiad Saesneg ar enw maenor *Trewyn,* sef *Winston* neu *Wynston.* Rhaid mai lleoedd gwyntog iawn oedd *Tre-wynt* yn Llanhuadain, Penfro, a Llanfihangel Ystrad, Ceredigion, a Thre-lech a'r Betws. Y goeden ysgaw a welir yn *Treysgaw* Cilymaenllwyd ac yn Llan-lwy, Sir Benfro. Y ffurf ar yr enw olaf hwn yn 1326 oedd *Trefruscawe,* sef *Tref yr Ysgaw.* Y gair unigol sy'n digwydd yn *Tresgawen,* a welir ym mhlwyfi Llanfaelog a Llangwyllog, Môn. Yr oedd yr un yn Llangwyllog yn bur bwysig gynt, yn drefgordd ac yn blas yn hen gwmwd Twrcelyn. Yn wir mae un enghraifft yn mynd yn ôl i 1284, sef *Crefscaweyn* (bai am *Trefsgawen*). Mae'r lluosog *Trefydd Bychain* ar gael yn Llandegla, Dinbych, a *Trefi Bychain* yn Llanrhaeadr-yng-Nghinmeirch, ill dwy yn hen drefgorddau, ac felly â digon o dystiolaeth iddynt mewn hen ddogfennau.

Gair yn awr am ffurfiau eraill ar y gair *tref,* yn fachigyn ac yn gyfansoddair. Nid yw *trefan* yn digwydd yn aml. Y mae (neu yr oedd) dwy yng Ngheredigion, sef yn Llanafan a Llanbadarn Trefeglwys, ac un yn Llanllywenfel, Brycheiniog. Ac yr oedd un bwysig iawn yn Llanystumdwy, sef *Trefan* ryw dri chwarter milltir oddi wrth yr eglwys. Trefgordd oedd hon gynt, a sonnir amdani yn Stent Caernarfon tua 1352.

Yr wyf eisoes wedi cyfeirio at *trefddyn,* sef cyfansoddair o 'tref' a 'dynn' (uchelfan, amddiffynfa), ac mai hyn sydd yn yr enw *Treuddyn* yn Sir y Fflint.

Cyfansoddair arall yw *treflan,* un tynn o'i gymharu â'r un llac a gawsom eisoes, sef *Tre'r-llan,* y dref o gwmpas yr eglwys blwyf. Yr oedd *Treflan* yn dref ym mhlwyf

Llanbeblig gynt ond pan ffurfiwyd plwyf sifil newydd Waunfawr cymerwyd rhannau o dri phlwyf, sef Llanbeblig, Betws Garmon, trefi degwm Castellmai, Rhuddallt (Rhythallt) a Threflan. Erys yr enw yn y ffurfiau *Treflan Isaf* a *Treflan Uchaf*.

Wedi gorffen â'r elfen *tref*, dylwn ddweud gair yn awr am gyfansoddair arall, sef *pentref*. Mae'r gair wedi dod i olygu rhywbeth arbennig yn Gymraeg ond nid oedd gynt yn ddim ond cyfeiriad at ran arbennig o dref, o bosibl at y lle y byddai'r gweision a'r taeogion yn byw ac yn gweithio. Yn amlach na pheidio ni chyfeiria *pentref* mewn enwau lleoedd at glwstwr o dai ond at fferm neu annedd unigol, fel y gwelsom gyda'r elfen *tref*. Ni ellir nodi pob un yma, dim ond sylwi ar y rhai mwyaf diddorol. Mae cannoedd o enghreifftiau o'r gair *pentref* ar ei ben ei hun neu mewn cyfuniad fel *Pentre-bach* a *Phentre-mawr*, neu'n cynnwys enw arall digon adnabyddus, megis *Pentre Abermarchnant* a *Phentreberw*. Yn aml iawn ceir naws wawdlyd ar enw'r pentref megis *Pentrecaca* yn Llanrhystud gynt, ac fe ddigwydd *Pentrecagal* (cagl, caglau 'tom, baw, llaca') yn weddol aml yn y De, yn Llangeler a Llansanffraid-ar-Ogwr, y Rhondda a Thre-lech a'r Betws.

Digwydd *Pentre'rcelyn* yn fynych (Caerfyrddin, Llanbryn-mair, Llannarth a Meidrim). A digon hawdd gweld mai sôn am y gelynnen yr ydys. Ond rhaid bod yn ofalus gyda'r lle a elwir bellach *Pentrecelyn* yn Llanfair Dyffryn Clwyd. Y ffurf o'r unfed ganrif ar bymtheg hyd y ganrif ddiwethaf oedd *Pentre Cae Heilin*, hynny yw cae a'r enw personol *Heilin*. Gallem fodloni ar hyn o esboniad, mae'n debyg, sef fod *Pentrecelyn* yn ffurf wedi ei symleiddio o *Pentre Cae Heilin*. Ond rhaid petruso rywfaint pan welwn yn ail hanner yr unfed ganrif ar bymtheg y ffurf *Pentre Cuhelyn*. Mewn llawysgrif achyddol o waith Simwnt Fychan y mae'n digwydd ac efallai bod rhyw gymaint o 'hynafiaethu' wedi bod arni. Ond os derbynnir y ffurf mae'n rhaid derbyn hefyd fod dau newid wedi digwydd, sef troi *Pentre Cuhelyn* (enw personol digon cyffredin gynt) yn *Bentre Cae Heilin* ac wedyn yn *Bentrecelyn*. Nid hon yw'r unig enghraifft o gymysgu rhwng *Cuhelyn* a *Chae Heilin*.

Mae dau *Bentre Clawdd*, y naill yn Rhiwabon a'r llall ym mhlwyf Selatyn. Maent ill dau yn ymyl Clawdd Wat, a dyna ddigon o esboniad arnynt, fel y gwelsom gysylltiad *Trefyclawdd* â Chlawdd Offa o'r blaen.

Rhaid fod *Pentrecŵn* yn dal cysylltiad arbennig â'r anifeiliaid hynny. Fe'i ceir yng Nghil-y-cwm, Llandyfaelog a Chwitffordd. A gellir cymharu Trecŵn yn Llandudoch a Llandygwydd a Llanfair Nant-y-gof. Dengys *Pentre-cwrt* ym Mhen-boyr safle llys yr hen *Faenor Forion*.

Yr enw personol *Cynddelw* sydd yn *Pentre Cyndal* yn Rhoscolyn. Y ffurf yn 1608 oedd *Pentre Kynthel*. *Cynrig* sydd yn *Pentre Kenrick* ym mhlwyf y Dre-wen (Whittington) yn Swydd Amwythig. Nid oes angen holi pa nodwedd arbennig a berthynai i *Bentre-drain* yng Ngheri (Trefaldwyn) a Llanfihangel Dyffryn Arwy (Henffordd), na chwaith *Pentredrysgoed* yn Ystradfellte. Prin fod eisiau aros gyda *Pentre-du*, enw mynych iawn yn y Gogledd a'r De. Atgof am ddiwydiant cynnar sydd yn *Pentre'r Engine* yn Llansamlet ger Abertawe.

Mae *Pentrefoelas* yn adnabyddus i bawb, a hefyd enw'r plas, Y Foelas (y Foel Las). Ond yr oedd enw arall ar y capel a'r pentref gynt, sef *Capel y Fidog* a *Phentre'rfidog*. Mae'r gair *bid* am berth neu sietin yn ddigon cyffredin, a ffurf arno yw *bidog* sy'n golygu 'dagr' am rywbeth blaenllym. Rhaid mai'r ystyr wreiddiol 'perth' sydd yn *Pentre'rfidog*. Mae tipyn o gymysgu wedi bod ar ffurfiau enwau dau bentref yn Sir y Fflint. Un ohonynt yw *Pentre Ffwrndan* ryw filltir oddi wrth dref Y Fflint ond clywir

Pentreffwdan amdano hefyd. Mae'r ffurf yn digwydd yn llyfr teithio enwog Thomas Pennant, ac os yw hi'n gywir, gall gyfeirio at ffwrnais, ond go brin fod yn rhaid inni dderbyn yr awgrym fod yr enw'n mynd yn ôl at weithgarwch mwynol y Rhufeiniaid. Er hynny, dyma safle'r Atiscross a grybwyllir yn Llyfr Domesday, ac yr oedd yn lle o bwys yn ei ddydd. Mae *Pentreffwdan* arall ym mhlwyf Trelawnyd ond rhaid mai amrywiad yw hwn ar *Pentreffyddion*, yr hen ffurf, lle y mae *Ffyddion* yn enw ar ffrwd sy'n llifo trwy blwyfi Llanasa a Chwitffordd. Atgof yw *Pentregât* (enw arall arno yw *Capel Ffynnon*) ger Llangrannog, am yr hen ffyrdd tyrpeg a'r clwydi ar draws y ffordd yn codi toll ar deithwyr. Nodir y glwyd fel T.G. (hynny yw Toll Gate) ar yr hen fap Ordnans yn 1834.

Mae rhai pentrefi wedi colli eu henw llawn. Dyna, mi dybiaf, sydd wedi digwydd yn achos *Pentre Gwernglefryd* yn Llanelwy. *Pentre* yw'r enw bellach. Mae *Clefryd* yn ffurf ddiddorol iawn. Digwydd fel enw cyffredin yn golygu 'gwellt neu ŷd wedi llyfru gan leithder', o *calaf* 'gwellt' a *rhwd*. Ond tybed mewn enw lle nad yw'n gyfansoddair o *calaf* a *rhyd*, hynny yw, rhyd lle y mae gwellt yn tyfu. Byddai hyn yn taro'n iawn i'r hen drefgordd *Gwernglefryd* ar lan Clwyd.

Fel y cawsom Trewyddel, felly hefyd cawn *Pentre-gwyddel* neu *Bentre'rgwyddyl*, y naill ym mhlwyf Rhoscolyn, Môn, a'r llall ger Y Fenni ym Mynwy. Mae'r hen ffurfiau'n awgrymu mai *Pentre'rgwyddyl* oedd y rhain yn wreiddiol, a hynny yn ei dro yn cadarnhau'r dyb mai at drigolion Iwerddon y cyfeirir, nid at brysgwydd. Mae dau *Bentrehobyn* yn Sir y Fflint, y naill yn Yr Wyddgrug, a'r llall ger Penarlâg (hwn wedi ei fyrhau'n *Bentrobin*). Ffurf anwes ar Robyn yw *Hob* a *Hobyn*.

Enw a aeth ar goll yw *Pentrehyfaidd* yn Sir y Fflint. Ymddengys mai ym mhlwyf Cilcain yr oedd, a cheir tystiolaeth iddo yn y bedwaredd ganrif ar ddeg. Mae'n bosibl mai dyma'r *Pentre* sydd wedi goroesi yno. Rhaid mai'r enw personol *Hyfaidd* ('beiddgar') sydd yma, megis ym *Maes Hyfaidd* neu *Faesyfed*. Ni wyddys pwy oedd yr Ieuan a roes ei enw ar *Bentre Ieuan* neu *Bentre Ifan* yn Nyfer, ond rhaid nodi'r lle gan ei fod yn blas uchelwr ac am fod yno gromlech enwog iawn.

Tybed nad un o'r enwau gwawdlyd y soniais amdanynt yw *Pentre Llaeth Enwyn* ym mhlwyf Meifod? A beth am *Bentre'r-bais* ym Mwynglawdd sydd wedi ennill enw parchus *Gwynfryn* erbyn hyn? Enwau tebyg eraill yw *Pentrellymru* yn Llanfyllin, a *Phentremalwod* ym Mlaengwrach, Glyn-nedd. Rhan o dref Machynlleth yw *Pentre Maengwyn*, neu *Stryd Gwŷr Cyfeiliog*, sef y ffordd a ddeuai i'r dref o'r dwyrain.

Enw sy'n digwydd yn dra mynych yn y cofnodion yw *Pentre Meurig* yng Nghaerfyrddin. Y mae un arall yn Llanwrda, ac yno yr oedd melin hefyd. Yr enw personol *Meurig* sydd yn y rhain, ond yn y map Ordnans cyntaf gwelir ymgais gan rywun lleol, mae'n debyg, i roi'r ffurf *Pentremierog* ar y llecyn yn Llanwrda. Mae'n debyg mai lle y cedwid moch gynt oedd *Pentre'r-moch* yn hen blwyf Llaneurgain, Sir y Fflint. Nid oes raid tybio mai enw gwawdlyd oedd hwn, beth bynnag am *Bentremulod* yn Llandyfalle, Brycheiniog. Ystyr *pica* yn y De yw rhywbeth main, blaenllym, megis *Pentrepica* ym mhlwyf Goetrefawr, Mynwy, ac y mae miloedd o blant Cymru yn gyfarwydd â'r *Garreg Bica* ar draeth Llangrannog. Y gair gwrthgyferbyniol i hwn yw *twpa*.

Aderyn sy'n digwydd yn fynych mewn enwau lleoedd yw'r *bi* neu'r bioden. Felly *Pentrepiod* yn Aber-carn a Llangywer, a *Phentrepiogod* gynt yn Llanynys, Dinbych. Fe gofiwn hefyd am *Lwynypia* yn y Rhondda.

Cawsom nifer o enghreifftiau o'r enw *Tre-boeth* yn golygu fferm wedi mynd ar dân. Mae *Pentre-poeth* yn digwydd yn aml, yn Abertawe, Caerfyrddin (hen enw

Orchard Street), Croesoswallt, Dolbenmaen, Gelli-gaer, Graig, Llandyfaelog, Llanelli, Llanfedw, Llanfyllin, Llansilin, Machen a Thywyn. Ei ffurf yn y De yw *Pentrepoth*. Soniais eisoes am *Bentrellymru* a *Phentre Llaeth Enwyn*. Enw tebyg yw *Pentrepotes* yn Y Gyffylliog.

Yr oedd gynt *Pentre'r Ancr* yn Llanfechell, Môn. Ni wyddom ddim am yr ancr neu'r meudwy hwn, ond cofiwn am y gwŷr anhysbys oedd yn eu poenydio eu hunain trwy fyw'n unig ac yn myfyrio ddydd a nos ar eu cyflwr ysbrydol. Gair gwatwarus ei gysylltiadau yw *brain*, a diau mai dyna sydd ym *Mhentre'r-brain* y mae cofnod amdano yn Dudleston, Ellesmere. Ond beth a wnawn â *Phentre'r Ddwy Fuwch* ym Mhenrhosllugwy gynt? Tebyg fod cryn dyrru at *Bentre'refail* yn Llanbedrog, Llanddewibrefi, Derwen-las a'r Drenewydd. Felly hefyd *Pentre'rfelin* yn Aber-porth, Amlwch, Caerfyrddin, Caergybi a Chellan, heb sôn am ddegau yn ychwaneg.

Rhaid cyfeirio at *Bentre'r-gaer* yn Llanforda gan fod yr enw'n digwydd mor aml yng nghofnodion arglwyddiaeth Croesoswallt. Yr oedd yn drefgordd bwysig gynt. Cymar i *Bentre'refail* yw *Pentre'r-gof*. Yr oedd un yn Brilley, Swydd Henffordd, ac eraill yng Nghegidfa, Llanbadrig a Meifod. Mae dau *Bentrerhedyn*, y naill yn Llanllwchaearn, Ceredigion, a'r llall yn nhref Machynlleth, hen *Stryd Gwŷr Deheubarth*, sef y ffordd i mewn o'r De. Ni wn pa mor hen yw *Pentresaeson* ym Mrymbo. Prin ei fod yn cyfeirio at ddyfodiad cyntaf yr estroniaid, a thebycaf mai cynnydd diwydiant yn yr ardal sy'n cyfrif am yr enw.

Y Llannau

Mae'n rhaid inni yn awr droi at fath arall o gyfannedd ac at leoedd a sefydlwyd ganrifoedd lawer yn ôl, rai ohonynt. Bydd gofyn inni gyfeirio at y cyfnod rhyfedd hwnnw yn hanes Cymru pan ddaeth Cristnogaeth gyntaf i'n gwlad yn sgîl y Rhufeiniaid. Gwelwyd ysbryd newydd balch yn cyniwair yng nghanol yr anhrefn a fu ar reolaeth wladol wedi i'r llengoedd encilio. Dyma gyfnod yr ymosodiadau cyntaf gan yr Eingl Saeson, y cyfnod hefyd pan oedd y Gymraeg ei hun yn ei babandod, ond yn prysur ennill nerth, hyder a grym ac yn ei chymhwyso ei hun at fyd cythryblus yr hyn a elwir yn gyffredin yr Oesoedd Tywyll. Cyfnod dyrys iawn yw'r bumed a'r chweched ganrif ond cyfnod sy'n dal i'n hudo a'n denu am fod cynifer o broblemau i'w datod a dadleuon i'w torri. Ar y naill law gwelir mân freniniaethau yn ymsefydlu ac yn ymehangu (soniais am y rhain wrth drafod enwau'r cantrefi a'r cymydau), ar y llaw arall (mewn cydweithrediad, megis), gofelir am yr ochr ysbrydol gan y saint a'r mynachod cynnar, a'r rheini'n bur aml yn aelodau o'r teuluoedd brenhinol.

Nid mewn cyfrol fel hon y mae ceisio plymio'n ddwfn i hanes y mudiadau hyn ond fe ellir dysgu cryn dipyn o fynd trwy enwau'r eglwysi, neu'n hytrach y celloedd, a sefydlwyd yn oes y seintiau.

Llan yw'r elfen bwysicaf fel y gŵyr pawb a chan fod cynifer o enwau lleoedd yng Nghymru yn cynnwys yr elfen hon rhaid cymryd tair pennod i'w trafod. Mewn pennod arall trafodir elfennau eraill megis *betws*, *eglwys* a *capel*.

Fe gawn weld bod enwau llawcr o'r hen eglwysi hyn yn cynnwys enw'r sant a gysylltir â hwy, ond bydd yn rhaid bod yn ofalus rhag cymryd yn ganiataol fod hyn yn dystiolaeth ddi-ffael i'r sant ei hun fod yno. Yn bur aml cyflwynid eglwys i sant yn arwydd o barch i'w dduwioldeb a'i sancteiddrwydd. Peth arall y carwn sylwi arno yw Cymreigrwydd enwau'r saint, a hynny'n beth digon annisgwyl o gofio bod Cristnogaeth yng Ngorllewin Ewrop wedi ei seilio ar yr iaith Ladin. A daw hyn â ni at bwnc hynod ddiddorol, sef annibyniaeth yr Eglwys Gymreig neu Geltaidd gynnar ar Eglwys Rufain fel y cyfryw.

Yn fy marn i mae ansawdd enwau'r saint, yn Gymry, yn Gernywiaid, yn Llydawyr, yn Wyddyl, yn ernes o'r annibyniaeth hon. Enwau sydd yn cyd-fynd â theithi'r ieithoedd hynny sydd ganddynt, ac enwau o dras Rufeinig a Lladin yn eithriadol brin mewn gwirionedd. Nid syndod yw hynny am y saint o Wyddyl, efallai, gan na welwyd eryrod Rhufain erioed yn Iwerddon. Ond y mae'n ffaith arwyddocaol iawn pan ystyriwn drymed fu dylanwad Lladin ym Mhrydain.

Felly wrth archwilio enwau'r hen lannau bydd yn dda inni gofio hyn oll. A chofio hefyd mewn cyfnod diweddarach, wedi i'r Eglwys Gymreig golli ei hannibyniaeth a dod i gyfathrach nes ag Eglwys Rufain, yn enwedig ar ôl y Goncwest Normanaidd, fod ymdrech ymwybodol i Ladineiddio'r enwau hyn, a throi sant o Gymro yn sant o Rufeiniwr. Cystal imi ychwanegu yma fy mod yn gweld mewn Cristnogaeth fore yng Nghymru y mudiad 'cenedlaethol' cyntaf a ddaeth i'n gwlad.

Mae'n hysbys ddigon mai gair cyffredin oedd 'llan' yn wreiddiol am unrhyw ddarn o dir wedi ei neilltuo at bwrpas arbennig. Yn aml er mwyn cau rhywbeth i mewn, fel y mae perllan a gwinllan yn diogelu'r planhigion hynny, ac fel y mae ydlan yn nodi'r lle y cedwir y cynhaeaf yn ddiddos. Naturiol felly, pan oedd y mynachod cynnar yn chwilio am lecyn i roi eu celloedd bychain, eu bod yn defnyddio *llan* am y tir a amddiffynnid gan wrych neu balis. Yn ddiweddarach daeth i olygu'r adeilad neu'r adeiladau y tu fewn i'r amddiffynfa.

Nid dyma'r lle i sôn am grwydradau'r hen saint. Fe wnaed hynny'n ddeheuig iawn gan yr Athro Emrys Bowen, a dangosodd yn glir fod teithio ar draws ac ar led Môr Iwerddon yn beth cymharol hawdd yn yr hen ddyddiau. Yr oedd daearyddiaeth y gwledydd Celtaidd yn help mawr gan fod y penrhynau a'r ynysoedd yn hwyluso hynt morwyr. Wrth deithio yng Nghymru ei hun defnyddid yr hen ffyrdd Rhufeinig.

Y dull mwyaf trefnus, efallai, o ymdrin â maes cymhleth y llannau yw eu cymryd, unwaith eto, yn nhrefn yr wyddor, er bod hyn yn golygu rhywfaint o ailadrodd, o bosibl. A'r enw cyntaf a ddaw i'r golwg yw *Llanaber* yn Ardudwy, sef y llan wrth geg neu *aber* Mawddach neu Abermawdd. Y pentref a dyfodd yn Abermawdd neu Abermaw neu Abermo (Bermo) a ddaeth yn bwysig mewn oes ddiweddarach. Mae enw'r afon yn amrywio cryn dipyn, rhwng *Mawddu* a *Mawddach* a *Mawddwy*. Mae'n ddigon posibl mai enw personol yw *Mawdd* a bod *Mawddwy* yn enw ar y fro yn wreiddiol.

Gelwir *Abergwyngregyn* yn *Llanaber* weithiau, ond mae rhyw flas hynafiaethol ar hwn, ac ni chydiodd yr enw o gwbl.

Disgybl i Feuno oedd Aelhaearn, ac y mae'r eglwysi a gysegrwyd iddo yn dangos mor agos oedd y berthynas rhwng sant a disgybl yn yr hen amser. Aelhaearn a goffeir yn eglwys Cegidfa (Guilsfield) yn Sir Drefaldwyn yn yr un ardal ag Aberriw a Betws Cedewain (dwy eglwys Beuno). Aeth Beuno i Wyddelwern, a dyna *Lanaelhaearn* yn enw ar hen gapel yn y plwyf hwnnw. Ac y mae *Llanaelhaearn* arall yn Uwch Gwyrfai yn ymyl eglwysi

Beuno yng Nghlynnog Fawr a Phistyll a Charnguwch. Llanhaearn y gelwir yr eglwys a'r pentre, a chyfyd hyn broblem enw'r sant. Yr oedd chwedl fod Aelhaearn wedi ei larpio'n ddarnau mân gan fwystfilod, a bod Beuno wedi rhoi'r esgyrn wrth ei gilydd i gyd ond yr asgwrn dan yr ael. Gosododd Beuno bigyn haearn ei ffon ar y lle er mwyn cyfannu'r corff, a dyna sut y cafodd Aelhaearn ei enw. Stori ddigon difyr, ond tybed nad *El-haearn* oedd yr enw gwreiddiol, sef gŵr yn meddu ar lawer o haearn (enw canmoliaethus iawn gynt). A buaswn yn barod i ddadlau mai gŵr yn haeddu haearn oedd Talhaearn, yn hytrach na bod ganddo dalcen caled. Diddorol hefyd yw bod Elhaearn wedi rhoi ei enw ar drefgordd yn y plwyf, sef *Eleirnion* (hynny yw, *Elhaearn* a *-ion*, sef 'tir Elhaearn'. Mae'r ffermdy yno o hyd. A chystal ychwanegu enw'r drefgordd arall (wedi mynd ar goll erbyn hyn), sef *Bodelgyfarch*, lle y mae *Elgyfarch* yn enw sy'n golygu un a gyferchid gan lawer. Yr un enw sydd yn *Cesail Gyfarch*, gyda llaw, gynt *Cesail Elgyfarch*.

Cysylltir tair *Llanafan* ag enw Afan Buellt, sant a berthynai i deulu niferus Cunedda Wledig. Mae dwy o'i eglwysi ym Muellt, sef *Llanafan Fawr* a *Llanafan Fechan* (neu *Lanfechan*), a'r drydedd yng Ngheredigion, sef *Llanafan Trawsgoed*. Diau mai'r un enw personol sydd yn enw'r cantref ag Afon *Afan* ym Morgannwg, ond bod dylanwad y gair *afon* i'w weld ar ffurfiau fel *Aberafon*. Cyflwynir *Llanallgo* ym Môn i sant o'r enw *Gallgo(f)*, brawd i Gildas ac Eugrad (ac y mae *Llaneugrad* yn ymyl Llanallgo). Enw Cymraeg yw *Gallgof*, beth bynnag yw ei darddiad, ac nid oes raid inni gredu yn y ffurf Ladin *Alleccus* neu *Allectus*. Yr apostol Andreas mae'n debyg yw'r Andras sydd yn *Llanandras* (yr enw Cymraeg ar *Presteigne*, 'tŷ'r offeiriad' yn Sir Faesyfed. Ef hefyd sydd yn *Saint Andras* neu *Lanandras* (St. Andrew) ym Morgannwg. Diweddarach yw'r saint Beiblaidd ac estronol mewn enwau eglwysi na'r saint cynhenid Cymraeg.

Mae'r anwadalu rhwng *Llanannerch* a *Blaenannerch* yng Ngheredigion yn enghraifft dda o'r anhawster a gyfyd weithiau i benderfynu p'run yw'r enw gwreiddiol. (Fe gawn weld bod *llan* yn ymgymysgu â *nant, glan*, ac ymlaen. Os *Llanannerch* sydd yn gywir, yna mae'n bosibl mai enw personol sydd yn enw'r nant. Os *Blaenannerch*, rhaid meddwl efallai fod y nant yn cynnwys gair a gysylltir â pharablu, trwst, fel y digwydd gyda *Trystion, Llafar* a *Chlywedog*.

Mae dwy *Lananno*, un yn Sir Faesyfed, a'r llall yn hen enw eglwys Niwbwrch neu Rosyr ym Môn. Ond *Llanbedr Niwbwrch* y gelwid hon fynychaf, a rhaid derbyn bod y Norman wrth greu bwrdeisdref newydd *Newborough* wedi dwyn i mewn un o'i hoff saint ef i ddisodli'r enw Cymraeg. Ymddengys *Anno* yn ffurf anwes.

Pan ddown at enwau fel *Llanarmon* down wyneb yn wyneb â phroblem ddyrys iawn. Cytunir mai Garmon a goffeir mewn rhes o eglwysi, sef *Llanarmon* yn Eifionydd, a *Llanarmon* (St. Harmon) ym Maesyfed. Gan mor boblogaidd oedd Garmon rhaid oedd gwahaniaethu rhwng yr eglwysi a gyflwynid iddo, a dyna sut y cawn, er enghraifft, *Llanarmon Dyffryn Ceiriog* a *Llanarmon Mynydd Mawr* (neu *Lanarmon Fach*). Gyda llaw, yr hen ffurf ar hon oedd *Llanarmon Mynydd Mawn*, ac nid hawdd penderfynu erbyn hyn ai enw personol yw *Mawn*, ai'r gair cyffredin am 'peat'.

Rhywbryd yn y ddeunawfed ganrif y dechreuwyd galw'r eglwys yn *Llanarmon Mynydd Mawr*. Talfyrrwyd *Llanarmon-ym-Mechain* i *Lanfechain*. Yr olaf ohonynt yw *Llanarmon-yn-Iâl*. Ni ddylem anghofio *Betws Garmon* yn Arfon a *Chapel Garmon* yn Llanrwst.

Bu cryn ddadlau ai'r un yw'r Garmon Cymraeg â'r Germanus o Auxerre y dywedir iddo lunio buddugoliaeth

enwog yr Aleliwia ger Maes Garmon, Yr Wyddgrug.
Mae'n sicr fod Garmon arall yn gweinidogaethu yng
Nghymru, sef gelyn Benlli Gawr a Gwrtheyrn, a diau fod
cymysgu mawr wedi bod ar yr hen draddodiadau.

Er cydnabod y gallai *Garmon* ddeillio oddi wrth yr enw
Lladin *Germanus* (ond y mae anawsterau ieithyddol yma)
byddwn i'n barod iawn i ddal (gyda Syr Ifor Williams)
mai enw Cymraeg diledryw yw *Garmon* (oddi wrth y gair
cyffredin *garm* 'bloedd'). Gwelaf yn hyn oll wanc anniwall
ysgrifenwyr diweddarach i gysylltu enwau Cymraeg y
saint ag enwau Lladin, ar seiliau simsan iawn yn aml.

Mae'n anodd gweld beth yw'r *arth* sydd yn ail elfen
Llan-arth Sir Fynwy a *Llannarth*, Ceredigion. O ran ffurf
gellid meddwl am *arth* (y creadur neu enw personol),
garth 'cefnen, bryn', a *garth* 'cae, cwrt'. Un o'r ddwy ystyr
olaf fyddai fwyaf addas. I Deilo y cyflwynwyd Llan-arth,
ac enw llawn yr eglwys gynt oedd *Llan-arth Deilo* neu
Llandeilo Llan-arth.

Enw a aeth ar goll yn llwyr ers canrifoedd yw
Llanarthfoddw. Eglwys yng Ngŵyr oedd hon, a thybir mai
dyma hen enw Pennard, heb ddim tystiolaeth hollol
bendant. Cyfuniad yw *Arthfoddw* o'r ddwy elfen *arth* a
boddw, a'r ail o'r rhain yn cyfateb o ran ffurf i *bodb* mewn
Gwyddeleg, yr enw a arferid am y gigfran reibus a
fynychai faes y gad i wledda ar gyrff y lladdedigion. Enw
anodd arall yw *Llanarthneu*, Sir Gaerfyrddin. Er gwaethaf
yr enw *Arthneu*, Eglwys Dewi oedd hi. *Llanadnau* y gelwir
hi gan Wynfardd Brycheiniog, gan gyfeirio mae'n bosibl
at y traddodiad fod rhyw *adnau* neu rodd wedi ei ddiogelu
yn y lloches hon.

Mae *Llanasa* (gynt *Llanasaff*) yn Sir y Fflint yn dwyn
ar gof inni mai'r sant hwn hefyd a gysylltir ag eglwys
gadeiriol Llanelwy. Enw Beiblaidd yw *Asa(ff)*. Er bod
sôn am Gyndeyrn yn athro ar Asaff, enw'r sant olaf a
gadwyd yn St. Asaph. Yr oedd yn well gan y Cymry lynu

wrth y ffurf *Llanelwy*, yr eglwys ar lan Afon Elwy, yn union fel y goroesodd *Llandaf* am yr eglwys ar lan Afon Taf. Mae cyfeiriadau eraill at Asaff yn Sir y Fflint, megis *Pantasa* yn Chwitffordd, *Ffynnon Asa* ym mhlwyf Cwm, ac *Onnen Asa* yn Nhremeirchion.

Eglwys fach hyfryd iawn yw *Llanbabo* yn Sir Fôn, erbyn hyn bron ar lan Llyn Alaw. Mae rhyw swyn rhyfedd yn perthyn i'r eglwys hynafol hon a'i mynwent gron a'i hywen a delw Pabo ei hun ynddi. Un o wŷr y Gogledd oedd ef, a'i enw llawn oedd *Pabo Post Prydain*, gŵr a gynhaliai'r wlad oll.

Ffurf anwes yw *Pabo* ar y gair cyffredin *pab* 'tad', a thybiaf mai ffurf arall yw *Peibio* yn *Garthbeibio*. Mae *Llanbabo* arall yn Sir Gaernarfon, ond enw gwawd yn perthyn i'r ganrif ddiwethaf yw hwn pan ddylifodd gweithwyr o Sir Fôn i chwarel Dinorwig ac ymsefydlu lle y mae Deiniolen yn awr. Yr oedd y pentre'n ddigon adnabyddus i ennill lle ar y map Ordnans cynnar yn 1838. Digrif yw gweld awduron difrifol a pharchus *Lives of the British Saints* yn cyfeirio at Lanbabo ger Llyn Padarn fel petai rhyw atgof yno am Babo Sant. Fe gofir hefyd fel y byddai W. J. Gruffydd yn taranu dros y ffurf *Ebeneser* ar y pentref, yn hytrach na *Deiniolen*.

Un o seintiau mawr y cyfnod Cristnogol cynnar oedd Padarn, mor fawr yn wir nes bod sôn am bumed esgobaeth ar un adeg. Dyma un enw Lladin sicr, sef *Paternus*. Gan fod cymaint o eglwysi wedi eu cyflwyno iddo, rhaid oedd gwahaniaethu rhyngddynt, ac felly ceir yr enwau canlynol. Ym Maesyfed yr oedd *Llanbadarn Ddiffaith* neu *Lanbadarn Fynydd*, ac eglwys *Llanbadarn Fawr*. Trydedd eglwys oedd *Llanbadarn-y-Garreg*. Yng Ngheredigion yr oedd y fam eglwys, sef *Llanbadarn Fawr* arall, a hefyd *Llanbadarn Fach* neu *Lanbadarn Trefeglwys*, heblaw *Llanbadarn-y-Breuddyn*. Ymddengys mai *Llanbadarn Odyn* oedd enw gwreiddiol yr eglwys a elwir bellach *Llanbadarn Odwyn* fel pe bai *Odwyn* yn enw personol. Digwyddodd rhywbeth tebyg i blas *Rhydodyn* yn Llansawel a aeth yn *Rhydodwyn* a *Rhydedwin*, a'i gyfieithu yn y diwedd yn *Edwinsford*.

Mae *Llanbadrig* yng ngogledd Môn yn codi problem. Credir gan rai mai i Badrig, nawddsant Iwerddon, y cyflwynwyd yr eglwys. Ond yr oedd Padrig arall o Arfon a gydoesai ag Elfoddw Esgob Bangor yn yr wythfed ganrif. Amhosibl bod yn sicr erbyn hyn p'run o'r ddau Badrig a goffeir. Sut bynnag, dyma eglwys werth ymweld â hi, o'i hachos ei hun ac o achos ei sefyllfa. Dyma'r unig eglwys yng Nghymru, hyd y gwn i, sydd â chysylltiadau Mohametanaidd. Pan adnewyddwyd hi yn 1884 rhoddodd yr Arglwydd Stanley (yntau'n Fwslim) deils gleision o gwmpas yr allor, a gwydr coch a glas yn y ffenestri, sef y lliwiau a'r patrymau a geir mewn mosg Mohametanaidd. Fel y gwyddys, ni chaniatâ'r grefydd honno ddarlunio ffigurau dynol. Saif yr eglwys ar ymyl clogwyni serth uwch y môr a cheir golygfa ogoneddus oddi yno. Y mae rhes o enwau yn y cylch sydd yn cyfeirio at Badrig, megis *Ffynnon Badrig, Ôl Traed Padrig, Porth Padrig, Rhos Badrig* ac yn y blaen. Er mai eglwys blwyf yw hi, o gwmpas Cemais (yr hen Borth Wygyr) y tyfodd y pentref sydd yn gyrchfan mor boblogaidd yn yr haf.

Yr oedd *Llanbeblig*, eglwys blwyf Caernarfon, yn blwyf ehangach gynt gan ei fod yn cynnwys y trefi degwm a ddefnyddiwyd i ffurfio plwyf sifil Waunfawr. Pwysigrwydd mawr Llanbeblig yw ei bod yn ymyl hen orsaf Rufeinig Segontium. Pan adeiladodd Edward gastell Caernarfon ar lan y môr, o gwmpas hwnnw y datblygodd y fwrdeisdref gan adael Llanbeblig ar y bryn. Dywedir bod Peblig yn fab i Facsen Wledig, a dywedir hefyd mai enw Lladin sydd ganddo, sef *Publicius*. Ni allaf dderbyn hyn o gwbl, a gwelaf yma unwaith eto yr awydd am geisio cysylltu'r saint Cymraeg â thraddodiadau Lladin yr eglwys gynnar. Enw Cymraeg pur yw *Peblig* wedi ei adeiladu ar yr ansoddair *pabl* 'bywiog, nwyfus'.

Gallwn fod yn weddol sicr mai'r Apostol Pedr a goffeir yn y llu mawr o eglwysi a gyflwynir i Bedr yng Nghymru. Nid perthyn i'r cyfnod cynharaf y mae'r rhain, ond yn hytrach i gyfnod diweddarach pan ddaeth yr Eglwys Gymreig i gysylltiad agosach ag Eglwys Rufain, cyn y Goncwest Normanaidd ac wedi hynny. Gan fod cynifer ohonynt yr oedd yn rhaid ychwanegu rhyw ddiffiniad arall er mwyn eu hadnabod. *Llanbedr-yn-Ardudwy* neu *Lanbedr-ar-Artro* yw'r un yn Sir Feirionnydd. Yr hen enw ar *Lanbedr* ym mhlwyf Langstone, Sir Fynwy, oedd *Llanbedr-yn-Henrhiw* (mae fferm Hendrew o fewn milltir i'r eglwys). Ym Morgannwg yr oedd *Llanbedr-ar-Elái* neu *Lanbedr-y-fro* (Peterston-super-Ely), a *Llanbedr-ar-fynydd*. Ym Maesyfed y mae *Llanbedr Castell-paen* yn Elfael. Adnabyddus yw *Llanbedr Dyffryn Clwyd* a'i chymar hithau Llanfair Dyffryn Clwyd. Yn Sir Benfro ychwanegwyd enw'r cwmwd (*Efelfre*, sef *Y Foelfre*, mae'n bosibl) a chael *Llanbedr Felffre*. Mae *Llambed* (Llanbedr) ym mhlwyf Mathri, a gwelais gyfeiriad sarhaus ati, sef *Llambed-y-moch*.

Ym Môn ceir *Llanbedr Niwbwrch*, fel y gwelsom eisoes. Eglwys blwyf hen drefgordd Mathafarn Wion oedd *Llanbedr-goch*, ond gelwir hi weithiau yn *Llanfeistr* neu *Lanfaestir*. Enw'r cantref a ychwanegwyd yn *Llan-bedr Gwynllŵg*, ond bod yr enw wedi ei lygru yn y ffurf Saesneg *Peterstone Wentloog*.

Yng Ngheredigion clywir *Llambed* ar lafar, ond yr enw llawn wrth reswm yw *Llanbedr Pont Steffan*, ac yn llawnach yn wreiddiol, sef *Llanbedr Tâl Pont Steffan*, fel pe dywedid *Llanbedr Pen-y-Bont*. Cwnstabl y castell oedd y *Steffan* hwn. Rhaid fod *Llanbedrycennin* yn Arllechwedd Isaf, Sir Gaernarfon, wedi cael ei henw gan ryw ardd neu faes cennin. Mae *cennin* yn elfen bur amlwg mewn enwau lleoedd Cymraeg. Yn olaf, enw cantref a geir yn *Llanbedr Ystrad Yw* ger Crucywel, Brycheiniog.

Cyflwynwyd tair eglwys i Bedrog yng Nghymru, sef *Llanbedrog* yn Llŷn, *Sain Pedrog* ym Mhenfro (St. Petrox), ac eglwys *Y Ferwig* ger Aberteifi. Sant o'r de-orllewin oedd hwn, a'i brif eglwys yn Bodmin yng Nghernyw (enw amrywiol ar Bodmin oedd *Petroc's Stow* neu *Lanbedrog*). Hyn hefyd sydd y tu ôl i enw *Padstow* yn yr un sir. Yn Nantperis yr oedd hen eglwys *Llanberis*, ond tyfodd y pentref ryw ddwy filltir yn is i lawr y cwm ar lannau Llyn Padarn. Ymddengys i mi mai bôn y ferf *Paraf, peri* sydd yma yn yr enw *Peris*, yr un math o ffurfiant ag yn yr enw *Ceris* a'r ferf *caraf, caru.*

Nid enw sant sydd yn *Llanboidy*, Sir Gaerfyrddin, nac enw *llan* yn wreiddiol. Y ffurf gynharaf ar yr enw oedd *Nantbeudy*, ond newidiwyd *nant* yn *llan* yn bur gynnar, a defnyddio ffurf dafodieithol *beudy*. Un o eglwysi Brychan oedd hon. Ni wyddys fawr am y sant a goffeir yn *Llanbeulan*, Môn, ond bod cysylltiadau agos iawn ganddo â'r ynys. Yr oedd yn ddisgybl i Gybi, ynghyd â'i gyfeillion Maelog a Llibio, dau sant a goffeir yn *Llanfaelog* a *Llanllibio.* Cysylltir Gwenfaen a Gwyngenau â Pheulan, a gwyddys mai *Llanwenfaen* oedd enw eglwys Rhoscolyn, a bod *Capel Gwyngenau* ger Caergybi.

Ni allaf awgrymu dim am enw *Llanbister* ym Maesyfed, ond ei fod wedi aros yn ddigyfnewid ar hyd y canrifoedd. *Llanbyster* ydoedd yn 1291. Yr oedd yr eglwys yn bwysig iawn gynt a chyflwynwyd hi i Gynllo. Mae *Llanbradach* ym mhlwyf Llanfabon, Morgannwg, yn enghraifft arall o gymysgu *glan* a *llan.* Enw nant yw *Bradach* a diau fod ffurfiau fel *(G)lanbradach* yn temtio pobl i feddwl mai treiglad oedd y ffurf *Llanbradach.* Ni raid chwilio yma am hen gapel neu eglwys. Yr oedd eglwys mewn llecyn a elwid *Bryn Mair (Brynmeyr)* yn 1291. Hon a gafodd yr enw *Llanbryn-mair.* Nid yw'n debyg y cawn ni byth oleuni llwyr ar enwau'r ddwy eglwys *Llanbydderi* ym Morgannwg a *Llanybyddair* yn Sir Gaerfyrddin. Nid oes esgus dros ffurfiau ysgrifenedig fel *Llanbethery* a *Llanybyther*. Rhaid fod rhyw gysylltiad rhwng yr enwau hyn a'r geiriau *byddar* a *bydderi* am rywun trwm ei glyw.

Mae *Llancaeach*, Gelli-gaer, ar yr un tir â Llanbradach uchod. Llecyn ar lan nant *Caeach* ydyw, a ffurf fel *(G)lancaeach* wedi ymgymysgu â *Llancaeach*. Fe gofir bod i *Gaeach* bwysigrwydd mawr gynt — hon oedd y llinell derfyn rhwng cymydau Is Caeach ac Uwch Caeach yng nghantref Senghennydd. Achos tebyg i Lanboidy yw *Llancarfan* ym Morgannwg. Yr enw gwreiddiol oedd *Nantcarfan*, ond yn gynnar iawn newidiwyd hwn yn *Llancarfan*. Annelwig yw ystyr *carfan* mewn enwau lleoedd, a geill olygu cefnen o dir, neu ffin. Ceisiwyd camesbonio'r enw Nantcarfan yn bur gynnar, ac yr oedd hen stori yn awgrymu mai *Carwan* oedd yn yr enw (fel pe bai'n ffurf ar y gair cyffredin *carw*).

Nid oes eisiau oedi gydag enw *Llandaf*, gan mai'r afon sydd wedi pennu ffurf yr enw, fel y gwnaeth yn achos Llanelwy. Gallesid disgwyl Llandeilo, gan mai dyma brif eglwys y sant hwnnw. Un eglwys a gyflwynwyd i Danwg, sef *Llandanwg* yn Ardudwy. Ymddengys mai ffurf ar y gair cyffredin *tân* yw *Tanwg*. Mae rhyw gymaint o dystiolaeth i sant o'r enw *Tegan* yn *Llandegan*, Llanwnda, Penfro. Mae olion hen gapel yno a elwir *St. Degan's Chapel*. Tybed nad yr un enw a geir yn *Landican* yng Nghilgwri (Wirral) lle y mae mynwent adnabyddus iawn. Awgrymir hyn gan hen ffurfiau fel *Landekan* a *Landecan*. Ni chredaf y dylid cymysgu Tegan â sant o Wyddel a elwir *Dagan* a *Dogan*.

Ar yr olwg gyntaf mae rhywbeth o'i le ar yr enw *Tecwyn* yn *Llandecwyn*. Yn ôl rheolau cyffredin y Gymraeg disgwylid ffurf fel *Tegwyn*, ond mae'n digwydd weithiau fod y sain *g* yn y safle hon o flaen *w* gytsain yn caledu i c. Y cyfansoddair *teg* a *gwyn* sydd yma, wrth reswm. Mae ambell enghraifft o *Landegwyn*, ond *Llandecwyn* sy'n digwydd amlaf o ddigon.

Un eglwys a gyflwynwyd i Degfan, sef *Llandegfan* ym Môn. Anodd dweud ai *ban* ai *man* sydd yn yr enw; os *ban* yr ystyr yw 'uchel', os *man* (a hyn sydd debycaf) yna rhywbeth fel 'medrus' neu 'uchel ei fri'.

Yr oedd dwy santes *Tegfedd*, y naill yn gysylltiedig â Mawddwy a Maldwyn, a'r llall â Gwent, lle y cyflwynwyd eglwys *Llandegfedd* iddi. Enw arall ar hon gynt oedd *Merthyr Tegfedd*. Mae bron yn amhosibl dweud gydag enwau yn cynnwys -*fedd*, ai *medd* ai *gwedd* sydd yma. Byddai *Teg* a *gwedd* yn addas yn enw merch, ond gallai *medd* 'meddiant' fod yn iawn hefyd. A chan mai *Tecmed* yw'r hen ffurf, *medd* biau hi.

Er bod santes o'r enw *Thecla* yn adnabyddus yn Ewrop mae'n annhebyg mai'r un yw hon â *Thegla* yng Nghymru. Rhoddodd hi ei henw i ddwy eglwys, *Llandegla* yn Sir Ddinbych a Sir Faesyfed. Os enw Cymraeg yw *Tegla*, mae'n debyg ei fod yn cynnwys y gair 'teg', ond nid oes digon o dystiolaeth eto i ddangos beth yw'r ail elfen. Tueddaf i feddwl ar hyn o bryd fod rhai ffurfiau ar enwau'r ddwy eglwys yn awgrymu posibilrwydd *lleu* 'golau'. Os felly, dyma enghraifft arall o enw Cymraeg cynhenid yn cael ei lusgo i gydymffurfio â thraddodiadau Eglwys Rufain.

Un o'r seintiau Cymraeg ehangaf ei ddylanwad oedd Teilo. Ganed ef ger Penalun yn Sir Benfro ond treuliodd ei oes, gellid meddwl, yn ychwanegu at allu a grym mynachlog Llandaf. Gellir mesur y parch at Deilo i raddau helaeth gan yr eglwysi niferus a gyflwynwyd iddo neu i'w goffa. Mae ei enw yn ddiddorol. Y ffurf 'swyddogol' lawn oedd *Eliudd*, sef 'arglwydd ar lawer'. Ond yr oedd yn arfer gan rai o ddisgyblion y saint roi enw anwes annwyl ar eu harwyr trwy chwarae ar elfennau'r enw swyddogol. Ychwanegid -*o* neu -*io* at yr elfen gyntaf, a rhagflaenu honno gan *ty*- neu *my*-. Felly y cafwyd *Teilo*. Fel y gwelsom gyda Llanbadarn a Llanbedr bu'n rhaid ychwanegu epithedau er mwyn gwahaniaethu rhwng yr amryw eglwysi. Mae'n bur arwyddocaol mai *Llandeilo Fawr* yw'r eglwys yn Sir Gaerfyrddin, ac y mae'n rhaid fod ystyr arbennig yn yr enw hwn yn ei berthynas â Theilo.

Safle daearyddol sy'n penderfynu enw *Llandeilo Abercywyn* (Llandeilo Fechan) yn Sir Gaerfyrddin. Enw llawn Amroth gynt oedd *Llandeilo Amrath*. Dyma enw hanner Cymraeg a hanner Gwyddeleg. Daw *rhath* o'r gair Gwyddeleg am gaer, a gwelir ef hefyd yn *Y Rhath* (Roath) yng Nghaerdydd.

Hen ffurf *Llandeilo Bertholau* yn Sir Fynwy oedd *Llandeilo Borth Halog*. Rhaid fod cyfeiriad yma at ryw weithred ysgeler a ddigwyddodd ym mhorth yr eglwys (lladd rhywun wrth geisio nawdd efallai) ond bod cenedlaethau diweddarach wedi ceisio parchuso'r enw a'i resymoli drwy ei newid yn *Bertholau*.

Ffurf lawn *Brechfa* (Brechfa Gothi) oedd *Llandeilo Brechfa*, Sir Gaerfyrddin. Mae *brechfa* yma yn enw ar natur amryliw y pridd a'r ddaear. Mae mwy nag un enw gan *Landeilo Ferwallt* ym Mro Gŵyr. Un ffurf yw *Llanferwallt* oddi wrth y *Merwallt* a oedd yn abad yno yng nghyfnod Euddogwy, esgob Llandaf. Yr oedd perthynas agos iawn rhwng yr eglwys hon a Llandaf, a dyna paham y ceir ffurfiau fel *Llandeilo Llanferwallt*, neu *Landeilo Ferwallt*. Pwysleisir hyn gan y ffurf Saesneg *Bishopston* 'fferm yr esgob'. Ar un adeg hefyd gelwid yr eglwys yn *Llangynfwr* neu *Langynnwr*. Yr oedd enwau eglwysi *Cilrhedyn* a *Llanddowror* yn cynnwys enw *Teilo* ar un adeg. Felly *Llandeilo Gilrhedyn* a *Llandeilo Llanddyfrwyr*, lle y mae'r enw olaf yn cyfeirio at arfer ymprydio ymhlith y saint cynnar. Cofiwn fod Dewi yn cael ei alw'n Ddewi

Ddyfrwr. Ym Maesyfed yr oedd *Llandeilo Graban* (heb sicrwydd llawn beth yw arwyddocâd *Craban* neu *Graban*). Amrywiad ar yr enw hwn oedd *Llandeilo'r Ciliau.*

Mae peth amheuaeth ynglŷn ag enw *Llandeilo Gresynni* (Mynwy). Mae'r ffurfiau cynnar yn amrywio rhwng *Groesynyr* a *Groesynych.* Diau mai croes enwog a roes ei henw i'r eglwys. Yn Sir Benfro diau fod *Llwydarth* yn atgof am yr hen *Landeilo Lwydarth* ger Maenclochog. Ceir hefyd y ffurf *Llandeilo Penllwydarth.* Yma ger yr hen eglwys yr oedd teulu Melchior yn byw, yn geidwaid ar benglog dybiedig Teilo. Dywedid bod yfed dŵr o'r benglog yn gwella'r pâs a chlefydau'r ysgyfaint.

Mae *Llangwathan* yn enghraifft o'r gair *llan* yn disodli *llwyn.* Yr oedd eglwys yma, a'i henw llawn oedd *Llandeilo Llwyngwaeddan.* Enw yn *-an* o *gwaedd* yw *Gwaeddan.* *Llandeilo Pentywyn* y gelwid yr eglwys yn Pendine, Sir Gaerfyrddin, a byddai *Pentywyn* yn enw addas iawn ar y safle o gofio am y milltiroedd tywod gwastad rhwng Pendine a Lacharn. Ond nid wyf mor sicr y gallai *Pentywyn* droi'n *Ben-dein* (yr ynganiad lleol) hyd yn oed a chyfrif am Seisnigrwydd cynnar yr ardal. A oedd ffurf *Pen-din* ar gael rywdro?

Sonnir yn yr hen gofnodion am *Landeilo Porth Tulon*, a thybir mai dyma hen enw capel ger Caswell, plwyf Llandeilo Ferwallt. Petrus wyf am ystyr *Llandeilo'r-fân* ym Mrycheiniog. Amrywiadau ar yr enw oedd *Llandeilo Gornach* a *Llanwrfaeth.*

Ym mhlwyf Llanegwad yr oedd *Llandeilo Rwnws* neu *Landeilo Maenor Frwynws.* Mynnodd traddodiad lleol resymoli'r enw anghyffredin hwn yn *Llandeilo'r-ynys.* Hen eglwys yw *Llandeilo Tal-y-bont* ym Mro Gŵyr. Ond mae hi mewn safle unig erbyn heddiw, a phentref Pontarddulais (gynt Pen-y-bont ar Ddulais) wedi mynd â'r clod a'r bri. Enwir eglwys *Llandeilo-Tref-Gernyw* yn Llyfr Llandaf, ond ni ellir bod yn hollol sicr mai at *Crinow*

(*Crynwedd* gynt) ym Mhenfro y cyfeirir. Enw yn unig yw
Tenni bellach, ac ni wyddys dim amdano. Hwn sydd yn
Llandenni yn Sir Fynwy, a cheid amrywiad gynt sef
Mathenni 'maes Tenni'. Yma, yn ôl Llyfr Llandaf, yr oedd
Mystwyr Mawr neu Fynachlog fawr. Mae'r un enw *Tenni*
yn ymddangos yn *Hendredenni* ym mhlwyf Eglwysilan.

Yn enw hen gapel *Llandenoi* ym mhlwyf Llanrheithan,
Penfro, gallwn ddewis rhwng santes *Tenoi* a gysylltid â
Gwytherin yn Sir Ddinbych, neu, ac y mae hyn yn
debycach, o bosibl, sant *Noe* (gyda'r *ty-* parchus o flaen
ei enw). Yr anhawster mawr gyda rhai hen eglwysi yw
bod y cyflwyniad gwreiddiol wedi cael ei gymysgu yn aml
iawn. Yn achos tref Caerfyrddin yr ydym mor gynefin
ag eglwys blwyf Pedr (St. Peters) ac â hen briordy John
nes ein bod yn anghofio enw'r hen eglwys wreiddiol o
fewn muriau'r hen gaer Rufeinig Maridunum. Enw hon
oedd *Llandeulyddog*. Yr oedd *Teuluyddog* yn un o'r saint
cynnar iawn a gydoesai â Dyfrig ac â Theilo. Rhoddir
yr enw'n llawn weithiau fel *Llandeulyddog yng
Nghaerfyrddin*.

Llandinabo yw un o'r enwau sy'n profi mor Gymraeg
oedd poblogaeth rhan helaeth o Swydd Henffordd gynt.
Enw'r sant oedd *Iunabwy*, ac efallai bod y ffurf *Llandinabo*
yn dangos olion y *ty-* parch o flaen yr enw. Ond mae'n
bosibl hefyd fod yma enghraifft arall o'r *llan* Gymraeg
yn ymddangos fel *lland* yn ei ffurf Saesneg. Nid oes a
fynno'r gair *dinam* ddim â *Llandinam*, Sir Drefaldwyn.
Yn y drydedd ganrif ar ddeg yr enw oedd *Llandynan*, sef
llan a *dinan* 'caer fechan'. Disgwylid *Llanddinan*, yn
rheolaidd, ond mae mwy nag un enghraifft o *d* yn lle *dd*
ar ôl *llan*.

Mae'r ddwy *Landochau* ym Morgannwg, sef
Llandochau'r Bont-faen a *Llandochau Fach* (Llandough)
ger Penarth yn codi problemau mor astrus gydag enw'r
sant fel mai gwell fydd eu gadael. Ond dylid nodi mai

go brin y gellir derbyn yr haeriad Ioloaidd mai enw arall ar *Gyngar* yw *Dochau.*

Enw Cymraeg arall yn Swydd Henffordd yw *Llandogo.* *Llaneuddogwy* oedd yr eglwys hon gynt, a gwelir y ffurf *Llanthogo* yn 1291. Nai i Deilo oedd *Euddogwy* ac yn un o esgobion cynharaf Llandaf. Enwir *Trillo* ddwywaith yn *Llandrillo-yn-Rhos* ac yn *Llandrillo-yn-Edeirnion.* Yr oedd yr eglwys gyntaf yn un bwysig iawn gynt, a'i henw lleyg, fel petai, oedd Dineirth. Gŵr a gysylltid â Gogledd Cymru oedd Trillo, fel ei frodyr Tygái a Llechid. Beth am ei enw? Ar ddelw *Cynllo* gellid efallai ddadelfennu *Trillo* yn *tri* a *llo.* Ond tybed na ddylem feddwl hefyd am air fel *trill* a therfyniad anwes.

Prin fod eisiau dweud mai i'r Drindod y cyflwynwyd *Llandrindod.* Ond *Llandduw* oedd hi gynt. Er mai *Llandrinio* y gelwir yr eglwys hon yn Sir Drefaldwyn, mae enw'r sant yn ymddangos yn bur gynnar yn y ffurf *Trunio.* Oni bai hyn byddai'n hawdd iawn tybied mai ffurf anwes ar *trin* 'cad' sydd yma, a gellid cymharu enw fel *Ceidio.*

Gwelsom droeon fel y gall *llan* ymgyfnewid â geiriau eraill megis *glan* a *nant.* Yn achos *Llandremor* heb fod ymhell o Bontarddulais, cawn mai'r hen ffurf wreiddiol oedd *Llodremor.* Defnyddid *llodre* gynt am safle adeilad, a gwelir ei berthynas yn elfen olaf y gair *gwaelod.* Gair y De yn bennaf yw llodre, ac fe ddown yn ôl ato yn nes ymlaen.

Mae dau le o'r enw *Llandridian* yn Sir Benfro, y naill yn Nhyddewi a'r llall yn Nhremarchog. Amrywia'r ffurfiau rhwng *Llandridian* a *Llandridion,* a thybir mai rhyw sant *Tridian* a goffeir — enw go anodd i'w esbonio. Nid oes a fynno'r enw â *drudion* nac â *druidion.* Tybed na ddylid meddwl am *Lanrhidian* yng Ngŵyr, a bwrw bod y ffurf yn *d,* naill ai yn enghraifft o *land* yn goroesi yn yr hen ddogfennau, neu yn cynnwys yr elfen barch *ty-.*

Haws esbonio *Rhidian* o feddwl am y gair *rhid* 'gwres, nwyf'.

Nid ymddengys mai enw sant sydd yn *Llandrygarn*, Môn. Enw daearyddol yw hwn, sef *trygarn*, lle y mae *try* yn cryfhau ystyr y gair dilynol. Carn fawr fyddai *trygarn*, ac mae'n digwydd mewn mannau eraill yng Nghymru. Fe fu ymgais i ddarganfod sant o'r enw Trygan, ac mae'r ffurf anghywir *Llandrygan* yn digwydd weithiau.

Prin fod neb yn cofio erbyn hyn mai *Llandutglyd* oedd hen enw eglwys Penmachno. Yn ôl y stori yr oedd Tutglyd yn un o feibion Seithenyn, a chysylltir ef felly â'r hen draddodiad am foddi Cantre'r Gwaelod. Ystyr ei enw fyddai rhywbeth fel 'enwog ymysg ei wlad a'i bobl'. Nid oes amheuaeth am ffurf enw *Llandudno*. Yr oedd Tudno yn frawd i Dutglyd, a'i enw yn debyg iawn o ran ystyr, gan fod y terfyniad *gno* yn golygu 'cyfarwydd, gwybodus, adnabyddus'. Diddorol cofio bod Tudno yn aml yn cael yr enw *Tudno Cyngreawdr Fynydd*. Hwn oedd hen enw'r mynydd ar ben y Gogarth, a goroesodd *Cyngreawdr* yn enw ar drefgordd ym mhlwyf Llandudno, ond mewn ffurfiau llwgr fel *Kinrhayadr*, fel ped anghofiasid ystyr yr enw. Rhywbeth fel 'mynydd yr ymgynnull' fyddai'r ystyr.

Yn enw *Llandudoch*, Ceredigion, gwelwn wahanol haenau'r hen boblogaeth, gymysg o Wyddyl a Chymry yn y De-orllewin. *St. Dogmael's* yw'r enw arall ar yr eglwys, sef yr enw Cymraeg *Dogfael* sy'n cynnwys yr elfen *dog*, a *mael* 'tywysog'. Gwelir yr un elfen yn yr enwau *Doged* ac *Euddogwy*, ac mae'n golygu 'cymryd, cipio' (ffurf arni yw *dogn*). Gwyddys bod yr hen Gymry yn chwarae ag elfennau eu henwau personol, a thybiaf mai cymryd ffurf Wyddeleg ar *dog* a wnaed, sef *doch*, ac ychwanegu'r rhagddodiad parch *ty-*, ac mai dyna sydd yn *Llandudoch*.

Ni wyddys odid ddim am Dudwen yn *Llandudwen*, Llŷn, ond dywedir ei bod yn un o blant niferus Brychan.

Cyfansoddair o *tud* a *gwen* sydd yn ei henw. Yr oedd Ffynnon Dudwen yn ymyl yr eglwys. Yn *Llandudwg*, Morgannwg, cawn y gair *tud* unwaith eto, a'r terfyniad *wg*. Rhaid fod y Saeson cynnar wedi cyfieithu'r enw hwn yn *Tythegstow*, gan ddefnyddio *stow* 'lle cysegredig' yn gyfystyr â'r *llan* Gymraeg. Ffurf ddiweddarach yw *Tythegston* a geir o'r bymthegfed ganrif ymlaen, ac ôl dylanwad -*ton* arni.

Llandŵ yw ynganiad lleol enw'r eglwys ym Mro Morgannwg a sillebir bellach *Llandow*. Mae'r hen ffurfiau'n awgrymu cyflwyniad i *Ddwyw* (Duw). Twrog yw nawddsant *Llandwrog* yn Uwch Gwyrfai. Disgybl i Feuno oedd hwn, a sefydlwyd eglwys i'w goffa yn agos i Glynnog felly. Cyflwynwyd *Maentwrog* iddo hefyd. Y tebyg yw mai ffurf anwes ar yr enw *Gwrog* yw *Twrog*, gyda'r *ty-* parchus. Gyda'r *my-* parchus ceid *Mwrog*, sy'n digwydd yn *Llanfwrog* yn siroedd Dinbych a Môn. Mae *Bodwrog* yn cynrychioli naill ai *Mwrog* neu *Gwrog*.

Mae *Llandybïe*, Sir Gaerfyrddin, yn adnabyddus i gannoedd o blant Cymru na welsant y lle erioed. Fe gofiwch am y rhigwm, 'Pwy all fynd i Landybïe heb ddweud "ie"?' *Tybïau* oedd enw'r santes, enghraifft arall o roi *ty-* parch o flaen enw fel *Piau*. Un arall o ferched Brychan oedd hon.

Yr oedd Capel Tydecho yn y llan a elwir *Llanymawddwy*, a thybed nad *Llandydecho ym Mawddwy* oedd enw llawn yr eglwys. Cysylltir Tydecho hefyd â Mallwyd a Garthbeibio yn yr un cyffiniau. Os cymerwn mai'r *ty-* parch sydd yma gadewir ni gydag enw *Techo*, sy'n ymddangos fel *tech* 'ffoi' a'r terfyniad -*o*.

Mae'r enw *Llandydiwg* wedi hen ddiflannu o gof trigolion *Dixton* yn Sir Fynwy yn agos i Drefynwy. *Henllan Dydiwg* y gelwir yr eglwys yn Llyfr Llandaf. Yma eto gwelir y *ty-* parch a'r enw *Tiwg*. Yn y dull arferol yn Ne-ddwyrain Cymru rhoddid y terfyniad Saesneg *ton* neu *stow* yn lle llan ar ôl enw'r sant. Felly y cafwyd *Dixton*.

Mae tair *Llandyfaelog*, a rhaid gwahaniaethu rhyngddynt. Un yw *Llandyfaelog Fawr* yn Sir Gaerfyrddin yng nghwmwd Cydweli; yr ail yw *Llandyfaelog Fach* ym Mrycheiniog (*Llandyfaelog yn Nyffryn Hoddni* y gelwir hon weithiau) a'r drydedd yw *Llandyfaelog Tre'r-graig* bellach ym mhlwyf Llanfilo, eto ym Mrycheiniog. Enw'r sant yw *Maelog*, gyda'r *ty-* parch o'i flaen. Mae *Llanfaelog* ym Môn yn cynnwys yr un enw. Ffurf ar y gair cyffredin *mael* 'tywysog' sydd yma.

Llandyfái oedd ffurf arferol yr eglwys a sillebir *Lamphey* bellach ym Mhenfro. Ymddengys y gellir dadelfennu hwn yn *ty-* a *Mai*. Cyflwynwyd eglwys fechan *Llandyfeisant* ger Llandeilo Fawr i'r sant hwn hefyd. Ni wyddys dim am hanes y sant a goffeir yn *Llandyfalle*, Brycheiniog. Ai *ty-* sydd yma gydag enw fel *Ballai* neu *Mallai*? Anodd cysoni'r ffurf â'r eglwys arall a enwir yn Llyfr Llandaf fel *Lann Tipallai*. Gellid meddwl am *pall* fel gwreiddyn i'r enw hwn, gyda'r un terfyniad *-ai* ag a welir mewn enwau fel *Clydai*, *Pabai*, ac yn y blaen.

Y mae hen gapel *Llandyfân* ym mhlwyf Llandeilo Fawr. Gellir dadansoddi'r enw yn *ty-* a *maen*, a disgwylid i'r gair olaf hwn droi'n *mân* ar lafar Sir Gaerfyrddin. Mae'r enw *Maen* yn bosibl, pan gofiwn fod gan Lywarch Hen fab o'r un enw. Cyflwynwyd eglwysi *Llandyfodwg* ac *Ystradyfodwg* (Y Rhondda) i *Dyfodwg*, ac ef oedd un o'r tri sant yn *Llantrisant* yn yr un gymdogaeth. Mae'n debyg mai *Bod* sydd wrth wraidd yr enw hwn gyda *ty-* yn rhagflaenu, a'r terfyniad cyffredin *-wg*. Yn Swydd Henffordd, enw'r sant yn unig sydd wedi goroesi yn *Foy*, ond gwyddom mai *Lann Tiuoi* oedd enw'r eglwys yn ôl Llyfr Llandaf. Awgryma hyn *ty-* gyda'r enw *Moe*, *Mwy*. Ni chredaf fod a fynno hwn â'r *Tyfái* a gawsom yn *Llandyfái*.

Ffurf newydd ar yr enw *Briog* sydd yn *Llandyfriog*, Is

Aeron. Ond y mae *Briog* ei hun yn ffurf anwes ar yr enw llawn swyddogol *Briafael* (ffurf hynaf hwn oedd *Briomagl*, lle y gwelwn eto yr elfen *Mael*). Un o'r saint cynharaf oedd Briog: ganed ef yn y bumed ganrif yng Ngheredigion a threuliodd beth amser yn Llydaw. Ef yw'r gŵr a goffeir yno yn *St. Brieuc.* Yr oedd eglwys wedi ei chyflwyno iddo hefyd yn Swydd Gaerloyw, sef *St. Briavel's.*

Digon hawdd gweld beth yw elfennau *Tyfrydog* yn *Llandyfrydog*, Môn. *Ty-* eto, gyda *bryd* 'meddwl, bodd', a gallai *Tyfrydog* olygu 'anwylyd'. Er mai *Llandegái* yw ffurf arferol enw'r eglwys ger Bangor, prin y gellir amau nad *Llandygái* yw'r ffurf gywir. Enw sant sydd yma, a'r elfen barch *ty-* o flaen *Cai*. Fe welir yr un math o newid o *y* i *e* mewn sillaf acennog ag a geir yn *Llanycil* a *Llanecil*. Enw'r llecyn lle y codwyd yr eglwys oedd *Meysyn Glasog* ar dir Parc y Penrhyn, a cheir mwy nag un cyfeiriad ato ym mhapurau stad y Penrhyn.

Er bod yr awdurdodau'n sôn am sant o'r enw *Gwynnin* mewn cysylltiad â *Llandygwnning* yn Llŷn, go brin y gellir esbonio'r enw hwn felly. Mae *Llandygwnning* yn rhagdybio *ty-* ynghyd â ffurf *cwyn* yn hytrach na *Gwyn*. Yn *Llandygwydd*, Ceredigion, rhaid mai *ty-* a *cwydd* 'syrthio, ymollwng' sy'n ffurfio'r enw. Yn unol â llafar yr ardal, *Llandygwy* a ddywedir, gyda cholli'r *dd* derfynol, sydd mor nodweddiadol o'r dafodiaith. Ni wyddys dim am sant a goffeir yn *Llan-lwy* (Llandeloy) Sir Benfro. Ond awgrymir gan yr hen ffurfiau *Llandylwyf*, mai *ty-* a *Llwyf* (enw'r goeden) oedd wrth wraidd yr enw. Tybir mai *Teyrnog* sydd yn *Llandyrnog*, Dyffryn Clwyd. Os cywir hyn, cyfetyb ei enw i *Tighaernach* mewn Gwyddeleg, ond ni raid tybio mai'r un gŵr ydynt. Yr hen air *teyrn* 'pennaeth, arglwydd' yw hwn.

Bydd yn rhaid aros am dipyn gyda *Llandysilio* a *Llandysul*. Yr enw *Sul* sydd yma. Daw *Tysul* o *ty-* a *Sul*. Os rhoir *-io* ar ôl *Sul* ceir *Sulio* a *Tysilio*. Mae'n bosibl mai ffurfiau anwes yw *Sul* a *Silio* ar yr enw mwy swyddogol *Sulien,* 'gŵr wedi ei eni ar y Sul'. Gŵr o Bowys oedd Tysilio, mab Brochwel Ysgithrog ap Cyngen ap Cadell Ddyrnllug, ac yn aelod felly o'r llinach frenhinol, fel yr oedd cynifer o'r saint cynnar. Iddo ef y cyflwynwyd eglwys Meifod a Llandysilio Deuddwr, a 'does ryfedd fod un hen fardd yn cyfeirio at Landysilio yng Nghadelling fel 'gwlad Cadell'. Yr oedd yn rhaid gwahaniaethu rhwng eglwysi Tysilio, ac felly cawn *Llandysilio-yn-Nyfed* (ar ffin Penfro a Chaerfyrddin), a *Llandysilio-yn-Iâl* (yn y plwyf hwn y mae Abaty Glyn-y-groes). Cyfuniad yw *Llandysiliogogo* yng Ngheredigion o enwau dwy eglwys, sef *Llandysilio* ei hun a *Gogof,* hen enw'r plwyf nesaf, sef Llangrannog.

Yn olaf y mae Llandysilio, Môn. Pan grewyd yr enw chwerthinllyd *Llanfair Pwllgwyngyll* ac yn y blaen yn y ganrif ddiwethaf, ychwanegwyd *Llandysiliogogo-goch* ar y diwedd trwy efelychu *Llandysiliogogo,* Ceredigion. Dwy eglwys sy'n cynnwys enw Tysul, sef *Llandysul* Ceredigion a *Llandysul* Trefaldwyn.

Y gwreiddyn *dâr* a welir yn y gair *deri, derwen* sydd yn yr enw Darog yn *Llanddarog,* Sir Gaerfyrddin. Ffurf arall sydd yn enw Afon *Daron* yn Aberdaron. Enw â chysylltiadau eglwysig yw *Degyman,* sef ffurf ar y gair *degwm.* Cyflwynwyd eglwys iddo yn Sir Benfro, *Llanddegyman,* ond mai *Rhoscrowdder* yw enw sifil y plwyf. *Llanddegyman* yw enw capel iddo hefyd yn Llanfihangel Cwm-du, Brycheiniog. Ganed Deiniol (yr enw Beiblaidd *Danielus)* o fewn yr Eglwys, megis, gan mai ei dad oedd Dunod, Abad Bangor Is-coed. Symudodd Deiniol o Bowys i Wynedd a sefydlu mynachlog fawr Bangor yn Arfon, a honno a ddaeth yn gyfystyr bron ag esgobaeth Gwynedd. Cyflwynwyd llawer o eglwysi iddo yn y Gogledd, gan gynnwys Penarlâg a Marchwiail. Ni wn i faint o sail sydd i'r traddodiad mai hen enwau

Llanuwchllyn a *Llanfor* oedd *Llanddeiniol-uwch-y-llyn* a *Llanddeiniol-is-y-llyn*. Ceir cyflwyniadau iddo hefyd yn *Llanddeiniol*, Ceredigion (*Carrog* yw'r enw seciwlar), a *Llanddeiniol* neu *Llanddinol* (Itton) yn Sir Fynwy.

Ond â Bangor Deiniol yn Arfon y cysylltir ef yn arbennig, ac ato ef a'i eglwys y mae Syr Dafydd Trefor yn cyfeirio yn ei gywydd:

Mae ym Mangor drysor a drig
Yn gadarn fendigedig.

Tybir mai mab Deiniol oedd Deiniolen. Cedwir ei enw yn *Llanddeiniolen* yn Arfon. Gan fod *dd* ac *f* yn ymgyfnewid yn Gymraeg nid syn yw gweld yn 1583 ffurf fel *Llanfiniolen*. Ffurf arall ar ei enw yw Deiniolfab, sy'n ei esbonio ei hun. A dyna sydd yn *Llanddeiniol-fab* ym Môn, ond mai *Llanddaniel* a ddywedir yno yn gyffredin.

Eglwys fawr Derfel oedd *Llandderfel* ym Mhenllyn. Mae ganddo enw diddorol iawn, sef *Derwfael*, hynny yw 'tywysog sicr', yr un *derw* ag yn y gair *cefnderw*. Dywedid ei fod yn filwr medrus yn ei ieuenctid, a dyna paham y gelwir ef Derfel Gadarn. Yr oedd delw bren fawr ohono yn yr eglwys, ac yn ystod brwdfrydedd cynnar y Diwygiad Protestannaidd gorchmynnwyd i Elis Prys, y Doctor Coch, beri danfon y ddelw i Lundain. Defnyddiwyd hi yn Smithfield yn 1538 i losgi merthyr Pabyddol, John Forest. Yr oedd *Llandderfel* arall ym mhlwyf Llanfihangel Llantarnam, Mynwy.

Ni allaf gynnig dim sylweddol am yr enw *Llanddeti* ym Mrycheiniog. Llanddeti neu *Llanthetty* yw'r ffurf drwy'r canrifoedd. Seintiau tramor a goffeir yn y ddwy *Landdeusant*, Simon a Jude yn achos Llanddeusant, Caerfyrddin, a Marcellus a Marcellinus yn achos Llanddeusant, Môn.

Ni ddylem adael i ffurf enw eglwys *Llan-ddew* ym Mrycheiniog ein camarwain. Nid oes a fynno hon â Dewi. Mae'r ffurfiau hynaf yn awgrymu *Llan-ddwy(w)*, sef

eglwys a gyflwynwyd i Dduw. Ni welir *Llan-ddew* tan yr
ail ganrif ar bymtheg. Pan oedd Gerallt Gymro yn cyfeirio
ati yn 1191 galwodd hi *Landu* 'ecclesia Dei'. Fel y gellid
disgwyl cyflwynwyd llawer o eglwysi i Ddewi, a'u henwi
ar ei ôl. Llanddewi yn foel y gelwir rhai ohonynt, megis
Llanddewi yng Ngŵyr, a *Llanddewi* yn Swydd Henffordd,
sef *Little Dewchurch*. Ond gan fod cynifer ohonynt rhaid
oedd eu hadnabod trwy ychwanegu disgrifiad arall. Felly
yng Ngheredigion cawn *Llanddewi Aber-arth*, ac ym
Mrycheiniog *Llanddewi Abergwesyn*. Enw da yw *gwesyn*
'gwas bach' ar afon fechan sy'n llifo i afon fwy. Enw afon
hefyd yw *Brefi* yn *Llanddewibrefi*, a gellir cysylltu'r enw
â'r gair cyffredin *bref* 'rhu, sŵn' am afon sy'n llifo'n
synfawr. *Llanddewi Fach* oedd enw Cymraeg *Dewstow* ger
Caldicot yn Sir Fynwy, ac yr oedd *Llanddewi Fach* arall
ym mhlwyf Llangybi ger Pont-y-pŵl. *Llanddewi Penbai*
y gelwir yr ail eglwys yn Llyfr Llandaf, gyda'r un *Pen-y-
fai* ag a welir mewn lleoedd eraill yng Nghymru. Yr oedd
trydedd *Llanddewi Fach* yn Elfael yn Sir Faesyfed.

Gwelsom eisoes fod Llanbedr Felfre yn Sir Benfro ac
yr oedd hefyd *Llanddewi Felfre* gerllaw. Fe gofir mai enw
cwmwd oedd *Felfre* neu *Efelfre*. Yr oedd *Llanddewi* arall
yn Swydd Henffordd gynt, sef *Llanddewi Cilpeddeg*. Enw'r
drefgordd *Cilpeddeg* yn unig sydd wedi goroesi yn Saesneg
yn y ffurf *Kilpeck*. Tebyg mai enw nant yw *Peddeg*, fel
y ceid gynt *Nant Peddegau* yn Llanfocha, Sir Fynwy a
Baddege (gynt *Peddegau*) ym Mrycheiniog. Gelwid
Henllan Amgoed yn Sir Gaerfyrddin felly am ei bod yn
hen gwmwd *Amgoed*. I Ddewi y cyflwynwyd hi a gwelir
weithiau y ffurf *Llanddewi Henllan*. Hen enw eglwys
Heyop yn Sir Faesyfed oedd *Llanddewi-yn-Heiob,* lle y mae
Heyop yn air Saesneg am 'cwm dwfn'. Ffurf lawn eglwys
Maesmynys ym Mrycheiniog yw *Llanddewi Maesmynys*.

Digwyddodd cyfnewidiad diddorol iawn yn enw eglwys
a mynachlog *Llanddewi Nant Hoddni* ym Mynwy.

Gwelsom eisoes fod *llan* yn disodli *nant* weithiau, a digwyddodd hyn yn bur gynnar yn achos yr enw hwn. Wrth sôn am y llecyn yn 1191 enw Gerallt Gymro arno yw *Lanthotheni*, ond ychwanega mai'r ffurf gywir yw *Nant-hotheni*. *Llantoni* yw'r ffurf dderbyniol bellach. Yn *Aberhonddu* gwelir bod *Hoddni* wedi mynd yn *Honddi*. Yr un elfen *hawdd* sydd yn enwau'r nentydd ac afonydd *Hoddnant* a *Honddan*, sef 'rhwydd, tawel, digyffro', ond ei bod weithiau'n cael ei defnyddio ag ystyr goeglyd yn achos afon wyllt, frochus. Rhaid fod *Llanddewi'r-crwys* yn Sir Gaerfyrddin yn cyfeirio at yr hen air *crwys* 'croesau'. *Llan-crwys* ydyw bellach. *Cwm Dihonwy* yw'r cwm yn *Llanddewi'r-cwm*, Brycheiniog, a Dihonwy yn ymuno â Gwy yn nes i lawr na Llanfair-ym-Muallt.

Yn *Much Dewchurch* yn Swydd Henffordd, 'mawr' yw ystyr 'much'. Yr hen enw Cymraeg ar yr eglwys oedd *Llanddewi Rhos Ceirion*. Mae'n debyg mai enw personol yw *Ceirion* yma (ffurfiad ar *Câr*), a gwelir ef hefyd yn ei ffurf dreigledig yn *Llyn Geirionnydd*, Sir Gaernarfon. Enw rhyw noddwr neu bennaeth lleol sydd yn *Llanddewi Rhydderch*, Sir Fynwy. Enw Saesneg sydd ar blwyf *Whitton* yn Sir Faesyfed, sef naill ai 'fferm Hwita' neu 'fferm wen'. Enw'r eglwys, fodd bynnag, oedd Llanddewi, ac yn llawn, *Llanddewi-yn-Hwytyn*.

Mynydd yw'r ail elfen yn *Llanddewi Ysgyryd* ger Y Fenni, ac y mae'r eglwys yn llechu yng nghysgod Ysgyryd Fawr. Rhoddir yr ystyr 'garw' i *ysgyryd*, ond tybed na ddylid cysylltu'r gair ag *ysgyrion* sef 'darnau, ysglodion'. Credaf mai'r un gair sydd yn *Yr Ysgwrn*, cartref Hedd Wyn. Y ffurf gynt oedd *Yr Ysgwr* (heb yr *n* ar y diwedd).

Yr eglwys olaf i Ddewi yr wyf am ymdrin â hi yw *Llanddewi Ystradenni* yn Nyffryn Ieithon yn Sir Faesyfed. *Llanddewi Ystrad Nynnid* oedd enw'r lle gynt, ac felly y cyfeirir ato gan Wynfardd Brycheiniog yn ei restr o enwau eglwysi Dewi. Fe dybiwyd bod *Nynnid* yma yn ffurf ar y Lladin *Nonnita*, a bod cysylltiad rhwng hyn ac enw *Non*, mam Dewi. Ond mae'n well gennyf awgrymu mai enw gŵr yw *Nynnid*, a'i fod yn enw Cymraeg cynhenid. Yr oedd yn enw digon cyffredin ar ŵr yn y Canol Oesoedd, a chymar iddo yw *Nynio*.

Digwydd *Nynnid* hefyd yn *Eglwys Nynnid*, hen gapel ger Margam, a *Hendrenynnid*, trefgordd ym mhlwyf Llansannan. Gwelaf y pâr *Nynnid* a *Nynio* yn cyfateb yn hollol o ran ffurf i bâr fel *Pebid* a *Peibio*. Nid wyf yn derbyn mai enw santes sydd yn *Eglwys Nynnid*, ond yn hytrach mai coffáu gŵr o'r enw *Nynnid* a wneir yno.

Cyflwynwyd dwy eglwys i sant â'r enw *Dingad*. Enw Cymraeg yw hwn o'r ddau air *din* 'caer' a *cad* 'cadernid mewn brwydr'. Yr oedd un Dingad yn fab i Frychan a'r llall yn fab Nudd Hael. Mab Brychan mae'n debyg a goffeir yn *Llandingad*, eglwys blwyf tref Llanymddyfri. Ni wyddys yn sicr pa Ddingad sydd yn *Llanddingad*, Sir Fynwy, neu *Merthyr Dingod* fel y'i gelwir weithiau. Ond cafodd hon enw Saesneg yn bur gynnar, a *Dingestow* yw'r enw a arferir bellach, sef *Dingad* a'r elfen Saesneg *stow* 'lle cysegredig' a ddefnyddir yn aml iawn yn gyfystyr â *llan* yn Gymraeg.

Meddwl am Bistyll Rhaeadr y byddwn yn enw *Llanrhaeadr-ym-Mochnant*, ond *Llanddoewan* oedd enw'r eglwys gynt, wedi ei chyflwyno i Ddoewan. Ymddengys yr enw yn amrywiad ar *Dwywan*, sef y gair *dwyw* 'duw'. Canodd Lewys Môn farwnad i Forus, Ficer Llanddoewan. Mae enw'r sant wedi goroesi yng *Nghwm Doefon* a *Ffynnon Ddoefon* yn y plwyf, ac y mae *mwyar Doewan* neu *fwyar Berwyn* yn enw ar fath arbennig o eirin.

Brenin o hiliogaeth Cunedda Wledig oedd Doged, ac iddo ef y cyflwynwyd *Llanddoged* ger Llanrwst. Byddai cyrchu mawr gan gleifion ar un adeg i Ffynnon Ddoged. Gwelsom eisoes fod Dogfael yn cael ei goffáu mewn un ffurf ar enw eglwys *Llandudoch* ger Aberteifi. Yr oedd *Llanddogfael* hefyd ym Môn ger Llanfechell, a cheir ffurfiau amrywiol ar yr enw, sef *Llanddogwel* a *Llanddygfael*. Ym Môn hefyd y mae *Llanddona*, eglwys a gyflwynwyd i fab Selyf ap Cynan, ac felly'n perthyn i linach frenhinol Powys. Perthyn yr enw i'r lliaws hen enwau sy'n diweddu yn -*a*, ac efallai mai'r enw *Dôn* sydd wrth ei wraidd. Cysylltid yr eglwys yn arbennig â hen drefgordd Crafgoed, ac y mae'n enghraifft dda o ddeuoliaeth enw eglwysig a lleyg.

Cafwyd cyfle i sôn am eglwys *Llanddowror*, Sir Gaerfyrddin wrth drafod eglwysi Teilo ac fe nodwyd y pryd hynny mai enw llawn yr eglwys oedd *Llandeilo Llanddyfrwyr*. Enwau afonydd a welir yn *Llanddulas*, Dinbych a Brycheiniog, sef y lliw du a'r gair glas a arferir weithiau am afonig — yr un gair â *Dubglas* mewn Gwyddeleg, sef *Douglas*. Cyflwynwyd Llanddulas, Dinbych i sant o'r enw *Cynbryd* (Llangynbryd). I Ddewi y cyflwynwyd *Llanddulas*, Brycheiniog.

Dunwyd oedd biau *Llanddunwyd* ger y Bont-faen, Morgannwg. Ei enw Saesneg bellach yw *Welsh St. Donats*. Enw Cymraeg yr eglwys arall yw *Sain Dunwyd* ger Llanilltud Fawr, sef *St. Donat's*. Mae dwy eglwys *Llanddwy*, sef *llan* a *dwyw* 'duw', cymharer *Llan-ddew* uchod. *Llanddwy* oedd hen enw eglwys Llandrindod. Yr oedd *Llanddwy* arall ym mhlwyf Llanfihangel-y-Creuddyn, Ceredigion. Mae eglwys *Llanddwyn* neu *Landdwynwen* ym Môn yn adnabyddus iawn. Tybid bod Dwynwen (mae'r elfen *dwyn* yn digwydd mewn gair fel *addwyn* 'hardd, dymunol') yn nawddsant cariadon, a byddid yn pererindota at Ffynnon Ddwynwen. Ar Ionawr 25 yr oedd ei gŵyl, a daeth yr eglwys yn bur gyfoethog gynt gan faint y rhoddion gan ymwelwyr. Mae'r gwynt a'r tywod erbyn hyn wedi difrodi'r hen eglwys, ond pe dymunech fod yn ffansïol gallech dybio mai Dwynwen

o hyd sydd yn estyn adenydd gwarcheidiol dros forwyr
o oleudy Llanddwyn.

Ffurf gywir *Llanddwywe* yn Sir Feirionnydd yw
Llanddwywai. Enw sant sydd yma, sef *Dwywai*, hynny yw
dwyw 'duw' a'r terfyniad *-ai*, fel y cawn enwau megis
Clydai, Pabai ac yn y blaen. *Dyfnan* yw nawddsant
Llanddyfnan, Môn. Tebycach mai'r hen air *dwfn* 'byd'
sydd yma yn yr enw yn hytrach na'r ansoddair. Gwelir
ef hefyd yn *Annwfn* neu *Annwn*. Enw disgrifiadol sydd
yn *Llanrhaeadr-yng-Nghinmeirch* ond *Llanddyfnog* oedd
enw gwreiddiol yr eglwys. Gellir cymharu *Dyfnog* â
Dyfnan uchod. Soniwyd o'r blaen am *Landdowror*. Yr
oedd gynt hefyd eglwys *Llanddyfrwyr* yn *Edeligion*, ym
mhlwyf Llangybi Fawr, Sir Fynwy.

Er mai *Llanedern* yw ffurf hynaf enw'r eglwys ger
Caerdydd, fe geir hefyd *Llanedarn* a *Llanedeyrn*. Gall
Llanedarn fod yn amrywiad tafodieithol, ac yn achos
Llanedeyrn gellid cynnig naill ai ymdrech i gysylltu'r enw
adnabyddus *Edern* â'r gair cyffredin *teyrn* (fel y gwnaed
yn *Edeyrnion* yn lle *Edeirnion*), neu gymysgu ag enw arall,
sef *Eudeyrn*. Enw Lladin yw *Edern*, yn tarddu oddi wrth
y gair Lladin *eternus*. Yr enw personol yn unig sydd wedi
aros yn *Edern*, Llŷn, ond mae enghreifftiau o *Lanedern*
yno. Yr un enw sydd ym *Modedern*, Môn.

Ni wyddys dim am y sant a goffeir yn *Llanedi* ger
Pontarddulais. Prin y gellir derbyn y traddodiad mai
enw'r santes Saesneg *Edith* sydd yma. Mae'r un peth yn
wir am *Lanedren* ym Mhenbeidiog, Sir Benfro. Mae'n
bosibl bod atgof am yr enw yn y ffurf *Carnhedryn* neu
Carnedren ym mhlwyf Tyddewi, enw trefgordd gynt. *St.
Edrens* yw'r eglwys yn Saesneg. Dirgelwch hefyd sydd yn
enw *Llanedwen* ar lannau Menai. O ran ffurf gallai *Edwen*
darddu oddi wrth yr un *ed-* ag yn *Edi* a'r ansoddair *gwen*.
Ond cymylir y dystiolaeth gan ffurfiau fel *Llanedwyn*, a
gall hyn fod yn ymgais i gysoni'r enw â'r traddodiad fod

Edwen yn nith neu'n ferch i Edwin, brenin Northumbria yn y seithfed ganrif. Ond pur ddi-sail yw hyn oll, ac unwaith eto rhaid cyfaddef nad yw'r wybodaeth gennym.

Yr ydym ar dir sicrach yn achos y ddwy eglwys *Llanefrddyl.* Mam Dyfrig oedd Efrddyl, a chanddi gysylltiadau arbennig ag Erging yn Henffordd ac â Gwent. Mae'r enw *Llanefrddyl* yn Henffordd wedi llwyr ddiflannu ers canrifoedd, ond mae'n debyg mai *Madley* sy'n cynrychioli'r llecyn bellach. Ym mhlwyf Llandenni ger Rhaglan yr oedd yr eglwys arall, a *Llanerthyl* yw'r ffurf yno er yr unfed ganrif ar bymtheg.

Y ffurf *Llanefydd* a gymeradwyir bellach ar gyfer yr eglwys honno yn Is Aled, Sir Ddinbych. Ond bu cryn ddryswch ar yr enw, a llawer o ddyfalu. Credid ar un adeg mai *Llannefydd* oedd yn gywir, o feddwl am enw adnabyddus *Nefydd.* Ceir rhai enghreifftiau o *Lan-y-ffydd,* ond yr hyn a welir ran amlaf yw *Llanufudd.* Gan mai hyn yw'r ynganiad lleol hefyd, tybed na ddylem dderbyn yr enw *Ufudd* yn enw ar y sant — byddai'n addas iawn i ŵr felly.

Ceir problem hefyd gyda'r enw yn *Llanegryn,* Meirionnydd. Mae mwy nag un enw yn dechrau â'r elfen *e-* neu *eg-.* Mewn gair fel *egwan* mae'n amlwg fod y rhagddodiad yn cadarnhau ac yn cryfhau'r ystyr sydd yn y gair syml *gwan.* Ai hyn sydd mewn enwau personol megis *Egryn* ac *Egwad* ac *Egwystl?* Yn achos *Egryn* rhaid petruso rhwng ffurfiau fel *gryn* 'gwthio', *rhyn* 'syth', *rhyn* 'garw' a'r *rhyn* 'bryn' a welir mewn gair fel *penrhyn.* Ai'r gair *gwad* 'gwadu' sydd yn yr enw *Egwad (Llanegwad)?* Cyflwynwyd dwy eglwys iddo yn Sir Gaerfyrddin. Y naill yw *Llanegwad Fawr* ar lawr Dyffryn Tywi, a'r llall yw *Llanegwad Fynydd* yn ucheldir yr un cwmwd, sef Cetheiniog. Mae hon wedi newid er y bedwaredd ganrif ar ddeg yn *Llanfynydd.*

Ym mhlwyf Llandysilio-yn-Iâl y mae *Llanegwystl,* sy'n

cynnwys yr enw personol *Egwystl*, ffurf ar y gair 'gwystl'. Yr un elfen, fel y gwyddoch, a geir yn *Arwystl* a *Thangwystl*. Dyma hen enw Cymraeg yr abaty enwog a sefydlwyd tua 1200. Mewn cyfnod diweddarach gelwid hi *Llanegwest*. Yr enw Lladin oedd *abbatia de Valle Crucis*, a hyn sydd yn yr enw arall, sef Glyn-y-groes. Nid ydys yn sicr ai at Biler Elisedd y mae'r gair 'croes' yn cyfeirio: hyd y gwyddom ni bu'r piler erioed ar ffurf croes.

Gorwyr i Gunedda Wledig oedd Einion Frenin a reolai yn Llŷn. Dywedir mai ef a sylfaenodd fynachlog Penmon a rhoi ei frawd Seiriol yn bennaeth arni. Amrywiad ar ei enw yw *Engan*, ac iddo ef y cyflwynwyd *Llanengan* yn Llŷn.

Llaneilfyw yw enw Cymraeg *St. Elvis* yn Sir Benfro. Cysylltir ef gan haneswyr yr Eglwys â'r sant Gwyddelig *Ailbe* a dreuliodd beth o'i amser ym Mhrydain. Ond mae'n bosibl bod y ddau sant wedi eu cymysgu gan debyced eu henwau. Ni wyddys faint y gellir dibynnu ar y traddodiad fod mam Eilfyw yn chwaer i Non, mam Dewi. Mae'r enw Cymraeg *Eifyw* neu *Eilfyw* yn debyg i enwau eraill sy'n cynnwys *byw*, megis *Sadyrnfyw*, *Haearnfyw* ac yn y blaen.

Cyflwynwyd dwy eglwys i Eilian, y naill yn Nhwrcelyn, Môn, a'r llall yn Uwch Dulas yn Sir Ddinbych. Yr oedd Eilian yn ddyledus iawn i Gadwallon Lawhir, brenin Gwynedd, a chafodd lawer o dir ganddo. Yr oedd Eilian a'i eglwys yn boblogaidd iawn ym Môn, a Ffynnon Eilian yn tynnu lluoedd yn nyddiau ei bri. Cedwir ei enw hefyd ym *Mhorth Eilian* a *Thrwyn Eilian* (Lynas Point bondigrybwyll y mapiau). Yr oedd Ffynnon Eilian hefyd yn gysylltiedig ag Eglwys Llaneilian yn Sir Ddinbych, ond bod hon yn ffynnon felltithio, hynny yw, defnyddid hi i geisio gwneud drwg i rywun arall.

Llan(e)irwg yw ffurf arferol yr eglwys yn Sir Fynwy a elwir hefyd yn *St. Mellons*. Ni wyddys beth yw sail y ffurf

Llanfileirwg a droes yn *Llanlirwg* ac yna *Llaneirwg*. Iolo Morganwg biau'r syniad mai Lleurwg oedd enw'r sant, a'i fod yn cyfateb i'r Lucius hwnnw a geir yn y traddodiad Cymraeg dan yr enw Lles fab Coel. Sant estron a goffeir yn enw *St. Mellons*. Ni ellir cynnig dim o werth ar enw *Llanelau* ym Mrycheiniog, ond bod rhyw awgrym mai *Gelau* yw'r ail elfen. Ni wyddys dim chwaith am *Elidan* yn *Llanelidan*, Dyffryn Clwyd.

Llanelwedd yw ffurf enw'r eglwys sydd am y ffin â Llanfair-ym-Muallt. Ond os merch Brychan yw'r santes a goffeir yn yr eglwys hon rhaid ymwrthod â'r ffurf *elwedd* a derbyn *Eiliwedd*. Ymddengys hyn fel cyfuniad o *eiliw* 'wyneb' a *gwedd* 'pryd', dau air yn golygu bron yr un peth. Trafodwyd *Llanelwy* eisoes wrth sôn am *Langyndeyrn* a *Llanasa*. Mae dwy eglwys yn gysegredig i Elli, sef *Llanelli* yn Sir Gaerfyrddin a Brycheiniog. Yn ôl traddodiad yr oedd Elli yn ddisgybl i Gadog.

Mae'n debyg mai'r un elfen *Dwyn* ag yn yr enw *Dwynwen* sydd yn *Llanenddwyn*, Sir Feirionnydd. Ffynnon iachusol oedd Ffynnon Enddwyn, a llenwid hi â ffyn baglau a phinnau yn arwydd o'i henwogrwydd a'i heffeithiolrwydd. Hen enw capel Pen-clawdd yng Ngŵyr oedd *Llanenewyr*. Fel y gellid disgwyl, parodd yr enw anghyffredin hwn lawer o gur pen i gofnodwyr yr Eglwys, ac un ffurf weddol ddiweddar yw *Llanyrnewydd*. Ond erbyn hyn mae'n weddol amlwg fod yr enw hwn yn perthyn i'r dosbarth o enwau yn cynnwys -*yr*, -*er* (megis *Meilyr*, *Tudur* etc), terfyniad sydd yn cynnwys ffurf ar y gair *rhi* 'brenin'. Mae *anaw* yn golygu 'cyfoeth' a byddai'r enw *Enewyr* yn golygu rhywbeth fel 'brenin cyfoethog'.

Mae enw eglwys *Llanerfyl* yn Sir Drefaldwyn wedi aros bron yn ddigyfnewid ar hyd y canrifoedd, ond anodd yw bod yn bendant ar enw'r santes. Mae'n demtasiwn gweld yr enw *Gwerful*, ond gan nad oes dim tystiolaeth sicr, gwell peidio â dyfalu. Amrywiadau yw *Eurfyl* ac *Urfyl*.

Capel oedd *Llaneuddog* ym mhlwyf Llanwenllwyfo, Môn. Ar un adeg sonnid am '*Laneuddog, alias Tir Hywel ap Dafydd ap Llywelyn*'. Nid oes gwybodaeth am y sant ei hun, ond mae ffurf ei enw yn weddol hawdd ei dadelfennu. Y rhagddodiad *eu-* sydd yma, megis yn *Eudaf* ac *Eugrad*, a'r un *dog* ag sydd yn *Doged* ac *Euddogwy* (trafodwyd y rhain eisoes dan Landdoged a Llandogo). Cysegrwyd eglwys fechan *Llaneugrad*, Môn, i Eugrad. Dyma'r rhagddodiad *eu-* eto, gydag elfen anodd, *crad*.

Yr oedd y santes Eurgain yn aelod o deulu brenhinol Gwynedd. Yn ôl yr achau, merch oedd hi i Faelgwn Gwynedd, a'i gŵr oedd Elidir Mwynfawr a laddwyd ger Caernarfon. Iddi hi y cyflwynwyd *Llaneurgain* yn Sir y Fflint. Nid yw'r ffurf Saesneg *Northop* yn golygu mwy na'r 'cwm gogleddol', hynny yw i'r gogledd o safbwynt Yr Wyddgrug a'r Hob (Hope).

Beth bynnag yw tarddiad *Llanfable* yn Sir Fynwy, gellir bod yn weddol hyderus nad oes a fynno â'r enw personol *Mabli*. Ffurf ar y Saesneg *Mabel* yw hwn. Hen, hen enw yw *Mabon* yn *Llanfabon*, Morgannwg. Yr oedd *Maponos* yn dduw yn yr hen Âl ac ym Mhrydain Rufeinig, ac yr oedd yr enw yn bur gyffredin yng Nghymru gynt. Dyna sydd wrth wraidd *Rhiwabon*, gynt Rhiwfabon. Ac yr oedd *Maenor Fabon* yn Llandeilo Fawr — erbyn hyn *Manorafon*.

Iolo Morganwg sy'n gyfrifol am greu'r ffurf *Llanfabon-y-Fro* am *Silstwn* neu *Gileston*. Rhaid mai ffurf fenywaidd ar y gair *mach*, 'gwarant, sicrwydd' yw *maches* (a *machwys* o bosibl) yn *Llanfaches*, Sir Fynwy. Mae'n weddol glir hefyd mai cyfuniad o'r ddau air cyfreithiol *mach* a *rhaith* sydd yn enw'r sant *Machraith* yn *Llanfachraith*, Meirionnydd a Môn. Gellir derbyn *Llanfachreth* fel ffurf dafodieithol, ond rhaid ymwrthod yn llwyr â ffurf gwbl anghywir megis *Llanfachraeth*.

Yr enw *Madog* a welir yn *Llanfadog* neu *Gapel Madog*

yn Llansanffraid Cwmteuddwr. Rhaid fod yr *m* yn
Llanmadog, Gŵyr, wedi ymgaregu ar wefusau'r Saeson,
ac na chafodd y ffurf Gymraeg *Llanfadog* gyfle i ddatblygu
yn naturiol. Y gair *mael* 'tywysog' sydd yn yr enw *Maelog*
yn *Llanfaelog*, Môn. Gyda'r rhagddodiad parch *ty-* fe geir
Llandyfaelog, fel y gwelsom uchod. Mae *Mael* yn digwydd
eto mewn cyfuniad â *rhys* 'gwron, arwr' yn yr enw
Maelrhys yn *Llanfaelrhys*, eglwys sydd bellach ym mhlwyf
Aberdaron. Yn y ddwy *Lan-faes* ym Môn a Brycheiniog,
a *Llan-maes* ym Morgannwg, gwelir pwysleisio lleoliad
yr eglwys yn y maes agored. Yn wir yn Sir Fôn ceir y
gwrthgyferbyniad *Llangoed* ger *Llan-faes*.

Enw go anghyffredin yw *Maethlu* yn *Llanfaethlu*, Môn.
Maeth a *llu* yw hwn, mae'n rhaid, 'gŵr sy'n faeth neu'n
atgyfnerthiad i lawer'. Enw wedi ei seilio ar *bagl* yw
Baglan, sef 'ffon fechan'. Yr enw personol yn unig a erys
yn *Baglan*, Morgannwg, a cheir *Llanfaglan* ger Caernarfon
— ond nid yr un gŵr. Dechreuwyd tybio ar gam mai
Magdalen oedd enw'r sant yn Sir Gaernarfon, a cheir
ffurfiau fel *Llanfagdalen* o'r ddeunawfed ganrif. Nid oes
raid pwysleisio, gobeithio, mai enw ffug hollol yw hwn.

Bydd yn rhaid inni ddechrau yn awr ar gyfres hir o
eglwysi a gyflwynwyd i Fair Forwyn, ac fel y digwyddodd
gyda'r enwau *Teilo* a *Dewi* a *Phedr* fe gawn fod enwau
ychwanegol yn angenrheidiol er mwyn gwahaniaethu
rhyngddynt. Cymerer *Clifford* yn Swydd Henffordd, er
enghraifft. Erys yr enw Llanfair gerllaw'r pentref, ond yr
wyf wedi gweld ffurf yn yr ail ganrif ar bymtheg, sef
Clifford alias Llanvayre y Bryn. Llanfair-yn-Ardudwy oedd
hen enw llawn yr eglwys yn Sir Feirionnydd, ond
daethpwyd i ddefnyddio'r ffurf glunherciog *Llanfair-juxta-
Harlech* o gyfnod y Tuduriaid ymlaen mewn cofnodion
swyddogol. Mae *Llanfair-ar-y-bryn* ger Llanymddyfri yn
adnabyddus i bawb, am reswm nad oes raid ei nodi.
Enw'r cantref a geir yn *Llanfair Caereinion*. Enwau hen

drefgorddau mae'n debyg, sy'n gwahaniaethu *Llanfair Cilcoed* ym mhlwyf Llandeilo Gresynni, a *Llanfair Cilgedin* ym mhlwyf Llanofer, y ddwy eglwys yn Sir Fynwy. Yn *Llanfair Clydogau* gwelir enw'r ddwy nant *Clywedog*, gair reit addas i ddŵr synfawr y gellir ei glywed yn hawdd.

Yn *Llanfair Disgoed* neu *Isgoed* (cyfeiriad at leoliad yr eglwys yng Ngwent Is Coed), gwelir yr hen ffurf *dis* wedi goroesi yn rhyfedd iawn. Mae *Llanfair Dyffryn Clwyd* yn ei esbonio ei hun. Cyflwynwyd eglwys Cerrigydrudion i Ieuan Was Padrig a Mair Fagdalen, a chyfeirir ati weithiau fel *Llanfair Fadlen*.

Llanfair yn unig oedd *Llanfairfechan* ar y dechrau, ond bu'n rhaid ychwanegu'r ansoddair gan fod *Llanfair* arall yng Nghonwy. Yr oedd *Llanfair Feibion Owen* gynt ym mhlwyf Llanfihangel Troddi, Mynwy. Mae'n debyg fod yr eglwys dan nawdd meibion Owen, pwy bynnag oeddynt. Un o'r enwau mwyaf diddorol yn y gyfres eglwysi a gyflwynwyd i Fair yw *Llanfair Garth Branan*, yr enw ar yr hen gapel ym Mangor y darganfuwyd ei olion ar diroedd y Brifysgol. Ymddengys felly mai *Garth Branan* oedd enw llawn y *Garth* presennol. Enw trefgordd fawr *Mathafarn Eithaf* sydd yn nodweddu *Llanfair*, Bro Goronwy. Gwelsom mai'r drefgordd arall *Mathafarn Wion* a oedd yn gyfystyr â Llanbedr-goch.

Enwau nentydd sydd yn *Llanfair Nant-gwyn* a *Llanfair Nant-y-gof* yn Sir Benfro. Gorllwyn sydd yn *Llanfairorllwyn*, Ceredigion. Ond ni all rhai pobl adael llonydd i enw, a dyna paham y gwelir ffurfiau fel *Llanfair o'r Llwyn* weithiau. Aeth gohebydd Edward Lhuyd yn 1700 mor bell â galw'r eglwys yn *Llanfair ar y llyn*, 'so call'd because of a great pond neer the church'. Cyfunwyd *Llanfair* â hen enw *Prysgoel* yn enw hen gapel *Llanfairprysgoel* yn Llanrug. *Prys* 'llwyn' a'r enw personol *Coel* sydd yma, gellid tybio.

Un o'r llannau mwyaf adnabyddus yw *Llanfair*

Pwllgwyngyll. Trefgordd oedd *Pwllgwyngyll* yn nghwmwd Dindaethwy, a chyfeiria'r enw at bwll yn Afon Menai. Nid ymddengys yr enw llawn *Llanfair Pwllgwyngyll* tan gyfnod y Tuduriaid, ac fel y gwyddom oll, creadigaeth y ganrif ddiwethaf yw hylltra anoddefadwy y rhibidires hir yr ydym mor gyfarwydd â hi. Ar yr un pryd rhaid cyfaddef mai dyma un o'r castiau mwyaf llwyddiannus a chwaraewyd erioed â theithwyr hygoelus. Y trueni mwyaf yw bod y Cymry eu hunain yn tueddu i dderbyn y peth yn efengyl.

Hen enw Rhydlanfair ym mhlwyf Llanrwst oedd *Llanfair Rhyd Castell*. Felly yr oedd yn y flwyddyn 1274 beth bynnag. Er mai *Llanfair Talhaearn* yw ffurf arferol yr eglwys honno yn Sir Ddinbych, diau gennyf y byddai *Llanfair Dalhaearn* yn gywirach ffurf. Nid yw'n debyg mai sant yw Talhaearn yn y cyswllt yma, ond yn hytrach rhyw bennaeth lleol oedd yn nawddogi'r eglwys — enw tebyg i *Landdewi Rhydderch* yn Sir Fynwy, dyweder.

Credaf y byddai'n deg awgrymu mai enw'r un *Talhaearn* sydd yn *Llech Talhaearn*, hen enw'r drefgordd ym mhlwyf Llansannan a elwid yn ddiweddarach *Treflech*. Fe fu'r hynafiaethwyr wrthi'n ceisio esbonio enw'r eglwys gan ddal ar y ffurf *Llanfair Dalhaearn* a'i throi'n *Llanfair Dôl Haearn*.

Mae *Llanfair Trelygen* ym mhlwyf Llandyfriog yn cyfeirio at drefgordd *Tref Helygen*, lle y mae *Helygen* yn enw personol — fel y mae yn *Llanfihangel Helygen* yn Sir Faesyfed. Enw cymysg yw *Llanfair Waterdine* yn Swydd Amwythig. 'Dyfroedd yr afon Teme' yw ystyr yr ail elfen. Eglwys blwyf Y Drenewydd yn Sir Drefaldwyn yw *Llanfair*. Ei henw llawn yw *Llanfair-yng-Nghedewain*. Yn y bedwaredd ganrif ar ddeg fe ddigwydd y cofnod *'Drenewyth alias Llanvair in Kedewen'*. Mae *Cornwy* yn *Llanfair-yng-Nghornwy* yn ymddangos fel hen enw

llwythol. Ai *Cornwy* oedd hen enw yr ardal yma yng nghwr
gogledd-orllewinol Môn?

Enw cantref, fel y gŵyr pawb, mae'n debyg, sydd yn
Llanfair-ym-Muallt, Brycheiniog. Llygriad ar *Buallt* yw
Builth, ac ychwanegwyd *Wells* ato yn nyddiau bri y
ffynhonnau iachusol, fel y sonnid am Langamarch a
Llanwrtyd Wells. Trefgordd oedd Deubwll yn *Llanfair-
yn-neubwll*, Môn, a chyfeiriad, mae'n debyg at Lyn
Dinam a Llyn Penrhyn. Eglwys arall heb fod ymhell yw
Llanfair-yn-y-cwmwd. Mae'r enw hwn yn mynd yn ôl at
yr hen drefniadaeth eglwysig. Yr oedd deoniaeth wledig
Aberffro yn cynnwys cantref Aberffro a chwmwd Menai.
Yng nghantref Aberffro yr oedd Llanfair-yn-neubwll, ond
yr oedd y Llanfair arall yng nghwmwd Menai, felly ceid
Llanfair-yn-y-cwmwd.

Ni wyddys dim am y sant y mae ei enw i'w weld yn
Llanfallteg neu *Henllanfallteg* yn Sir Gaerfyrddin, am y ffin
â Sir Benfro, ac nid hawdd penderfynu ai *Ballteg* ai *Mallteg*
oedd yr enw gwreiddiol. Enw hen eglwys blwyf Dinbych
oedd *Llanfarchell*. Dywedir mai santes oedd *Marchell*, ond
nid oes sicrwydd am hyn, gan y gallai *Marchell* fod yn
enw gŵr hefyd. Enwau eraill ar yr eglwys yw'r *Eglwys Wen*
neu *Whitchurch*. Cyflwynwyd o leiaf bedair eglwys i'r sant
estron Martin. Y mae *Llanfarthin* ym mhlwyf Abergwaun,
a *Llanfarthin* (neu *Lanmartin*) yn Sir Fynwy. Y tu allan
i Gymru ceir *Llanfarthin* (neu *St. Martins*) yn Swydd
Amwythig, ger y Waun. Hen ffurf *Marstow* yn Swydd
Henffordd oedd *Martinstow*, a'r hen ffurf Gymraeg oedd
Llanfartin.

Fel y gellid disgwyl, ychwanegid *mawr* at fwy nag un
llan, ond y ddwy *Lanfawr* enwocaf oedd *Llanfor* ym
Mhenllyn a *Llannor* yn Llŷn. Yr oedd hefyd fwy nag un
Llanfechan, ond ni raid aros gyda'r rhain. Peidier â
chymysgu'r enwau hyn â *Llanfechain* yn Sir Drefaldwyn,
sef ffurf amrywiol ar *Lanarmon-ym-Mechain*.

Digwyddodd peth digon od gydag enw eglwys
Llanfechell ym Môn. Mae'n amhosibl esbonio'r enw
Mechell fel y mae, ond gellir datrys y broblem o wybod
mai *Llanfechyll* oedd yr enw hyd y bymthegfed ganrif. Mae
Mechyll yn ffurf ar y gair *mach* a gawsom eisoes yn
Llanfachraith, a'r terfyniad -*yll* wedi newid y llafariad
flaenorol. Yr hyn a ddigwyddodd, mae'n debyg, oedd bod
rhyw hynafiaethydd (o bosibl y person) wedi cymryd yn
ei ben mae *Mechell* oedd enw'r sant, ac wedi newid enw'r
eglwys i gyfateb.

Mae *Llanfedw* bellach yn blwyf ym Morgannwg, ond
yr oedd gynt yn rhan o blwyf eglwysig *Llanfihangel-y-fedw*
dros y ffin ym Mynwy. Gwnaed ymdrech i weld sant o'r
enw *Medwy*, ond nid oes rhithyn o dystiolaeth i hyn.
Enw'r goeden fedw sydd yma. Yr oedd *Llanfeiglo* ym
mhlwyf Llanfyllin, ac y mae hwn yn gorffwys ar yr enw
Beiglo neu *Beiglio*, sef 'bagl, ffon' a'r terfyniad -*io*. Fe
gofiwch am yr enw Baglan a gawsom uchod. Mae'r enw
Llanfeilig wedi hen ddiflannu, ond digwyddai gynt yn
eglwys *Llanfeilig a Llywes* yn Sir Faesyfed. Ffurf ar y gair
mael 'tywysog' yw *Meilig* fel y mae *Maelog*. *Llywes* yn unig
a geir bellach, sef enw sant ar ei ben ei hun. Sail yr enw
hwn yw'r gair *llyw* a welir yn *llywydd* a *llywio*. 'Does dim
rhaid tybio mai terfyniad benywaidd yw -*es*. Hen gapel
ym mhlwyf Llangadwaladr, Môn, yw *Llanfeirian*. Ffurf
a ddechreuodd yng nghyfnod y Tuduriaid yw hon, ond
Llanfeirion oedd hi gynt, a dengys hyn mai *Meirion* a
goffeir. Enw arall ar yr eglwys oedd *Merthyr Meirion*.

Trefgordd ym mhlwyf Llangelynnin, Meirionnydd, yw
Llanfendigaid — ac enw digon hynafol gan ei fod yn
digwydd mor bell yn ôl â 1326. Mae'r enw yn ei esbonio
ei hun, ond ni wyddys pam yr oedd yn rhaid galw'r eglwys
yn fendigedig. Yr oedd *Llanfenechi* gynt ger Llandaf, sef
'eglwys neu gapel ar dir y mynaich'. *Llanferres* yw enw'r
eglwys yn Sir Ddinbych ers canrifoedd bellach, ond y ffurf

ar y cyntaf oedd *Llanferreis*. Yr esboniad gorau ar yr enw *Berreis* yw'r gair *bar* 'pen, copa', megis yn Berwyn.

Sant go helaeth ei ddylanwad a barnu wrth nifer yr eglwysi a gyflwynwyd iddo oedd *Meugan*. Yr oedd *Capel Meugan* yn Llandegfan, Môn, a *Llanfeugan* yn ffurf amrywiol ar *Lan-rhudd* yn Nyffryn Clwyd. Ym Mrycheiniog aeth *Llanfeugan* yn *Llanfigan*. Ond Sir Benfro oedd canolfan ei weithgarwch, ac yng Nghemais yng ngogledd y sir yn arbennig. Yr oedd *Capel Meugan* ym mhlwyf Bridell a *Llanfeugan* oedd yr enw arall arno. Gwelir yn glir mai *Meugan* oedd ei enw gan rai ffurfiau fel hon yn 1726, *Pistill Moygan neu Lanvoigan*. Mae'r amrywiad *eu, ou* yn arweiniad clir yma.

Er cymaint oedd bri Beuno, ychydig o lannau a enwyd er parch iddo. Un o'r rhain yw *Llanfeuno* yn Swydd Henffordd. Mae enw *Llanfeuthin* ym mhlwyf Llancarfan yn codi rhai problemau digon anodd. Mae peth tystiolaeth gynnar yn awgrymu mai *nant* oedd yma yn wreiddiol, a disodli hynny gan *llan*. Tybir hefyd fod enw'r sant *Meuthin* neu *Meuthi* yn amrywiad ar yr enw arall *Tathan*, gyda'r chwarae ar ragddodiaid parch sydd mor gyffredin yn yr hen gyfnod.

Llanfigel yw'r ffurf arferedig bellach ar hen eglwys ym mhlwyf Llanfachreth ym Môn. Ond nid oes amheuaeth nad *Llanfugail* oedd y ffurf wreiddiol. (Am -*ug*- yn troi'n -*ig*- yn Sir Fôn, cymharer *Llugwy* yn troi'n *Lligwy*). Rhaid mai'r enw cyffredin *bugail* yw hwn yn cael ei ddefnyddio fel enw sant (nid yn anaddas). Yr oedd gynt eglwys *Merthyr Bugail* ym Morgannwg. Ai ffurf ar yr enw hwn hefyd yw *Llanfigelydd* yn nghwmwd Afan?

Erbyn hyn yr ydym wedi cyrraedd rhestr hir arall o lannau, sef y rhai a gyflwynwyd i Fihangel, sant estron a ddaeth yn hynod boblogaidd yng Nghymru. Yr oedd *Llanfihangel* yng Nghydweli, ac un arall yn Sir Fynwy, ond mai *Llanfihangel Fawr* yw enw llawn honno. O hyn

ymlaen cawn weld sut y bu'n rhaid ychwanegu enw arall
at *Llanfihangel* er mwyn osgoi amwysedd. Yn Sir
Gaerfyrddin y mae *Llanfihangel Aberbythych* a *Llanfihangel
Abercywyn*, ill dwy'n defnyddio enw afon, ac felly hefyd
Llanfihangel Abergwesyn ym Mrycheiniog. *Llanfihangel-
ar-Elái* yw enw Cymraeg *Michaelston-super-Ely*.
Anwybyddwn y ffurf grach *super*!

Enw trefgordd yw ail elfen *Llanfihangel Bachellaeth* yn
Llŷn. Ffurfiad o'r gair *bachell* 'cilfach' yw hwn. Ffurf
amrywiol ar eglwys Betws Bledrws yng Ngheredigion
oedd *Llanfihangel-y-betws* ond nis defnyddid yn aml. Yn
Llanfihangel Brynpabuan ym Mrycheiniog, diau mai
ffenomen naturiol oedd yr ail elfen, gyda'r enw personol
Pabuan, pwy bynnag oedd hwnnw. Hen enw ar Eglwys-
fach yw *Llanfihangel Capel Edwin*. Yr oedd yn gapel gynt
yn nhrefgordd Ysgubor-y-coed ym mhlwyf Llanfihangel
Genau'r-glyn. Ac o sôn am yr enw olaf hwn yr oedd
ganddo yntau hen ffurf, sef *Llanfihangel Castell Gwallter*.
Walter de Bec yw'r Gwallter hwn, sef un o ddilynwyr
Gilbert Fitzrichard, Norman a gymerodd afael ar
Geredigion yn y flwyddyn 1110. Mae'n debyg mai Castell
cantref Penweddig oedd Castell Gwallter. O'r unfed
ganrif ar bymtheg ymlaen dechreuwyd defnyddio'r enw
Llanfihangel Genau'r-glyn, o enw'r cwmwd yng nghantref
Penweddig.

Enw llawn eglwys Cathedin ym Mrycheiniog oedd
Llanfihangel Cathedin. Felly hefyd gyda Chefn-llys yn Sir
Faesyfed: gynt *Llanfihangel Cefn-llys*. Cilfargen yn unig
oedd enw hen drefgordd ym mhlwyf Llangathen, ond
enw'r capel oedd *Llanfihangel Cilfargen*. Yn Henffordd
y mae Cil-llwch, sef *cil* a'r gair *llwch* 'llyn'. Yr eglwys oedd
Llanfihangel Cil-llwch gynt, ond rhannwyd y ddau enw
yn ddiweddarach, gan ddatblygu'n *Michaelchurch* ar y
naill law, a *Gillow* ar y llaw arall.

Plwyf arall sydd wedi colli enw'r eglwys yw Cil-y-cwm,

Sir Gaerfyrddin, gynt *Llanfihangel Cil-y-cwm*. *Crucornau Fawr* yw enw'r plwyf yn Sir Fynwy bellach. *Llanfihangel Crucornau*, sef *crug* a *cornau*. Ond yr oedd ffurf gyfochrog ar y drefgordd gynt, sef *Cilcornel*. Sut bynnag, credaf mai ffurf a gododd trwy amryfusedd yw hon, a pharhaodd y camsynied am rai canrifoedd. Ychwanegiad daearyddol sydd yn *Llanfihangel Cwm-du*, Brycheiniog, ond yma eto yr oedd enwau eraill gynt ar yr eglwys hon, sef *Llanfihangel Tref Geirio* (enw personol yn -*io* o'r enw *câr*), a *Llanfihangel Meibion Gradlon* (enghraifft arall o ddefnyddio *meibion* mewn cysylltiad ag eglwys. Ni wyddys dim am Gradlon.)

Llanfihangel Tormynydd yw enw arferol yr eglwys hon ym mhlwyf Devauden, Mynwy. Ei ffurf arall gynt oedd *Llanfihangel Cynan*. Trefgordd oedd Dinsylwy yng nghwmwd *Dindaethwy*, Môn. Mae ffurf fel *Sylwy* yn awgrymu'n gryf fod a wnelom ag enw llwythol, fel y mae Daethwy, wrth reswm. Caer y llwyth oedd *Dinsylwy* ac enw diweddar arni yw Bwrdd Arthur. Yn y cyfeiriad cynharaf at yr eglwys yn 1254 *Dinsylwy* yn unig a geir, ond *Llanfihangel Dinsylwy* a geir yn y canrifoedd wedyn. Esbonio anghywir sy'n gyfrifol am ffurfiau fel *Tynsilwy* trwy fod pobl yn tybio mai *tyn* oedd yr elfen gyntaf, nid *din*.

Mae enw dwbl ar eglwys *Llanfihangel Dyffryn Arwy* neu *Lanfihangel-y-Dyffryn*, sef cyfieithiad Saesneg, *Michaelchurch-on-Arrow*, yn Sir Faesyfed. Yr oedd gan *Lanfihangel Dyffryn Wysg* yn Sir Fynwy enw Cymraeg arall, sef *Llanygofion*. Yr enwau Lladin a Saesneg cyfatebol yw *Llanfihangel-juxta-Usk*, a *Llanfihangel-nigh-Usk*. Mae hen gapel ym mhlwyf Talyllychau a elwir *Llanfihangel*. Ei enw llawn gynt oedd *Llanfihangel Cefnrhos* (neu *Cenros*).

Mae ambell eglwys yn gyfoethog o wahanol enwau. Un felly yw *Llanfihangel-y-Creuddyn* a enwyd ar ôl y cwmwd.

Ond yr oedd ganddi hefyd ddau enw arall, *Llanfihangel Celli Moch* oddi wrth hen drefgordd yn y plwyf, a *Llanfihangel Gelynrod.* Mae enw dwbl hefyd gan *Lanfihangel Cilgoegan* a *Llanfihangel Pont-y-moel* yn Sir Fynwy. Ymddengys fod *Cilgoegan* yn gyfuniad o *cil* a *Coegan,* enw personol. Llysenw mae'n debyg yw'r *moel* yn *Pont-y-moel.* Enw dyn hefyd, gellid tybio yw *Myfyr* yn *Llanfihangel Glyn Myfyr,* Sir Ddinbych. Tybiaf mai'r enw hwn sydd wrth wraidd plas yn Sir Fôn, *Myfyrian* — *Myfyrion* gynt, 'tir Myfyr'. Ceir ambell enghraifft o gymysgu *glyn* a *llyn,* fel *Llanfihangel Llyn Myfyr.* *Llanfihangel-y-fedw* neu *Michaelston-y-fedw* yw enw arferol eglwys ar ffin Sir Fynwy a Morgannwg. Gan ei bod yn hen gantref *Gwynllŵg,* nid rhyfedd ei galw weithiau'n *Llanfihangel Gwynllŵg.*

Enw gŵr yw Helygen yn *Llanfihangel Helygen* ym Maesyfed, fel y gwelsom gyda *Llanfair Trelygen.* Bu cryn anwadalu ar ffurfiau *Llanfihangel Iorath* neu *Lanfihangel-ar-arth* yn Sir Gaerfyrddin. Y ffurf gynharaf yw *Llanfihangel Orarth,* a gellid tybio mai *gorarth* yw'r ail elfen, sef *gor* a *garth.* Cawsom rywbeth tebyg gyda *Llanfair-orllwyn,* â chymharer enwau fel *gorallt.* O'r unfed ganrif ar bymtheg ymlaen digwydd ffurfiau fel *Llanfihangel Iorath,* a chredaf fod ystyr *gorarth* erbyn hyn wedi colli, a thybio wedyn mai enw dyn a ddylai fod yma, sef *Iorath,* ffurf a geir weithiau ochr yn ochr ag *Iorwerth.* Yn sicr nid oes dim i gymeradwyo'r ffurf *Llanfihangel-ar-arth.*

Mae gan *Lanfihangel Llantarnam* hanes cymhleth. Yn y lle cyntaf, enw'r abaty gynt oedd *Nant Teyrnon,* ond trwy gymysgu *nant* â *llan* caed yn y diwedd *Llantarnam.* Heblaw'r enw hwn ceir hefyd *Lanfihangel Ton-y-groes* a *Llanfihangel-y-fynachlog,* ond nid yw'r ffurf ddiwethaf hon yn hynafol iawn. Rhywle yng nghyffiniau Llanfaches a Chaer-went yr oedd hen gapel *Llanfihangel Llechryd* yng Ngwent. Nid oes digon o dystiolaeth ar gael i'w leoli'n

fanwl. Enwau daearyddol yw ail elfen *Llanfihangel Lledrod*
yng Ngheredigion (*Lledrod* yw'r enw ar y plwyf yn
gyffredin), *Llanfihangel Nant Brân* ym Mrycheiniog, a
Llanfihangel Nant Melan ym Maesyfed. Mae *Melan* yma
yn darddiad o'r gair cyffredin *mêl*, ond ni ellir bod yn sicr
ai enw personol yw *Melan* ynteu gyfeiriad at flas y dŵr
neu'r borfa ddymunol ar y glannau. Gellir cymharu
Meloch ym Meirionnydd. Daearyddol hefyd yw ail enw
Llanfihangel Penbedw yn Sir Benfro. *Penbryn* yw enw'r
plwyf yng Ngheredigion erbyn hyn, ond *Llanfihangel
Penbryn* yw enw'r eglwys (*ecclesia Sancti Michaelis de
Pembryn* yn 1331).

Soniwyd am Lanfihangel Pont-y-moel wrth drafod
Llanfihangel Cilgoegan. Ni wn beth yw *Rhostie* yn
Llanfihangel Rhostie yng Ngheredigion, ond ei fod yn
cynnwys *rhos*. *Llanfihangel Rhosycornau* oedd ffurf *Rhos-
y-corn* yn Sir Gaerfyrddin. Mae'r ffurf luosog *cornau* yn
anghyffredin, ac anodd dewis rhwng gwahanol ystyron
corn yn y cyswllt hwn. Digon hawdd gweld bod
Llanfihangel Rhydieithon ar lannau Afon Ieithon yn Sir
Faesyfed. Yn agos i Lyn Syfaddan y mae *Llanfihangel Tal-
y-llyn*, Brycheiniog. Enw llawn *Tal-y-llyn*, Meirionnydd
yw *Llanfihangel Tal-y-llyn* hefyd ac enw'r llyn ei hun oedd
Llyn Myngul, sef llyn â gwddw main. Er mai *Llanfihangel
Tre'r-beirdd* yw enw plwyf bychan yn Sir Fôn, y ffurf
arferol hyd at y ddeunawfed ganrif oedd *Llanfihangel
Tre'r-bardd*, a hyd yn oed *Tre'r-barr*. Fel y gwyddom yr
oedd *Tre'r-beirdd* hefyd yn Llanidan a'r Wyddgrug.

Yr enw Cymraeg ar *Mitchel Troy* ym Mynwy yw
Llanfihangel Troddi. Enw nant yw *Troddi*, yn seiliedig ar
y gair *trawdd*, sef 'gwthio trwodd, trywanu', math o enw
cyffredin ar nentydd ac afonydd. Nid yw *Troy* ond y ffurf
heb *dd*. Yr oedd gan *Lanfihangel-uwch-Gwili* ym mhlwyf
Abergwili enw hŷn, sef *Llanfihangel Llech Feilir*, ond ni
wyddys dim am y llech nac am y gŵr a goffeir. Cawn weld

bod *llech* yn elfen ddiddorol a hynafol mewn enwau lleoedd. Gwelsom mai *Betws Wyrion Iddon* oedd hen enw Betws-y-coed a gelwid yr eglwys weithiau yn *Llanfihangel-y-betws*. *Llanfihangel y Bont-faen* yw enw'r eglwys ym Mro Morgannwg, ond ysgrifennir ei henw yn *Llanmihangel*, fel y ceir *Llan-maes* am *Lan-faes*.

Mae dau enw plwyf yn Sir Faesyfed sydd wedi colli enw Mihangel, sef *Bryn-gwyn* (gynt *Llanfihangel-y-Bryngwyn*) a *Bugeildy* (gynt *Llanfihangel-y-Bugeildy*). Fe gofia rhai am yr ymryson ffôl rai blynyddoedd yn ôl pan fynnid mai *Beguildy* oedd y ffurf gywir. Mae tarddiad Bugeildy yn gwbl eglur i unrhyw Gymro. Ni raid aros gyda *Llanfihangel-y-Creuddyn* yng Ngheredigion, gan inni drafod yr hen enwau *Llanfihangel Gelynrod* a *Llanfihangel Celli Moch*. Enw hanner Saesneg a Chymraeg yw *Michaelston-y-fedw*, yn Sir Fynwy, ond mae ffurf gwbl Gymraeg hefyd, sef *Llanfihangel-y-fedw*. Mae'r enw Cymraeg *Alberbury* yn Swydd Amwythig, am y ffin â Threfaldwyn yn anodd. *Llanfihangel Llychantyn* oedd un hen ffurf, a datblygodd hon yn ddiweddarach yn *Llanfihangel-yng-nghentyn*. Ond gan brinned y ffurfiau ni ellir cynnig esboniad ar hyn o bryd.

Enw cwmwd oedd *Ceri*, gynt yn Sir Drefaldwyn, a'r eglwys oedd *Llanfihangel-yng-Ngheri*. Ond *Ceri* yn unig a arferir bellach (gwrthoder y sillebiad hyll *Kerry*). Rhaid bod *Gwynfa* 'maes gwyn' yn hen enw ar ardal ym Mechain yn Sir Drefaldwyn, gan fod sôn am *Wynfa Mechain*. Enw'r eglwys yn naturiol yw ac ni ddylai fod unrhyw amheuaeth ynghylch cywirdeb y ffurf hon. Enw eglwys blwyf Penrhosllugwy ym Môn yw *Llanfihangel-ym-Mhenrhos*. Felly hefyd *Llanfihangel-ym-Mlodwel* yw ffurf lawn *Llanyblodwel* yn Swydd Amwythig. Enw trefgordd yw *Blodwel* yma, a'r ffurf gynharaf ar gael yw *Blodfol*. Os *bol* 'pant' sydd yma, ai 'pant y blodau' yw'r ystyr?

Mae *Llanfihangel-yn-Nhywyn* yn Sir Fôn yn ei hesbonio

ei hun. Ni wn faint o sail sydd i ffurf Leland arni, sef
Llanfihangel-yn-y-traeth. Lle go bwysig oedd *Rug* gynt yn
Sir Gaernarfon. *Grug* yw hwn wedi treiglo i'r feddal er
mwyn arwyddocáu lle y tyfai grug yn helaeth. Yr un enw
sydd ar y plas ger Corwen — *Rug*. Yr eglwys oedd
Llanfihangel-yn-Rug, a hon bellach a elwir *Llanrug*. Lled-
gyfieithwyd *Llanfihangel-Ynys-Afan* yn hen gwmwd Afan
yn *Michaelston-super-Afan*. Yma eto gwelir fel y mae
Saesneg Morgannwg yn defnyddio *-ton* neu *-stow* i drosi
llan.

Cymerodd y ddwy *Lanfihangel-y-Pennant*, y naill yn Sir
Gaernarfon a'r llall yn Sir Feirionnydd, eu henwau oddi
wrth y ddwy drefgordd, *y Pennant*. *Llanfihangel-y-pwll*
yw'r ffurf Gymraeg ar *Michaelston-le-pit* ym Morgannwg,
lle y mae *pit* neu *pwll* yn golygu'r pant lle y mae'r eglwys.
Yr oedd Llanfihangel-y-pwll arall ym Mynwy, ac
awgrymir ei bod yn agos i Bwll Meurig (mae *bedd Meurig*
yn digwydd yn y cofnod am derfynau'r eglwys hon). Ym
Môn y mae *Llanfihangel Ysgeifiog*, ac y mae'r ffurf *Ysgeifiog*
neu *Ysgeiog* yn digwydd mewn mannau eraill (cymharer
plwyf *Ysgeifiog* yn Sir y Fflint). Buwyd yn tybio bod a
fynno'r ffurf ag *ysgaw*, ond y mae rhai enghreifftiau yn
awgrymu'r ystyr 'llethrog'. *Ystrad* yn unig sy'n digwydd
yn y ffurfiau cynharaf am *Lanfihangel Ystrad* yng
Ngheredigion, a diau fod *Ystrad* yma yn enw ar hen
drefgordd neu ardal. *Ystrad Aeron* fyddai ei ffurf lawn,
mae'n debyg, er mai *Felin-fach* sydd yn fwyaf adnabyddus
erbyn hyn.

Enw digon anystwyth yw *Llanfihangel Ystum Llywern*
ym Mynwy, a cheir amrywiadau fel *Ystum Llewyrn*. Gellir
anwybyddu ffurfiau fel *Ystern Llywern* gan ei bod hi'n
amlwg fod yr ail elfen wedi effeithio ar yr elfen o'i blaen.
Gan fod *ystum* mor aml yn dynodi tro mewn afon, mae'n
debyg fod *llywern* 'cadno, llwynog' yn enw ar ryw nant
goll. Enw arall ar yr eglwys ar un adeg oedd *Llanfihangel*

Tafarnau-bach. Yn Ardudwy y mae *Llanfihangel-y-traethau,* neu *Lanfihangel-y-traeth* fel y'i gelwir hi weithiau. Nid oes eisiau esbonio *traeth* yma. Enw'r plwyf sifil erbyn hyn yw *Talsarnau.* Aethpwyd â pharsel Penrhyndeudraeth oddi wrth yr hen blwyf i sefydlu plwyf Penrhyndeudraeth.

Mae enw eglwys *Llanfilo* ym Mrycheiniog wedi achosi peth trafferth. Myn rhai mai *Milburgh* yw'r nawddsantes, ond nid oes tystiolaeth sicr am hyn. Mae'r ffurfiau Cymraeg yn glir iawn yn awgrymu enw fel *Beilio* (merch Brychan) a bod hon wedi troi'n *Bilo* fel y troes *Teilio* yn *Tilo* ar lafar. *Llanfleiddan* ger Y Bont-faen yw ffurf gywir yr enw a ysgrifennir weithiau yn *Llanblethian.* Mae'r ffurfiau yn *-b-* yn ddyledus i gyndynrwydd y traddodiad ysgrifenedig, gan mai *Llanfleiddan* fyddai'r ynganiad naturiol. Ni wyddys dim am y sant, *Bleiddan,* a goffeir. Creadigaeth Iolo Morganwg, mae'n debyg, yw'r ffurf *Llanfleiddan Fawr.*

Seisnigeiddiwyd *Llanfocha* ym Mynwy yn *St. Maughans.* Mae'r awdurdodau, gan ddilyn yr hyn a geir ym mucheddau'r saint, yn derbyn mai'r un yw *Mocha* â'r gŵr a elwir *Malo* a *Machu* a *Machutus,* ac yn tybio bod *-n* wedi tyfu ar ddiwedd yr enw er mwyn esbonio'r ffurf *Maughan.* Ni wn faint o gred y gellir ei rhoi ar yr holl ffurfiau hyn, ond buasai'n well gennyf dderbyn ffurf a geir yn 1256 sef *Llanmochan,* ac awgrymu mai enw'r sant a goffeir yw *Mochan,* enw tebyg i *Gwaddan, Tyrchan* ac yn y blaen.

Yr ansoddair syml 'mawr' sydd yn *Llanfor* ym Meirionnydd. Felly hefyd yn Llŷn, ond bod ffurf enw'r eglwys yn wahanol, sef *Llannor.* Mae *Llanforda* yn un o drefgorddau Croesoswallt. *Llanfordaf* sydd yn yr enghreifftiau cynharaf, a dengys hyn mai'r enw personol *Mordaf* sydd yma, sef cyfansoddair o 'mawr' a'r terfyniad cryfhaol *-taf,* 'mawr iawn'. Enw ar y nant yw hwn, nid enw'r sant y cyflwynwyd yr eglwys iddo. Enw nawddsant

Trewalchmai yn Sir Fôn oedd Morhaearn, a dyna sut y
ceir y ffurf *Llanforhaearn* gan yr hen Leland. Ond go brin
fod hon yn ffurf arferedig. Mae *Llanfrechfa* yn Sir Fynwy
yn cynnwys *brechfa,* gynt *Brechfai,* sef *brych, brech* 'brith'
a'r gair *mai* 'maes' a welir mewn enwau fel *Myddfai,
Gwynfai* a *Phen-y-fai.*

Ni wyddys fawr ddim am y *Brothen* a goffeir yn
Llanfrothen, Meirionnydd, ond y traddodiad ei fod yn un
o feibion yr Helig ap Glannog hwnnw a gollodd ei diroedd
i'r môr.

Mae tair eglwys yn dwyn enw un o'r seintiau enwocaf,
Brynach. Un yw *Llanfrynach* ym Mrycheiniog, a'r ail yw
Llanfrynach, eglwys Pen-llin. Y drydedd oedd
Llanfyrnach-ar-Daf ar ororau Caerfyrddin a Phenfro, ac
yn Ne-orllewin Cymru yr oedd maes llafur Brynach.
Brynach Wyddel y gelwid ef, a phriododd ferch Brychan
Brycheiniog. Nid rhyfedd fod ei gysylltiadau â Dyfed
Wyddelig mor agos. *Mwrog* yw nawddsant y ddwy
Lanfwrog, y naill ym Môn a'r llall ger Rhuthun. *Stryd
Mwrog* yw enw'r ffordd sy'n arwain at Lanfwrog o'r dref.
Rhaid fod *Mwrog* yn ffurf anwes ar yr enw *Gwrog,* a ffurf
arall arno a welir yn *Llandwrog (Twrog).*

Mae'n anodd gweld pam y cysegrwyd eglwys yng
nghanol Sir Drefaldwyn, sef *Llanfyllin,* i sant o Wyddel
fel *Moling.* Er mai *Llanfyllin* yw'r ffurf hynaf, ceir
Llanfylling yn bur aml, ac nid yw'n hawdd dweud ai'r
-*ing* sydd yn yr enw Gwyddeleg yw hwn, ai *ing* sy'n tyfu'n
naturiol yn Gymraeg ar ddiwedd geiriau fel *prin, pring,
Caerfyrddin, Caerfyrdding.*

O'r ddwy *Lanfynydd* y mae un yn hen iawn, a'r llall
yn gymharol ieuanc. Mae *Llanfynydd,* Sir Gaerfyrddin
yn mynd yn ôl i'r bedwaredd ganrif ar ddeg o leiaf. Enw
llawn yr eglwys hon fel y gwelsom eisoes oedd *Llanegwad
Fynydd,* i'w gwahaniaethu oddi wrth *Lanegwad Fawr* yn
y dyffryn. Yn 1843 y sefydlwyd yr enw *Llanfynydd* yn Sir

y Fflint, pan ffurfiwyd plwyf eglwysig newydd o ran o blwyf Yr Hob. Yr hen drefgorddau *Uwchmynydd Isaf* ac *Uchaf* a awgrymodd yr enw *Llanfynydd*. Cneuen anodd yw *Llan-fyrn* yn Sir Benfro. Nid oes gofnod am enw sant tebyg i hwn. Ond mwy diddorol na hyn efallai yw'r ddau enw *Llan-fyrn Einion* a *Llan-fyrn-y-frân* sydd gerllaw. Enw pennaeth lleol yw *Einion*, mae'n debyg, ac enw gwawdlyd yw'r ail, tebyg i *Dutton-y-brain* yn Sir y Fflint.

Er y gwelir sgrifennu *Lampha* am eglwys ger Ewenni ym Morgannwg, y ffurf gywir Gymraeg yw *Llanffa*. Mae'n gymar i *Landyfái (Lamphey)*, yn Sir Benfro, sef *llan* ac enw sant *Tyfái* a gawsom yn *Llandyfeisant*. Mae'n amhosibl bod yn bendant erbyn hyn, ond nid oes raid cytuno â'r syniad fod unrhyw gysylltiad rhwng *Ffinan* yn *Llanffinan* ym Môn a'r sant Gwyddelig *Finnian*. O ran yr enw o leiaf gallai fod yn hollol Gymraeg, sef ffurf ar *ffin*. Anodd hefyd yw dweud dim am *Lanfflewin*, eglwys yn Llanbabo, Môn. Nid yw'r enw *Fflewin* yn digwydd ond yn y cysylltiad hwn, ac o bosibl y mae'n tarddu oddi wrth enw Lladin fel *Flavinus*. Ni wn ai gwir y stori fod Fflewin yn fab i Ithel Hael. *Llanffoist* a geir yn ysgrifenedig bron bob tro am eglwys yn Sir Fynwy, ond fe ddigwydd y ffurf *Llan-ffwyst*. Nid oes dim goleuni ar enw'r sant. Mae gan eglwys Chirbury (bellach yn Swydd Amwythig) ffurf Gymraeg, sef *Llanffynhonwen* neu *Llan Ffynnon Wen*.

Sant uchel ei glod oedd Cadfan. Cysylltir ef â *Llangadfan* yn Sir Drefaldwyn, ac yn arbennig â Thywyn ym Meirionnydd. Mae gan Llywelyn Fardd awdl hir i Gadfan ac i Langadfan yn Nhywyn lle y dywed *cadr y ceidw Cadfan glan glas weilgi*. Mae *Capel Cadfan* a *Ffynnon Gadfan* yn cadw ei enw. Gellir mesur pwysigrwydd y sant o gofio bod yma hefyd Faenol Gadfan, yn debyg i Faenol Bangor a Maenol Llanelwy. Mae'n wir mai Cadfarch yw nawddsant eglwys Penegoes yn Sir Drefaldwyn, a bod *Llangadfarch* yn digwydd o dro i dro yn y cofnodion. Ond ni bu hwn yn enw byw erioed, hyd y gellir barnu.

Un o'r seintiau cynnar pwysicaf oedd Cadog, ac y mae un peth pur ddiddorol ynglŷn â'i enw. Mae'n enghraifft dda o'r gwahaniaeth rhwng enw swyddogol awdurdodol ac enw anwes annwyl. Ei enw llawn oedd *Cadfael*, sef *cad* 'brwydr' a *mael* 'tywysog'. Ond ei enw ymhlith ei ddisgyblion oedd *Cadog*, a than yr enw eglwysig iddo, megis *Llangadog* yn Llaneilian, Môn, ac yng Nghydweli, ac ym Mhenrhos, Mynwy. *Llangadog Fawr* oedd yr un yn Sir Gaerfyrddin. Mewn rhannau eraill o'r De, yn y De-ddwyrain, mae ffurf arall ar enw'r sant, sef *Catog* neu *Catwg*, a chan fod cynifer ohonynt ceir ychwanegiadau at yr enw. Felly *Llangatwg Crucywel* ym Mrycheiniog, a *Llangatwg Dyffryn Wysg (Llangattock nigh Usk)* ym Mynwy. Yn *Llangatwg Feibion Afel* cawn enghraifft eto o gynnwys enwau noddwyr cynnar. Ceir ffurf Saesneg ar rai o'r eglwysi hyn megis *Cadoxton* am *Langatwg Glyn Nedd*. Weithiau mae ansicrwydd yn yr ail elfen, felly ceir *Llangatwg Lingoed* ochr yn ochr â *Llangatwg Gelynnig*.

Perthyn i linach frenhinol Gwynedd yr oedd Cadwaladr, ond yr oedd ei anian yn hollol wahanol i'w dad Cadwallon, gwron yr ymladd yn erbyn gwŷr Northumbria. Mae mwy nag un traddodiad amdano, ond ni wyddys faint o wir sydd ynddynt. Cysylltir lluman y Ddraig Goch ag ef. Y brif eglwys a gyflwynwyd iddo, yn naturiol, oedd *Llangadwaladr*, ger Aberffro. Gelwid hon hefyd yn *Eglwys Ail*, sef eglwys a adeiladwyd yn wreiddiol trwy eilio neu blethu gwiail ynghyd. Eiddo Esgob Llandaf oedd *Llangadwaladr*, Mynwy, a dyna paham y ceir enwau eraill arni megis *Tre Esgob* a *Bishopston* neu *Bishton*. Y ffurf gynharaf ar *Langadwaladr*, Sir Ddinbych oedd *Betws Cadwaladr*.

Mae'r ddau enw *Llangaffo* a *Merthyr Caffo* ym Môn yn coffáu *Caffo*. Ymddengys hwn yn ffurf anwes ar enw a adeiladwyd ar fôn y ferf *caff-ael*. Fel gyda llawer o

eglwysi eraill, yr oedd ffynnon yn ymyl Llangaffo, a'r enw
arni oedd *Crochan Caffo* oddi wrth ffrytian y dŵr ynddi.
Cymharer *Crochan Llanddwyn* yn Niwbwrch. Un arall o
ferched Brychan oedd Cain, a ffurfiau eraill ar ei henw
oedd *Ceinwen* (fel y ceir *Dwyn* a *Dwynwen*), a *Cheinwyry*.
Yr enw syml sydd yn *Llan-gain*, Sir Gaerfyrddin, a *Llan-
gain*, Henffordd (ffurf Seisnigaidd *Kentchurch*). Digwydd
y ffurf Ceinwen yn *Llangeinwen* a *Cherrigceinwen* ym Môn.
Ceir *Ceinwyry* yn *Llangeinwyr* ym Morgannwg, a gellir
cymharu *Llwyncynhwyra* yn Nhalyllychau.

Enw'r afon sydd yn *Llangamarch*, Brycheiniog, yn
hytrach nag enw sant. Cyflwynwyd yr eglwys i Dysilio.
Mae'n amlwg fod enw fel *Cann, Canna*, yn bod, a gellid
tybio mai ffurf yw hwn ar yr ansoddair *can* 'gwyn'. Ceir
Llan-gan yn Sir Gaerfyrddin a Morgannwg. Mae'n bosibl
mai'r un enw sydd yn *Treganna* neu *Canton*, Caerdydd,
a *Phontcanna*.

Mae enw fel *Llanganten*, Brycheiniog, yn awgrymu enw
personol *Canten*. Dyma'r ffurf ar hyd y canrifoedd, ond
nid oes gwybodaeth am berson â'r enw hwnnw. Ai'r gair
cant 'ymyl, ffin' sydd yma fel *Morgan(t)* ? *Llangar* yw ffurf
enw'r eglwys yn Edeirnion bob amser, ar wahân i un
enghraifft tua 1370 lle y ceir *Llangaer*. Gallwn anwybyddu
ffurf a geir yn 1770 sef *Llangarw Gwyn*. Ymddengys y
gellid enw personol *Câr*, ond ni wyddys dim am sant o'r
enw. *Llangaran* yw'r ffurf hynaf ar y plwyf a elwir heddiw
Llangarren yn Henffordd. Enw afon yw *Garan*, yr un ag
enw'r aderyn, a gellid disgwyl *Llanaran*. Mae'n bosibl felly
mai'r ffurf hynaf oll oedd *Nant Garan*, a bod *llan* wedi
disodli *nant*.

Enw od yr olwg yw *Llangasty Tal-y-llyn* ger Llyn
Syfaddan ym Mrycheiniog. Y ffurfiau hynaf yw *Llangasten*
a *St. Castayn*, ac y mae hyn yn awgrymu mai *Casten* neu
Castain yw enw'r sant. Ond ni wyddys mwy amdano na
bod *Gastayn* wedi bedyddio Cynog fab Brychan. Mae

enw'r sant, *Cathen*, *Cathan*, yn Llangathen yn bwysig am mai hwn hefyd yw sail enw hen gantref *Cetheiniog* 'tir Cathen'. Seilir yr enw, mae'n debyg, ar y gair *cath*. Nid oes unrhyw eglwys heddiw a elwir *Llangawrda*, ond dyna oedd ffurf amrywiol ar Aber-erch, Llŷn, a Llangoed, Môn. Mae'r enw'n deillio oddi wrth *cawr* a'r elfen *-taf* 'mwyaf'. Nid eglwys oedd yn *Llangawsai* ger Aberystwyth. *Llainygawsai* oedd enw'r lle gynt, ond mae *llan* wedi disodli *llain*. Nid enw sant yw *cawsai* wrth reswm, ond y gair Saesneg 'causeway'.

Prin y gwelwch *Llangedol* ar unrhyw fynegbost heddiw. Ond dyna oedd enw eglwys plwyf Pentir gynt, ger Bangor. Ffurf ar y gair *ced* 'tâl' sydd yma, ac o bosibl yr un gair sydd yn enw'r plas *Corsygedol*. Hen drefgordd yn Nhal-y-llyn, Meirionnydd, oedd *Llangedris*, a cheir hefyd *Maes Llangedris* yn ffinio â Llanfihangel-y-Pennant, a Mynydd Cedris. Ni wyddys dim am sant o'r enw, ond geill *Cedris* neu *Cedrys* (mae'r ddwy ffurf yn digwydd) fod yn enw personol, naill ai o'r ansoddair *cadr* 'hardd' a'r terfyniad *-is*, neu'n gyfansawdd o *cad* a *rhys*. Mae Llangedwyn, Sir Ddinbych, yn berffaith hysbys i bawb, ond yr oedd eglwys â'r un enw yn hen gwmwd *Ystrad Yw* ger Crucywel. Nid oes sicrwydd ai hon a elwid *Llangenau* yn ddiweddarach. O ran ffurf gallai *Cedwyn* gynnwys *cad* neu *ced* a *gwyn*.

Cymryd ei henw oddi wrth yr afon a wnaeth *Llangefni*. O gofio am daith drymaidd ddolennog Cefni at y môr trwy Gors Ddyga, mae'n haws meddwl am y gair *cafn* 'pant' na'r gair *cefn* 'trum' yn sail i'r enw *Cefni*. Cyflwynwyd yr eglwys i Gyngar, a chyfeirir o dro i dro yn y cofnodion at Langyngar.

Dieithr i ni bellach yw *Llangeidio*, a gwell gennym sôn am *Ceidio* yn Llŷn. Dyma enghraifft dda o golli *llan* a defnyddio enw'r sant yn unig. Gall yr enw *Ceidio* darddu oddi wrth *cad* neu *ced*.

Cyfeiriwyd at Langeinwen, Môn a Llangeinwyr,

Morgannwg wrth drafod *Llan-gain*. Gellir ychwanegu bod gan Glynnog Fawr yn Arfon gysylltiad arbennig â Llangeinwen, a bod Beuno yn cael ei goffáu yno. Yn wir, *Clynnog Fechan* y gelwid trefgordd Llangeinwen. A rhennid dwy drefgordd arall yn y plwyf rhwng Esgob Bangor a Beuno, sef *Dwyran Esgob* a *Dwyran Feuno*.

Ffurf hynaf *Llangeitho*, Ceredigion yw *Llangeithaw*. I esbonio'r enw *Ceitho* gellid meddwl am eiriau fel *caeth*, *caith*, ond gwell mae'n debyg fyddai tybio mai *cath* sydd yn gynsail (fel *Cathen*) gyda'r terfyniad -*iaw* (-*io*). Ceitho yw un o'r saint yn *Llanpumsaint*. Ni ellir esbonio Celer yn *Llangeler* ar hyn o bryd. Go brin fod a fynno â *Celert* Beddgelert. Ceid *Merthyr Celer* yn enw arall ar yr eglwys weithiau.

Defnyddid enwau coed a phlanhigion yn enwau personol gynt. Un o'r rhain oedd *Celyn*, ac adeiladwyd ar sail hwn enwau saint. Er enghraifft mae Llyfr Llandaf yn cyfeirio at *Llangelynni* yn Ergyng, Swydd Henffordd. Yma ychwanegwyd -*i* at *celyn*. Ond mwy adnabyddus yw *Celynnin*, trwy ychwanegu -*in*, ac y mae'r enw wedi goroesi mewn dwy eglwys, sef *Llangelynnin* yn Arllechwedd, ac ym Meirionnydd. Haerir bod y *Celynnin* hwn yn un o feibion Helig ap Glannog. Nid yw'n debyg mai'r un *Celynnin* yw hwn â'r sant o'r un enw a oedd yng nghyflwyniad Llanpumsaint yng Nghaeo, Sir Gaerfyrddin. Mae un enw coll ym mhlwyf Caeo sydd yn atgof amdano, sef *Maes Llangelynnin*.

Enwir *Llangenau* yn Nyfed yn un o saith esgopty Dyfed yn y Cyfreithiau. Tir mynachaidd oedd yn Llangenau, mae'n debyg, ac efallai mai dyna'r lle sydd wedi goroesi yn enwau dwy fferm, *Llangenau Fawr* ym mhlwyf Clydai, a *Llangenau Fach* ym mhlwyf Penrhydd (Emlyn). Ymddengys mai Gwyddel oedd y *Cennech* a gofir yn *Llangennech*, Sir Gaerfyrddin. Ei enw Gwyddeleg oedd *Cainnech*. Yn ôl ei fuchedd cafodd ei addysg yn

Llancarfan dan Gadog. Os gwir hyn, mae'n enghraifft arall, pe bai eisiau, o'r gyfathrach agos iawn rhwng y gwledydd Celtaidd a'i gilydd, yn enwedig ym myd yr Eglwys Gristnogol gynnar. *Llangenni* yw ffurf arferol eglwys ym Mrycheiniog, ond mae tipyn o anghysondeb yn yr hen ffurfiau, a rhyw gymaint o reswm dros gredu mai *Llangenau* oedd yr enw gwreiddiol. Mae gan y sant a goffeir yn *Llangennydd* neu *Langynnydd* yng Ngŵyr fuchedd hir a rhyfeddol, ond wedi chwalu'r us ychydig o rawn a erys. Yr oedd ganddo gysylltiadau agos â Llydaw. Mynn traddodiad lleol mai ei enw ef a geir yng nghantref *Senghennydd,* ond mae'n amhosibl derbyn hyn.

Mae dwy *Langernyw,* y naill yn Sir Ddinbych a'r llall gynt yn Ystrad-dour yn Swydd Henffordd. Tybir mai Digain fab Cystennin Gorneu a sefydlodd y rhain, ac mai ffurf amrywiol ar *Gorneu* yw *Cernyw.* Geill fod yn arwyddocaol fod *Llangystennin* yn Henffordd hefyd. Mae perthynas ffurfiol rhwng yr enwau *Cewydd* a *Caw,* ond nid wyf mor sicr fod y berthynas yn nes na hynny, fel yr awgrymir gan yr haeriad mai tad Cewydd oedd Caw. Cewydd yw nawddsant *Llangewydd* ym Morgannwg, a hefyd hen eglwys am y ffin â Chas-gwent yn Swydd Gaerloyw. *Lancaut* yw ei ffurf bellach.

Yr oedd yr enw *Cian* yn ddigon hysbys mewn cysylltiadau aneglwysig gynt. Mae'n tarddu oddi wrth y gair *ci.* Fe'i ceir yn enw sant yn *Llangïan* yn Llŷn, a chysylltir y *Cian* hwn â Pheris. Dywedir mai santes oedd *Ciwa* yn *Llangiwa,* Sir Fynwy. Bid a fo am hynny, y ffurf hynaf ar enw'r eglwys yw *Llangiwan,* ac am y rheswm hwnnw ni ellir cymharu'r enw Gwyddeleg *Cuach.* Enw arall sydd wedi ei seilio ar y gair *ci* yw *Ciwg* yn *Llan-giwg,* Morgannwg. Fel y gellid disgwyl, ceir amryw ffurfiau ar yr enw hwn, ond gallwn yn hawdd gollfarnu sillebiad tebyg i *Languicke!*

Nid eglwys yw *Llangloffan* ym mhlwyf Treopert, Sir

Benfro mwyach, ond hwyrach ei bod yn cofáu rhyw fath o sefydliad eglwysig. Ni wyddys dim sicr am sant â'r enw hwn, ond mae'n debyg fod *Cloffan* wedi ei seilio ar y gair *cloff*. Mae ffurfiau cynharaf *Llanglydwen* yn Sir Gaerfyrddin am y ffin â Sir Benfro yn awgrymu *Llanglydwyn*. Mae'n debyg mai i *Glydwyn* y cysegrwyd yr eglwys, gŵr sydd â rhan amlwg iawn yn hanes yr hen Ddyfed. Yr oedd yn fab i Frychan, yn ôl traddodiad, ac felly'n frawd i Glydai, santes a goffeir yn eglwys *Clydai* heb fod ymhell. Mae'n debyg mai ffurf ar y gair *clod* sydd yn yr enwau hyn, yn hytrach na *clyd* 'cysgodol'.

Mae'r enw *Llangoed* ym Môn a Brycheiniog yn awgrymu eglwys a fyddai gynt, o leiaf, yn agos i goed mawr. Dywedir o bryd i'w gilydd mai *Llangawrdaf* yw enw arall Llangoed, Môn, ond nid oes dystiolaeth gynnar iawn i hyn. Beth bynnag am y ddwy eglwys uchod, mae'n sicr fod *Llangoedmor*, Ceredigion yn dibynnu am ei henw ar goed mawr (y coed sydd yn enw cwmwd *Is Coed Is Hirwern*). *Langoydmaur* yw'r ffurf yn 1291. Un eglwys a gyflwynwyd i Golman, sef *Llangolman* ym Mhenfro. Mae blas Gwyddelig ar ei enw, ac yn wir yr oedd nifer o Wyddyl yn dwyn yr enw yn yr hen oes. Â Dyfed y cysylltir Colman yn bennaf, gan fod yno *Gapel Colman* a Llangolman yn Abergwaun. Efallai mai *Colman* arall sydd ym *Mhorth Golmon* yn Llŷn.

Wrth drafod Llangelynnin soniais am fathu enwau personol ar sail enwau coed a phlanhigion. Felly yn *Llangollen*, mae'n debyg, yn hytrach na meddwl am y ferf *colli*. Heblaw enw'r eglwys ei hun yr oedd dwy drefgordd yn y plwyf a elwid *Llangollen Fawr* a *Llangollen Fechan*.

Enw disgrifiadol yw *Llan-gors*, Sir Frycheiniog yn cyfeirio at ei safle corsog ar lan Llyn Syfaddan. Yr enw Lladin arni oedd *Ecclesia de Mara*, sef *mara* 'cors'. Ni wyddys dim am y *Crallo* a goffeir yn *Llangrallo*, Morgannwg. Yr enw Seisnig yw *Coychurch*, ac y mae ffurfiau cynnar yn awgrymu'n gryf fod yma enw hanner Saesneg hanner Cymraeg, sef *Coed-church. Coytechurche* a geir yn 1291, er enghraifft. Enw cymharol ddiweddar yw *Llangrannog,* Ceredigion, er ei fod yn cyfeirio at sant pur adnabyddus, sef *Carannog* 'annwyl'. Mae lleoedd eraill yn y plwyf yn dwyn ei enw, sef *Ogof Crannog* ac *Eisteddfa Grannog.* Ond nid yw'r enw *Llangrannog* ei hun yn digwydd mewn cofnodion tan yr unfed ganrif ar bymtheg. Yr hen enw oedd *Gogof,* sef ffurf wreiddiol *ogof* gan gyfeirio mae'n amlwg at *Ogof Crannog.* Fe restrid yr eglwys yn aml gyda'r plwyf nesaf, sef Llandysilio, a dyna'r rheswm pam y sonnir am *Landysiliogogo.*

Yr oedd Curig yn fawr ei glod yng Nghymru, yn enwedig ymhlith y beirdd, a gelwid ef yn *Gurig Lwyd* a *Churig Farchog,* a cheir cyfeirio mynych at *Emyn Curig.* Ei brif sefydliad oedd *Llangurig,* llecyn nodedig iawn gan fod tair gwlad yn cyffinio yno, sef Ceredigion, Arwystli a Maelienydd. Ar y ffordd dros Bumlumon y mae *Eisteddfa Gurig.* Cyflwynwyd capeli ac eglwysi eraill iddo, sef *Capel Curig* yn Sir Gaernarfon ac *Eglwys Fair a Churig* yn Sir Gaerfyrddin. Yn anffodus, o achos y wanc am gysylltu enwau seintiau Cymreig â rhai Lladin, cymysgwyd hanes *Curig* â *Cyriacus* a'i fam *Julita.* Mae enw'r eglwys yn amrywio'n fawr ar hyd y canrifoedd, ac ymhlith y gwahanol ffurfiau ceir erthylod fel *Llangerrig.* Oddi wrth y ferf *curo* y daw'r enw *Curig,* gallwn feddwl.

Enw daearyddol yw *Llangwm,* tair ohonynt yn bur bwysig fel enwau plwyfi, sef *Llangwm* (Penfro), *Llan-gwm* (Mynwy), a *Llangwm* (Dinbych). Enw llawn yr eglwys olaf hon oedd *Llangwm Dinmael* oddi wrth enw'r cwmwd. Nid yw'r *llan* yn *Llangwnnadl* yn wreiddiol. Enghraifft arall sydd yma o *nant* yn cael ei disodli gan *llan,* gan mai *Nantgwnnadl* a geid gynt, neu'n hytrach *Nant Gwynhoedl.* Hen enw yw hwn sy'n cynnwys *gwyn* 'sanctaidd' a *hoedl* 'bywyd', a gallwn fod yn ddiolchgar fod yr enw wedi ei gadw yn ei hen ffurf ar garreg a oedd gynt ym mhlwyf Llannor am y ffin â Llangwnnadl, sef *Vendosetli.* Yr oedd Gwynhoedl, yn ôl traddodiad, yn fab i Seithenyn, brenin Cantre'r Gwaelod.

Hen eglwys yn Swydd Henffordd yw *Llanwrfwy,* neu yn ôl yr hen ffurf, *Lann Guorboe.* Mae'n bosibl mai cyfansawdd o *gwor (gor)* a'r enw *Moe (Mwy)* sydd yn yr enw hwn. Yn ôl yr hanes yn Llyfr Llandaf gosododd Gwrfoddw, brenin Ergyng, ei offeiriad Gwrfwy i ofalu am yr eglwys hon. Cofir Cwyfen mewn dwy eglwys, sef *Llangwyfan* ym Môn a Sir Ddinbych. Er y dywedir bod cysylltiad rhwng Cwyfen a'i fam Cainell â Bodyngharad yn Llanfwrog, Dinbych, mae ffurf yr enw *Cwyfen* yn awgrymu tarddiad Gwyddelig, sef *Caoimgen.* Yr un elfen *cwyf* a geir, yn ôl pob tebyg, yn y gair *macwyf,* sydd yn fenthyciad oddi wrth *macc-coim* mewn Gwyddeleg.

Mae *Llangwyllog,* Môn, yn cynnwys enw nas ceir yn unman arall (gellir dweud yr un peth am *Langristiolus,* gyda llaw). Gellid meddwl mai *cowyllog* yw'r ffurf lawn ac y mae rhyw gymaint o le dros gredu bod y sant (neu'r santes) yn blentyn i Gaw o Brydyn. Ystyr *caw* yw clwt, bachigyn yw *cewyn* ac efallai bod *cowyll* yn darddair. 'Gwisg, gorchudd' yw ystyr *cowyll* a byddai *cowyllog* yn golygu rhywun mewn gwisg arbennig. Cawsom bosibilrwydd cysylltu *caw* a *cewydd* wrth drafod *Llangewydd.*

Mae *Llangwyryfon* yng Ngheredigion yn awgrymu'n syth y gair *gwyryfon,* lluosog *gwyryf.* Dyna pam y cysylltir cyflwyniad yr eglwys ag Ursula a'r mil morynion. Bid a fo am hynny, ffurf gymharol ddiweddar yw *Llangwyryfon,* gan mai *Llanygweryddon* neu rywbeth tebyg a geir ar hyd yr amser. Ond gan fod *gweryddon* yn ffurf amrywiol ar *gwyryfon* yr ydym yn ôl yn yr un man. Pan ddown at enwau fel *Llangybi* yr ydym ar dir sicrach o lawer. Gwelsom eisoes fod Caergybi yn enwog iawn gynt. Y tair eglwys arall a gyflwynwyd yn uniongyrchol i Gybi yw *Llangybi* yn Eifionydd, Ceredigion a Sir Fynwy. Tipyn o grwydryn oedd Cybi: bu yng Nghernyw a Morgannwg a Gwent, a threuliodd lawer o amser yn Iwerddon yn ôl ei fuchedd.

Eglwys hynafol iawn yw *Llangyfelach* ger Abertawe. I Ddewi y cyflwynir hi, ond tebyg iddo ddisodli Cyfelach, gŵr na wyddom ddim amdano. Fe'i cysylltwyd ar gam â Chyfeilliog, Esgob Llandaf. Mae'n debyg mai *Cynfyw* yw enw'r sant sydd yn *Llangynfyw*, neu *Langyfiw* yn Sir Fynwy. Ffurf chwerthinllyd yw'r un a geir mewn dogfennau a chofnodion swyddogol, sef *Llangeview*, fel petai rhywun wedi meddwl am y gair Saesneg *view*. Gallai'r enw *Cynfyw* gynrychioli'r elfen *cyn-* a gawsom droeon erbyn hyn, a *byw*. Mae ambell hen ffurf yn awgrymu mai *Llangynfyw* oedd hen enw *Llangynyw* yn Sir Drefaldwyn. Yma eto ceir ffurfiau ffôl fel *Llangyniew*. Ymddengys bod *Cynfyw* wedi troi'n *Gyfyw* a *Cyfiw* ar y naill law, a *Chynyw* ar y llaw arall.

Collwyd *llan* o flaen enw'r eglwys *Cyffig* lawer canrif yn ôl. Ond yr oedd yno gynt gan fod Llyfr Llandaf yn sôn am *Langyffig* yn Nhalacharn. Mae'r ffurf *Eglwys Cyffig* ar gael hefyd. Enw sant yw *Cyffig*, yn tarddu oddi wrth *cyff* 'cist, blwch'. Mae'r enw *Llangyngar* wedi diflannu erbyn hyn, ond fel y gwelsom dyna oedd yr enw arall ar Langefni, Môn. Yn wir mewn un ddogfen yn 1481 gelwir tenantiaid Llangefni yn ddeiliaid tir Cyngar. Rhaid fod hyn yn cyfeirio ar y rhydd-ddeiliaid yn nhrefgordd y llan. *Llangyngar* oedd enw eglwys Yr Hob neu Estyn yn Sir y Fflint, a cheir *Ynys Gyngar*, yn Eifionydd.

Dan eglwys Llandyfaelog yr oedd *Llangyndeyrn*, Sir Gaerfyrddin, a hyn, mae'n debyg, sy'n cyfrif am y ffaith mai ychydig iawn o hen ffurfiau sydd ar gael. Fe soniwyd am Gyndeyrn wrth drafod sefydlu Llanelwy. Peidiwch â gwylltu wrth weld ffurfiau fel *Llangendeirne* mewn cofnodion swyddogol — ailadrodd hen sillebiad gwael y maent — fel mae'n digwydd yn aml. Mae hi'n llawer haws i hen ffurf anghywir oroesi nag yw hi i sefydlu ffurf gywir.

Ceidw *Llangynfab* neu *Gapel Cynfab* ym mhlwyf Llanfair-ar-y-bryn, Sir Gaerfyrddin enw sant nad oes gyfeiriad ato ar wahân i hyn. Sant arall anhysbys yw'r *Cynfall* a goffeir yn *Llangynfall*. Erbyn hyn *Llangynfyl* neu *Llangunville* yn Swydd Henffordd yw'r enw. Mae'n debyg y dylem gysylltu'r *mall* yn yr enw *Cynfall* â'r enw *Mallteg*. Yn hen blwyf *Llangynfarch* y mae Cas-gwent ym Mynwy. Cyfansoddair yw hwn oddi wrth *cyn* a *march*. Ni wn faint o sail wironeddol sydd i'r ffurf *Llangynfarwy*, ffurf amrywiol ar enw eglwys *Llechgynfarwy* ym Môn. *Llechgynfarwy* yw enw'r eglwys, yn ddieithriad bron, ac mae'n enghraifft dda o'r elfen *llech* mewn hen enwau. Un arall ym Môn yw *Llechylched*. Mae mwy nag un tarddiad posibl i'r enw *Cynfarwy*, a dylid meddwl am enwau fel *Afarwy*, a'r elfen *bâr* 'llid', ac am y ffurf *Cynwarwy* sy'n digwydd mewn cysylltiadau eglwysig.

Enw hynafol iawn yw *Cynfelyn* yn *Llangynfelyn* yng Ngheredigion. Mae'n digwydd yn enw ar frenin yn y cyfnod Rhufeinig, sef *Cunobelinus*, cyfansawdd o'r elfen *cyn-* ac enw'r duw *Belinus*. Yr enw hwn a fabwysiadwyd gan Shakespeare yn ei ddrama *Cymbeline*. Enw lleyg yw *Llysfaen*, Sir Ddinbych. Enw'r eglwys fodd bynnag oedd *Llangynfran*, sef *cyn-* gyda'r elfen *brân*. Ystyr *Cynhafal* yn *Llangynhafal* yw 'un tebyg i dywysog' neu 'cydradd â thywysog'. Santes sydd gennym yn *Llangynheiddon* ym mhlwyf Llandyfaelog, Sir Gaerfyrddin. Merch oedd *Cynheiddon* i Frychan, os gellir rhoi coel ar epilgarwch y gŵr hwnnw. Ai 'haidd' yw sail yr enw hwn? Sant a gysylltid yn arbennig â Brycheiniog a Henffordd oedd *Cynidr*. Heblaw *Llangynidr* ym Mrycheiniog mae un arall yn Swydd Henffordd, sef *Kenderchurch*. Iddo ef hefyd y cyflwynwyd Y Clas-ar-Wy, Aberysgyr a Chantref. Ni wn a fyddai'n rhy feiddgar inni awgrymu cysylltiad â'r gair *nidr, nidro*, sef 'ymhlethu, nyddu'.

Mae'n bosibl bod gennym dystiolaeth annibynnol bendant i fodolaeth *Cynin* yn *Llangynin* neu *Llangyning* yn Sir Gaerfyrddin. Digwydd ei enw droeon yn enwau lleoedd yr ardal. Ond ar ben hyn y mae dwy garreg goffa sy'n dwyn yr enw *Cunignos*, y naill yn Llannewydd a'r llall yn Eglwys Gymyn lle y coffeir Avitoria ferch Cunignos. Os yr un *Cynin* yw hwn, y tebygolrwydd yw mai Gwyddel ydoedd gan mai ar gerrig Ogam y cadwyd ei enw. Ffurf fachigol ar yr elfen *cyn-* sydd yma.

Mae dwy *Langynllo*, y naill yng Ngheredigion a'r llall ym Maesyfed, a *Chynllo* yn sant o gryn bwys yn y ddwy fro. Cyflwynwyd eglwysi Nanmel a Llanbister iddo, a hefyd Llangoedmor. Gadawodd ei ôl yn llythrennol ar ardal yr eglwys olaf. Y mae *Ôl Traed March Cynllo* ac *Ôl Gliniau Cynllo*, sef olion traed ei farch ac olion ei liniau pan fyddai'n gweddïo. Mae peth amheuaeth ynglŷn â ffurf ei enw. Gwn fod y gair *llo* yn digwydd yn yr enw *Trillo*, ond y mae enghreifftiau cynharaf y ddwy Langynllo yn awgrymu'n gryf mai *Llangynllaw* oedd y ffurf yn y drydedd a'r bedwaredd ganrif ar ddeg. Ond ni wn a yw hyn yn datrys y broblem chwaith gan fod mwy nag un ystyr i'r gair *llaw*, a chaniatáu mai dyma ail elfen *Cynllo*. Bu llawer o gymysgu rhwng enwau fel *Cynfwr, Cynfor* a *Cynnwr*. Yr olaf mae'n debyg sydd yn *Llangynnwr*, hen enw ar Landeilo Ferwallt yng Ngŵyr. *Cynfor* neu *Cynfwr* sydd yn *Llangynnwr* ger Caerfyrddin, gan fod un hen ffurf *Llangonefor* yn 1282.

Un o feibion Brychan oedd y *Cynog* a goffeir mewn nifer o eglwysi â'r enw *Llangynog* ym Mrycheiniog a'r cyffiniau. Mae Llangynog ei hun ym Muellt, a chyflwynwyd Merthyr Cynog, Defynnog, Ystradgynlais a Phenderyn i Gynog. Mae *Llangynog* hefyd yn Sir Drefaldwyn. Gelwid y *Llangynog* sydd yn Sir Fynwy hefyd yn *Llanwern Gynog* a *Henllennig Gynog*. Mae'r *Llangynog* arall yn Sir Gaerfyrddin yn ddigon pell oddi wrth gylch cenhadol Cynog fab Brychan i beri meddwl am y Cynog arall a ddilynodd Ddewi ym Mynyw.

Ni wyddys hyd sicrwydd pwy oedd y *Cynwyd* a goffeid yn *Llangynwyd Fawr* ym Morgannwg. Yr oedd trefgordd gynt yn perthyn i Lancarfan a elwid *Allt Gynwyd*, ac mae'r enw Cynwyd yn digwydd yn Llangar, Meirionnydd. Enwir Cynwyd yn un o Wŷr y Gogledd. Ymddengys mai enw sant yw *Cynwyl* yn *Llangynwyl*, enw a roir weithiau ar eglwys Penrhos yn Llŷn. Yn yr enwau *Cynwyl Elfed* a *Chynwyl Gaeo* gwelir ychwanegu enw'r fro at enw'r sant er mwyn gwahaniaethu rhwng yr eglwysi. Dywedwyd gair am Langynyw, Sir Drefaldwyn wrth drafod Llangynfyw uchod.

Gan fod mwy nag un Cystennin enwog, mae'n bur anodd gwahaniaethu rhwng y gwahanol gyflwyniadau. Yr un a elwid *Cystennin Gorneu* mae'n bosibl sydd â'r hawl orau i'w ystyried. Dywedir mai gŵr o Gernyw oedd hwn. Yr enw Lladin *Constantinus* a roes *Cystennin* yn Gymraeg. Ceir *Llangystennin* yn y Creuddyn, Sir Gaernarfon, a thybir bod rhywfaint o berthynas rhwng yr eglwys hon a Llangernyw. Yr eglwys arall sy'n dwyn yr enw yw *Llangystennin Garth Benni* yn Swydd Henffordd. Collwyd yr enw ers canrifoedd, a *Welsh Bicknor* y gelwir hi bellach.

Gan fod y gair *cywair* yn golygu 'gweddus' ymhlith pethau eraill, gwelir bod yr enw ar y forwyn a goffeir yn *Llangywair (Llangywer)* yn bur addas. Yr oedd dwy drefgordd yn y plwyf, sef Is Afon (neu Ddwygraig), ac Uwch Afon. Mae un eglwys ym Mrycheiniog sydd wedi ymsefydlu yn y ffurf *Llanhamlach*. Beth bynnag yw ystyr yr enw, mae'n ddigon annhebyg mai enw sant sydd ynddo. Mae ffurfiau fel *Llanhamlwch*, fodd bynnag, yn awgrymu mai eglwys ger rhyw lyn neu gors (*am* a *llwch*) yw hon, ond mae'n anodd esbonio'r *h* sy'n digwydd yn gyson o'r cyfnod cynharaf, heblaw ein bod yn tybio i'r *h* gripio i mewn dan yr acen, a bod pwysau'r ffurf ysgrifenedig yn ddigon i'w chadw i mewn. Ai hyn hefyd a ddigwyddodd yn achos *Llanharan* a *Llanhari* ym Morgannwg? Cysylltir Llanharan ag *Aron*. Ni wyddys dim ar hyn o bryd am nawddsant Llanhari.

Enw anodd arall yw *Llanhiledd*, Sir Fynwy. Go brin fod a fynno'r enw â Heledd, chwaer Cynddylan. Y ffurf ar lafar yw *Llaniddel*. Nodir hen gapel dan eglwys Llanegwad yn y ffurfiau *Llanhernyn* a *Llanihernyn*. Mae'n bur debyg mai *Llanheyernin* fyddai'r ffurf gywir a *Heyernin* yn fachigyn ar *Haearn*. Â Llydaw y cysylltir y sant hwn yn bennaf dan yr enw *Hoiernin* a *Hernin*. Er mai *Llawhaden* yw ffurf ysgrifenedig arferol yr eglwys hon yn Sir Benfro, ac wedi bod felly ers canrifoedd lawer, y ffurf lawn yw *Llanhuadain*, sy'n cynnwys yr enw personol *Huadain*. Ar lafar clywir *Llanihaden*. Mae *Llanhychan*, Dyffryn Clwyd yn ddigon hawdd ei esbonio gan mai *Hychan* yw enw'r sant, ffurf ar *hwch*. Byddid yn hoff o ddefnyddio enwau anifeiliaid fel hyn. *Llanhenog* yw ffurf Gymraeg eglwys *Llanhennock* yn Sir Fynwy. Mae'r enw *Henog*, *Hynog* yn digwydd mewn ffurf arysgrifol *Senacus* a dengys hyn mai *-og* oedd y terfyniad yn wreiddiol.

Un *Llanhywel* sicr sydd ar gael, sef yn Sir Benfro. Daeth yr *Hywel* hwn yn gymeriad yn chwedl Arthur, ac yr oedd yn un o farchogion y llys. Nid enw sant sydd yn *Llanhywel*, plwyf Glasgwm. *Llwynhywel* oedd hwn gynt. Mae *Llanidan*, Môn, yn enghraifft dda o gymysgu enwau, yn enwedig pan geir enw sy'n dechrau ag *n* yn dilyn *llan*. *Nidan* yw enw'r sant, ond camrannwyd *Llannidan* a chael y ffurf *Idan*. Fe geir yr un anhawster gyda *Ffynnon Nidan* neu *Ffynnon Idan*. Collwyd yr *n* ddechreuol yn llwyr mewn ffurfiau fel *Cadair Idan* a *Hendre Idan*. *Idloes* yn ddiamau yw enw'r sant yn *Llanidloes*, ond prin iawn yw'r ffeithiau amdano. Ceir *Ffynnon Idloes* yn y plwyf.

Mae *Iestyn* yn *Llaniestyn* yn enghraifft arall o uchel gysylltiadau rhai o'r saint cynnar. Dywedir ei fod yn fab Geraint ab Erbin, tywysog Dyfnaint. Priodolir dwy eglwys iddo, y naill yn Llŷn a'r llall ym Môn. Mae tair *Llanieuan* neu *Lanifan*, un ym mhlwyf Llanofer, Mynwy, un arall yn Llanfihangel Nant Melan, a'r drydedd yw'r enw Cymraeg ar Ednop, Swydd Amwythig. Mae dwy drefgordd yn Llangurig, sef *Llaniwared* a *Llanifyny*, a'r ddau enw yn cyfeirio wrth gwrs at eu safle daearyddol mewn perthynas â'r eglwys. Mae'r hen ffurfiau yn dangos mai *Eigon* oedd y sant a goffeir yn *Llaneigon*, bellach *Llanigon* ym Mrycheiniog. Yn ôl un ach yr oedd Eigon yn fab i Wynllyw a Gwladus, ac felly'n frawd i Gadog.

Un *Llanilar* sydd, sef yng Ngheredigion. Tybir mai'r enw Lladin *Hilar* yw *Ilar*, a cheir mwy nag un enghraifft o'r ffurf *Llanhilar*, fel petai rhywun yn fwriadol yn ceisio dangos y cysylltiad Lladinaidd. Ond efallai hefyd fod hyn yn enghraifft arall o roi *h* i mewn dan yr acen, fel y gwelsom o bosibl gyda *Llanhamlach* uchod. Enw Cymraeg mae'n debyg yw *Ilid*, y santes a goffeir yn *Llanilid*, Morgannwg. Ond bu'r 'Rhufeinwyr' wrthi'n ei chysylltu â Julita. *Illteyrn* yw'r sant a enwir yn *Llanilltern*, gynt *Llanellteyrn*, Morgannwg. Dyma'r elfen *ill* 'llawer' a *teyrn* 'tywysog'. Gwelir yr un amrywio rhwng *ell* ac *ill* ag a geir yn *Elltud* ac *Illtud*. Digwydd yr enw *Ellteyrn* hefyd yn *Rhydellteyrn*, hen drefgordd yn Llanhychan, Dyffryn Clwyd.

Daw hyn â ni at yr eglwysi a gyflwynwyd i Illtud (sef *ill*, *ell* a *tud* 'gwlad, pobl'). Mae *Llanelltud* ar gael yn Ardudwy, ond yn y De y mae'r gweddill: *Llanilltud Gŵyr*, *Llanilltud (Glyn) Nedd*, *Llanilltud Fawr*, *Llanilltud Faerdref*, a *Llanilltud*, Brycheiniog. Ffurf arall ar yr enw yw *Illtwyd*, ac awgrymir yn gywrain mai ffurf enidol Wyddeleg *Illtuaith* yw hon. Sut bynnag, aeth *Llanilltwyd* yn *Llantwit* ym Morgannwg a *Llantwyd* yn Sir Benfro.

Cymysg o'r enw *Illtwyd* a'r Saesneg *ton* yw *Iltwitston* a aeth yn *Ilston*, y ffurf amrywiol ar *Lanilltud Gŵyr*.

Yr oedd un Ina yn ferch i Geredig fab Cunedda, a thebyg mai ei henw hi sydd yn *Llanina*, Ceredigion. Ffôl yw'r syniad mai at Ina, brenin Wessex, y cyfeirir.

Mae lle i gredu fod dau sant wedi ymgymysgu yn yr enwau *Llanisan* a *Llanisien*. *Llanisan-yn-Rhos* yw'r hen enw ar *St. Ishmael's* ym Mhenfro. Ymddengys mai rhyw ffurf fel *Isan* neu *Ysan* sydd yma. Ond ai *Isien* neu *Nisien* sydd yn *Llanisien* (Lanishen) ym Morgannwg a Mynwy? Rhaid cael -*si*- i esbonio'r taflodi yn *Llanishen*. Tebyg mai enwau gwahanol yw *Nysien* ac *Efnysien* y Mabinogi. Nid yw'n debyg mai'r enw Beiblaidd *Ishmael* yw'r Ismel sy'n digwydd yn *Llanismel* yn siroedd Caerfyrddin a Phenfro ond yr hen enw Cymraeg *Osmail*. Datblygodd hwn yn *Ysfael* (enw ar afon ym mhlwyf Llanddarog) ond yn enwau'r eglwysi cadwyd yr hen ffurf yn -*m*-. Bu llawer o gymysgu ar enw'r sant a welir yn *Llanllawddog*, Sir Gaerfyrddin. Nid wyf yn sicr eto faint o goel a phwysau y dylid eu rhoi ar hen ffurfiau fel *Llanllowoddog* a *Llanllywyddog*, ffurfiau sy'n awgrymu bod sillaf wedi mynd ar goll. Byddai hyn yn help i esbonio pam nad aeth *Llawddog* yn *Lloddog*. Os cymerwn *Llawddog* yn ffurf ddilys gywir gellid ei dadelfennu mewn dwy ffordd o leiaf, sef *llawdd* 'clod, mawl' a'r terfyniad -*og* (am yr ystyr cymharer *Llawdden* sy'n tarddu o bosibl oddi wrth yr enw Lladin *Laudentius* sydd yntau'n cynnwys y ferf Ladin *laudo* 'molaf'). Gellid meddwl hefyd am gyfuniad o'r gair *llaw* (yn un o'i amrywiol ystyron) a'r elfen -*dog* a gawsom o'r blaen yn *Dogfael, Euddogwy* a *Doged*. Os cymerwn yr ail bosibilrwydd am funud daw hyn â ni yn nes at y dyb a goleddid gynt mai'r un sant oedd *Llawddog* â *Lleuddad* (dyna oedd cred Lewis Glyn Cothi er enghraifft ac y mae Buchedd Llawdog yn anwadalu rhwng *Llowddog* a *Llewddog*).

Mae pâr o enwau fel *Lleuddad* a *Lleuddog* yn awgrymu mai *Lleu* (megis yn enw'r duw *Lleu*) yw'r elfen gyntaf ac mai *-dog* sydd yn ail hanner yr enw *Lleuddog* a hyn wrth gwrs o blaid rhannu *Llawddog* yn yr un dull.

Ond prin y medraf dderbyn fod unrhyw berthynas wirioneddol rhwng *Lleuddad* a *Llawddog* a bydd yn rhaid inni aros yn y gors ansicr hon am beth amser eto!

Â Llŷn ac Ynys Enlli y cysylltir *Lleuddad* ac, a bod yn fanwl, â beddau'r ugain mil o seintiau tybiedig. Tybid gynt fod pererindota deirgwaith i Enlli yn gyfwerth ag unwaith i Rufain.

Goroesodd yr enw ym mhlwyf Aberdaron lle y ceir *Gerddi Lleuddad* ac *Ogof Lleuddad* ac ym Mryncroes y mae *Ffynnon Lleuddad*. Cylch gweithgarwch Llawddog ar y llaw arall oedd dwyrain Penfro, sef Cilgerran a gorllewin Sir Gaerfyrddin, sef Cenarth, Pen-boyr a Llanllawddog.

Mae golwg od ar yr enw *Llanllawer* yn Sir Benfro. Cyn y ddeunawfed ganrif fodd bynnag, y ffurf yn ddieithriad bron oedd *Llanllawern* neu *Lanllawarn*, gydag ambell un fel *Llanllawharn*. Mae'n bur debyg mai'r gair *llawern* 'llwynog' sydd yma, o bosibl, fel enw personol, gan fod enghreifftiau o'r enw ar gael. Y lluosog oedd *llewyrn*, ac y mae hwn yn digwydd yn yr enw *Crugau Llewyrn* ger Cas-gwent. Mae *Llewyrnog* yn adnabyddus hefyd. Mae'r ffurfiau yn *-arn* neu *-harn* yn awgrymu posibilrwydd arall, sef enw yn *-haearn*, ond nid yw'r esboniad hwn yn debygol.

Santes oedd *Llechid* yn *Llanllechid*, Sir Gaernarfon, a chwaer i Drillo a Thygái (cymharer Llandygái yn ymyl). Rhaid mai enw yn cynnwys y gair *llech* a'r terfyniad *-id* sydd yn *Llechid*. Nid oes digon o hen ffurfiau i benderfynu tarddiad *Llanlleiana* yn Llanbadrig, Môn. Yr esboniad arwynebol a'r un a ddaw gyntaf i'r meddwl yw bod yr enw'n cynnwys *lleianau*, er mai *lleianod* yw'r ffurf arferol, a gellid felly gymharu enw fel *Llangwyryfon*. Ym

Modedern y mae *Llanllibio*. Yr oedd *Llibio* yn gyfaill i Gybi, os gwir yr hanes, ac wedi teithio i Iwerddon daethant yn ôl ill dau i Fôn. Enw anwes yw *-io* yn hwn. Ni wn a ydyw'r elfen *llib* yn bod ar ei phen ei hun, ond ymddengys mewn enw fel *Cynllib*, a'r hen enw ar dalaith Rhwng Gwy a Hafren, sef *Cynllibiwg*. *Llanllieni* yw enw Cymraeg *Leominster*, fel y gwyddys. Gellir cysylltu *llieni* â'r gair *lliant* 'llifeiriant', a thybio bod y *llan* ynghanol dyfroedd (y mae yno dair ffrwd sy'n gorlifo o dro i dro), fel y ceir *Llanymddyfri*. Mae'n amlwg fod y Saeson wedi disodli *llan* gan air tebyg, sef *minster*. Yr esboniad a geir gan hynafiaethwyr weithiau yw 'church of nuns', gan gymryd bod *llieni* yn amrywiad ar *lleianau*. Yr enw *Lluan* sydd yn *Llanlluan*, hen gapel ym mhlwyf Llanarthne, Sir Gaerfyrddin. Gan fod y ffurf *Llanlluan* yn hen, rhaid gwrthod syniadau sy'n cynnig mai ffurf ar *lleian* yw, a derbyn cyfansawdd o'r gair *llu* a'r terfyniad *-an*.

Mae'r ffurfiau ar enw eglwys *Llanllugan* yn Sir Drefaldwyn yn gyson iawn yn dangos *-an* yn y sillaf olaf. Gellid dadlau'n hawdd iawn mai enw yn cynnwys yr elfen *llug* 'goleuni' yw hwn, a'r terfyniad *-an* eto, ond ni wyddys am sant â'r enw hwn. Tipyn o bos yw'r ffurf a geir gan Gynddelw Brydydd Mawr yn y ddeuddegfed ganrif, sef *Llanllugyrn*. Y mae'r gair *llugorn* a'r lluosog *llugyrn* ar gael am 'lantern, goleuni', a thybed nad rhyw chwarae diniwed sydd gan y bardd ar ystyr y gair *llug*? Credai rhai gynt mai cyfansawdd oedd *llugyrn* o'r ddau air *llu* a *cyrn*, a'i gyfieithu'n *'church of the war horns'*. Mae awduron parchus *Lives of the British Saints* yn cael hwyl fawr am ben yr esboniad hwn, ond nid ymddengys eu cynnig hwy fawr gwell, sef mai atgof yw *Llanllugyrn* am yr enw *Llorcan Wyddel*. Erys y ffaith mai *Llanllugan* yw'r ffurf arferol er y cychwyn cyntaf. Daeth y llecyn yn gartref i leianod dan reolaeth abaty Ystrad Marchell.

Enw daearyddol yw *Llan-llwch* ger Caerfyrddin. Rhaid

mai *llwch* 'llyn, cors' yw'r ail elfen, ac y mae Rhyd-y-gors
heb fod ymhell. Yr oedd cryn bwysigrwydd i'r lle gynt,
a cheir cyfeiriadau at *Felin Llan-llwch* mewn hen
gofnodion. Enwyd dwy eglwys ar ôl *Llwchaearn*, sef
Llanllwchaearn, Sir Drefaldwyn a Cheredigion. Mae'n un
o'r enwau hynny sy'n diweddu yn yr elfen boblogaidd
-haearn, megis *Elhaearn*, *Talhaearn*, ac yn y blaen. Anodd
dweud beth fyddai ystyr yr enw cyfansawdd. Un cynnig
a glywais rywdro oedd 'iron filings'! Enw anodd arall yw
Llwni yn *Llanllwni*, Sir Gaerfyrddin. Nid oes unrhyw
hanes i'r sant hwn. Y ffurf gynharaf yw *Llanllewony*, ac
os gellir dibynnu ar hon, mae rhyw gymaint o awgrym
fod sillaf wedi mynd ar goll yn *Llwni*. Capel ym mhlwyf
Llangyndeyrn oedd *Llanllyddgen* neu *Gapel Llyddgen*.
Dyma enw arall nad oes dim hanes iddo. Ond gellir
anwybyddu ffurfiau a gynigiwyd o dro i dro fel *Capel
Hyddgen* neu *Gapel Dyddgen*. Mae rhai hen ffurfiau yn
awgrymu mai *gain* sydd yn y sillaf olaf.

Trwy drugaredd y mae ystyr *Llanllyfni* yn glir. Mae'n
un o'r eglwysi hynny sydd wedi cymryd eu henw oddi
wrth afon, sef *Llyfni* yn yr achos hwn. Digwydd yr elfen
llyfn 'esmwyth' yn gyffredin yn enwau nentydd ac afonydd
gan gyfeirio at rediad tawel digynnwrf y dŵr. Terfyniad
yn *-i* sydd yma, nid yn *-wy* fel y tybid yn y ganrif
ddiwethaf, ac er bod y ffurf Llyfnwy wedi bod yn ffasiwn
ar un adeg, nid oes sail iddi o gwbl. Terfyniad arall a
ddefnyddid gyda *llyfn* oedd *-ell*, megis yn *Llyfnell*. Mae
tuedd i *-fn-* ymgyfnewid ag *-nf-*, a chael ffurfiau fel *Llynfi*
a *Llynfell* (cymharer *Cwmllynfell*). Cyflwynwyd Llanllyfni
i Redfyw neu Redyw, ac y mae *Ffynnon Redyw* a *Thyddyn
Rhedyw* yn cadw cof amdano. Mae'r enw *Rhedyw* neu
Redfyw yn hen iawn ac yn cynnwys yr elfennau *rhed* a *byw*.
Tybiodd rhywun ar gam rywbryd mai *Credfyw* neu
Gredyw oedd enw'r sant, gan gamesbonio ffurfiau fel
Ffynnon Redyw.

Mae dwy *Lanllŷr*, un ym Maesyfed a'r llall ym mhlwyf Llanfihangel Ystrad yng Ngheredigion. Enw gwrywaidd yw Llŷr fel rheol, ond mae sôn mewn rhai cofnodion am Lŷr Forwyn, o bosibl am fod lleiandy gynt yn *Llanllŷr*, Ceredigion. Plasty sydd yno yn awr. Collodd *Llanllŷr*, Maesyfed yr ail *ll* yn gynnar iawn, a dyna paham y sillebir enw'r eglwys ers canrifoedd yn *Llanyre*. Heblaw *Llanllywel* ym mhlwyf Llantrisaint, Sir Fynwy, erys yr enw *Llywel* ar ei ben ei hun yn *Llywel*, Brycheiniog. Yn ôl Gwynfardd Brycheiniog, yr oedd *Llywel* yn un o eglwysi Dewi, ac yn wir sonnir am dri sant Llywel, sef Dewi, Teilo a Llywel. Mae'n bosibl fod Llywel yn ddisgybl i Deilo. Ymddengys mai'r gair *llyw* 'arweinydd' sydd yn yr enw.

Sillebiad cyffredin ar eglwys *Llanllywenfel* ym Muallt yw *Llanlleonfel*, ond y ffurf gyntaf sydd debycaf i'r hyn a geir yn yr hen gofnodion. Mae'r ffurf gynharaf yn ymdebygu i *Llanllywenfael*, ac felly rhaid meddwl am gyfuniad o *llywen* neu *llawen* a *mael*. Os *llywen*, cymharer *Llyw-el* uchod; os *llawen*, cymharer yr ansoddair cyffredin. Mae'n amlwg fod *Llanmadog* yng Ngŵyr yn cadw hen ffurf ysgrifenedig, gan mai *Llanfadog* a ddisgwylid yn naturiol. Mae ambell enghraifft ar gael o'r ffurf *Llanfadog*, ond y llall a orfu. Cawn yr un anwadalu gydag enwau fel *Llanmartin* a *Llanmihangel*.

Mae Llanmadog yn hen eglwys. Ei henw yn 1284 oedd *Lanmadok*. Dywedir mai i Fadog fab Gildas y cyflwynwyd hi. Gwelir ar y mapiau *Llanmadog* arall ym mhlwyf Betws-y-crwyn yn Swydd Amwythig. Ond *Llwynmadog* oedd yr enw gynt.

Llan-maes yw ffurf arferol eglwys ym Morgannwg, fel y ceir *Llanmihangel* gerllaw. Yr ynganiad lleol gan Gymry oedd *Llan-faes* a *Llanfihangel*. Mewn cofnodion swyddogol *Llan-maes* yw'r ffurf a geir. Yr oedd hen gapel yn *Llanmarchan*, plwyf Llanychlwydog, Sir Benfro. Mae'r enw yn digwydd yn y ffurf *Llanfarchan* ar dro, a gellid

tybio mai *Marchan* a goffeir yma (sef bachigyn o *March*).
Ond mae'n bosibl hefyd fod *llan* yn cynrychioli *nant* yn
yr enw hwn, gan fod Nant Marchan yn rhagnant i Afon
Gwaun yn y fan hon. Mae *Llanmarlais* yn Llanbedr
Efelfre yn enghraifft arall o ddisodli *glan* gan *llan:*
Glanmarlais sydd yn yr hen ffurfiau. Ni wn pwy yw'r gŵr
y mae ei enw'n ymddangos yn *Llanmilo* ym mhlwyf
Llanddowror. O ran yr enw, gall mai *Meilo, Meilio* sydd
yma, sef ffurf anwes ar y gair *mael*, neu hyd yn oed ar
ail fel y ceir *Eilio*, neu hefyd yn ffurf gyfatebol i *Teilo*.

Er mai *Llanmerewig* yw'r ffurf a geir ar yr eglwys yn
Sir Drefaldwyn, mae'n weddol sicr mai *Llamyrewig* oedd
yr hen ffurf. Yn 1763 *Llanmerewig* yw'r ffurf a geir ond
yn 1254 ceir *Lamerewic*. Llwchaearn oedd nawddsant yr
eglwys, ac mewn cywydd iddo gan Siôn Ceri dywedir mai
'lle mawr yw Llam yr Ewig', a chyfeirir at y traddodiad
fod Llwchaearn wedi gorfodi ewig i neidio i bwll er mwyn
achub ei blwyfolion. Ys dywed y bardd:

Ni cheid einioes i'ch dynion
Heb roi cwymp i'r ewig hon.

Nid *Llanmorlais* yw ffurf gywir y llecyn hwnnw yn
Llanrhidian, Gŵyr, ond *Glanmorlais* neu *Lanmorlais*.
Morlais yw enw'r ffrwd. Un o eglwysi Dewi yw *Llannarth*,
Ceredigion, ond mae lle i gredu bod a wnelo sant o'r enw
Meilig â hi hefyd. Mae *Meilig* a *Maelgwn* yn ffurfiau
amrywiol ar yr un enw gwreiddiol, a gall *Maelog* fod yn
ffurf anwes arno hefyd. Y gair *garth* 'cefnen' neu 'le
caeëdig', sydd yn *Llannarth*. Saif yr eglwys ar godiad tir
pur amlwg. *Llannewydd* yw enw Cymraeg *Newchurch* yn
Sir Gaerfyrddin, ond ceid hefyd gynt *Llanfihangel*, neu
Lanfihangel Croesfeini yn llawn.

Fel y gellid disgwyl mae eglwysi Non yn agos iawn at
rai o eglwysi ei mab Dewi. Y ddwy bwysicaf yw *Llan-
non* yn Sir Gaerfyrddin a Cheredigion. Ceid hefyd gapeli
Llan-non yn Elfael, Sir Faesyfed ac yng Ngŵyr. Mae enw

eglwys *Llanofer* yn Sir Fynwy yn enghraifft dda o'r modd y mae'n rhaid bod yn dra gofalus wrth geisio esbonio enw yn ôl ei ffurfiau diweddar. Mae'n amlwg mai'r ffurf wreiddiol gynharaf oedd *Llanfyfor* sy'n cynnwys yr enw personol *Myfor*. Gan fod yr enw personol *Môr* yn wybyddus, gellir awgrymu'n bur hyderus fod *Myfor* yn enghraifft arall o'r rhagddodiad anwes *my-* o flaen *Môr*. Yr enw hwn hefyd a geir ym *Merthyr Mawr*, sef *Merthyr Myfor* gynt ym Morgannwg. Enw Cymraeg a aeth ar goll yn Sir Fynwy yw *Llanoronwy*, sef *llan* a *Goronwy*. Y tebyg yw mai dyma enw gwreiddiol eglwys *Rockfield*. Enw Ffrangeg yw hwn, sef *Rocheville* (yn Normandi). Fe'i seisnigeiddiwyd yn raddol trwy droi *roche* yn *rock* a *ville* yn *field*.

Ffurf lawn *Llanpumsaint* yn Sir Gaerfyrddin yw *Llanypumsaint*. Ceir mwy nag un traddodiad am y pump hyn, sef *Gwyn, Gwynno, Gwynoro, Celynnin* a *Cheitho*. Yn ôl y stori aeth swynwr â hwy i ogofâu i gysgu nes dyfod Arthur Frenin yn ôl unwaith eto, neu hyd oni ddelai esgob duwiol i'r esgobaeth. Mae blas ychydig yn faleisus ar y stori hon. Capel arall a gyflwynwyd iddynt yw *Pumsaint* yng Nghaeo neu, a rhoi ei enw llawn, *Llandeilo Pumsaint Caergaeo*.

Gredifel yw mabsant plwyf Penmynydd, Môn, ac felly ceir *Llanredifel* yn enw ar yr eglwys o dro i dro. Cedwir yr enw yn *Ffynnon Redifel* a *Bedd Gredifel*.

Gwelsom uchod mai *Llanfihangel-yn-Rug* oedd enw eglwys *Llanrug* gynt. Y ffurf hynaf ar enw *Llanrwst* yw *Llanwrwst*. Dengys hyn mai *Gwrwst* yw'r enw personol, a hwn yn enw hynafol iawn yn Gymraeg. Cyfansawdd yw o'r gair *gŵr* a *gwst* 'chwaeth, dewis', a byddai'r enw yn golygu rhywbeth fel 'gŵr dewis'. Yr un ydyw â'r enw Gwyddeleg *Fergus*. Buom yn trafod y ddwy Lanrhaeadr, sef *Llanrhaeadr-yng-Nghinmeirch* a *Llanrhaeadr-ym-Mochnant* o'r blaen, a gweld bod yr enw daearyddol 'rhaeadr' wedi trechu enw gwreiddiol y saint y cyflwynwyd yr eglwysi hyn iddynt, sef *Llanddyfnog* a *Llanddoewan*.

Ni wyddys dim am y sant a goffeir yn *Llanrheithan*, Sir Benfro. Tybir mai i Garon y cyflwynir yr eglwys. Gellir dadelfennu'r enw yn *rhaith* a'r terfyniad *-an*, a chymharu enwau fel *Machraith*, *Rheithfyw* ac yn y blaen. Mae peth anhawster gyda *Llanrhian* yn Sir Benfro hefyd. *Rhian* a geir yn y mwyafrif o'r ffurfiau, ac y mae hyn yn awgrymu mai bachigyn ar y gair cyffredin *rhi* 'brenin' sydd yma. Ond mae'r ffurf *Llanrhiain* ar gael hefyd o'r unfed ganrif ar bymtheg ymlaen, a deallaf mai *Llanrhiain* yw'r ynganiad lleol. Mae'n bosibl wrth gwrs mai ffurf hynafiaethol yw *Llanrhiain*, a bod hon wedi effeithio ar y ffurf lafar. Nid yw hyn mor anghyffredin ac anarferol ag y tybir weithiau.

Nid yw ffurf enw eglwys *Llanrhidian* yng Ngŵyr wedi newid fawr ddim ers canrifoedd lawer. Ymddengys y daw'r enw *Rhidian* o air megis *rhid* 'gwres' a'r terfyniad *-ian*. Ni chredaf y dylid pwyso gormod ar y ffurf a ddigwydd yn 1185, sef *Llandridian*. Mae tuedd naturiol i *nr* droi'n *ndr* yn Gymraeg. Ffurf arall ar Eglwys-rhos yn y Creuddyn yw *Llan-rhos*. Cyfeiriad sydd yma at y ffaith fod y Creuddyn gynt yng nghantref *Rhos*, hynny yw, cyn ei gymryd yn rhan o Sir Gaernarfon er mwyn diogelu tir y tu draw i'r afon o Gastell Conwy. Mae'n bosibl yn wir mai at y Creuddyn ei hun y mae'r enw *Rhos* yn cyfeirio, gan mai un ystyr i *ros* yw 'penrhyn'. Cyfeirio at liw coch y mae *rhudd* yn *Llan-rhudd* yn Nyffryn Clwyd. Meugan yw mabsant yr eglwys. Bu peth dadlau sut y dylid sillebu'r enw *Llanrhuddlad* ym Môn. Fe'i ceir yn aml fel *Llanrhyddlad*, ond mae'r hen ffurfiau yn bendant o blaid *-u-*. Os *llad* yw'r ail elfen buasai'n hawdd esbonio *rhyddlad* yn 'rhydd ei fendith'. Ond gan mai *rhudd* 'coch' sydd yma, rhaid inni ddisgyn mae'n debyg i 'coch ei ddiod', gan fod *llad* hefyd yn golygu 'diod'. Yr enw seciwlar ar y lle oedd

Trefednyfed. Prin mai'r gair *rhwyd* sydd yn *Llanrhwydrys*,
Môn. Yn hytrach dylid meddwl am *rhwyddrys* sef
cyfansawdd o *rhwydd* a *rhys* 'arwr'. Bydd -*dd*- yn troi'n
-*dr*- yn aml.

Rhaid mai *rhych* a *gwyn* sydd yn yr enw *Rhychwyn* yn
Llanrhychwyn, Sir Gaernarfon, a *Bodrychwyn*, Sir
Ddinbych. Eglwys fach ddistadl hyfryd yw hon yn yr
unigedd uwchben Trefriw. Mae hanes enw *Llanrhystud*,
Ceredigion yn enghraifft dda o geisio esbonio enw sant
o Gymro drwy gyfrwng Lladin. Ffôl i'r eithaf oedd tybio
bod a fynno'r enw â'r Esgob Restitutus. Enw Cymraeg
go iawn sydd yma, sef *Rhystud*, cyfansawdd o *rhys* 'arwr'
a *tud* 'pobl', hynny yw 'arwr ei wlad a'i bobl'. Gan fod
yr eglwys ar ffin dau gwmwd gelwir y ddau blwyf yn
Llanrhystud Anhuniog a *Llanrhystud Mefenydd*. Mae dwy
eglwys *Llansadwrn*, y naill yn Sir Gaerfyrddin a'r llall ym
Môn. Yr enw Lladin *Saturnus* sydd yma yn sicr, yr un
enw â'r diwrnod. Gelwid Sadwrn yn *Sadwrn Farchog*.
Enw tebyg iawn yw *Sadyrnin* yn *Llansadyrnin* yn Sir
Gaerfyrddin, ond mai'r Lladin *Saturninus* sydd wrth
wraidd hwn.

Llan Sain Siôr yw'r ffurf Gymraeg ar eglwys *St. George*
ger Abergele. Enw seciwlar y drefgordd sy'n digwydd
mewn cofnodion cynnar, sef *Cegidog* — lle y mae llawer
o *gegid* 'hemlock' yn tyfu. Yr un gair sydd yn *Cegidfa*, y
ffurf Gymraeg ar *Guilsfield* yn Sir Drefaldwyn. Y gair moel
saint a geir yn *Llan-saint*, Sir Gaerfyrddin. Hen enw'r
eglwys oedd *Halkenchurch*. Mae dwy *Lan Saint Catrin*.
Un yw enw eglwys blwyf Llan-faes ym Môn, a'r llall yw
enw eglwys Cricieth. Santes estron yw hon a dyna paham
y ceir y gair 'saint' o flaen ei henw. Ni wyddys dim am
y sant y gwelir ei enw yn *Llansamlet*, ger Abertawe.

Gydag enw *San Ffraid* cawn gyfres o eglwysi a
gyflwynwyd i'r santes hon o Iwerddon, St. Bride. Yr oedd
un *Llansanffraid* yn Swydd Henffordd, a'r enw Saesneg

cyfatebol yw *Bridstow*. Yr oedd un arall ym mhlwyf Llan-
arth, Mynwy. Yr oedd Llansanffraid yng Ngheredigion,
yn Uwch Aeron, a gelwid hi weithiau *Llansanffraid-yn-
y-Morfa Mawr*. Ym Morgannwg yr oedd *Llansanffraid-
ar-Elái*, neu *St. Brides-super-Ely*, a *Llansanffraid-ar-Ogwr*
neu *St. Brides Minor*. *Llansanffraid-ar-Wysg* yw'r un yn
Sir Frycheiniog, ac nid arferid y ffurf arall ond yn 1254
pan gawn *Sancta Brigida*. Mae *Llansanffraid Cwmteuddwr*
ym Maesyfed yn cynnwys cyfeiriad at gwmwd *Deuddwr*,
ac enwir y ddau ddŵr neu afon yn nhrefgorddau'r plwyf,
sef *Dyffryn Elan* a *Dyffryn Gwy*.

Yr oedd eglwys *Llansanffraid Glan Conwy* yn
nhrefgordd y Ddiserth, ac ymddengys dan yr enw hwn
weithiau. Mae'n amlwg pam yr enwyd *Llansanffraid Glyn
Ceiriog*, a gelwir yr eglwys yn *Llansanffraid y Glyn* ar
brydiau. Adnabyddus hefyd yw *Llansanffraid
Glyndyfrdwy*. Enw cwmwd sydd yn *Llansanffraid
Gwynllŵg* neu *St. Brides Wentloog* ym Mynwy. Felly hefyd
yn *Llansanffraid-ym-Mechain* yn Sir Drefaldwyn a
Llansanffraid-yn-Elfael ym Maesyfed.

Yr enw personol yn *Llansannan*, Sir Ddinbych, yw
Sannan. Mae'n digwydd yn bur gyffredin yn enw ar nant,
a rhaid mai bachigyn ar y gair *saint* ydyw. Nid yr un enw
sydd yn *Sanant*. Cyfyd enw eglwys *Llansanwyr* neu
Lansannor ym Mro Morgannwg nifer o broblemau.
Ymddengys bod yma frwydr rhwng yr enw seciwlar a'r
enw eglwysig, rhwng *Naddawan* a *Llansanwyr*. Enw nant
yw *Naddawan* a ddatblygodd yn *Ddawan*, a'i haber yn
Aberddawan ac *Aberddo*. Yn gynnar iawn newidiwyd
Naddawan yn *Llanddawan* a chollwyd yr -*an* terfynol nes
cael ffurfiau fel *La Ddaw (La Thawe)* yng nghanol y
ddeuddegfed ganrif. Mae enw'r sant neu'r santes yn bur
dywyll, a phrin y gellir derbyn yn ddigwestiwn mai
cynrychioli *Senewyr* y mae *Llansanwyr*, er mai dyna'r
cynnig agosaf.

Mae dwy eglwys *Llansawel* neu *Lansawyl*, y naill ym Morgannwg a'r llall yn Sir Gaerfyrddin. Enw'r sant yw *Sawyl* neu *Sawl* oddi wrth yr enw Lladin *Samuelis*. Gwir mai *Llansewyl* yw ynganiad lleol Sir Gaerfyrddin, ond *Llansawel*, *Llansawyl*, yw'r ffurf ysgrifenedig ar hyd y canrifoedd. Dywedir weithiau nad oes a wnelo *Llansawel*, Morgannwg (hynny yw yr enw Cymraeg ar *Briton Ferry* ger Castell-nedd) â'r sant a enwir *Sawel*, am fod y ffurf *Llanisawel* i'w chael yn fynych. Ond mae *Llanisawel* yn digwydd hefyd yn ffurf ar *Llansawel*, Caerfyrddin, a gellid tybio bod sillaf ychwanegol wedi tyfu o flaen yr enw *Sawel*.

Cymerir yn ganiataol fod *Silin* yn *Llansilin*, Sir Ddinbych, yn cyfateb i'r enw *Giles*. Ffurf arall ar yr enw *Giles* yw *Egidius*, a sonnir am *ecclesia Sancti Egidii de Kynlleith* yn 1296. I Silin hefyd y cyflwynwyd eglwys Wrecsam. Nid wyf yn gwbl sicr, fodd bynnag, fod a wnelo *Silin* â *Giles*, a geill yr enw berthyn i sant o Gymro, hynny yw bod *Silin* fel enw yn enw Cymraeg annibynnol. Gall darddu o'r gair *sil* 'had' a chymharer *Bodsilin* a *Chwmsilin* yn Sir Gaernarfon. Mae'r enw *Sulfyw* yn debyg i enwau eraill megis *Ieufyw* a *Sadyrnfyw*. Un enghraifft ohono sydd ar gael, sef yn enw'r eglwys *Llansulfyw* yn Swydd Henffordd. Symleiddiwyd yr enw hwn yn *Llancillo*, a dyna yw ei ffurf bellach. Nid oes dim yn wybyddus am Sulfyw. Dywed Llyfr Llandaf mai Meurig ap Tewdrig, brenin Morgannwg, a roddodd Lansulfyw i Eglwys Llandaf.

Yn Sir Fynwy y mae *Llan-soe*. Y ffurf hynaf yw *Llandysoe*, sef yr enw *Soe* a'r rhagddodiad parch *ty-*. Ond eisoes erbyn y bymthegfed ganrif yr oedd yr enw yn ymddangos yn y ffurf *Llan-soe*. Dywed Llyfr Llandaf fod *Tysoe* yn ddisgybl i Ddyfrig. Mae un *Llansteffan* yn Sir Gaerfyrddin ac un arall yn Elfael, Maesyfed. Tybir mai sant Cymraeg yw hwn, ac nid yr un â'r sant estron. Yr oedd Steffan yn hanfod o Bowys, ac yn ôl traddodiad yr oedd yn gyfaill i Deilo. Ffurf ar *Justinian* mae'n debyg yw'r *Stinan* yn *Llanstinan* ger Abergwaun. Yn ôl ei fuchedd, treuliodd *Stinan* y rhan fwyaf o'i oes ar Ynys Dewi, a cheir *Capel Stinan* ar yr ynys, heblaw Capel Stinan arall uwchben Porth Stinan yn agos i Dyddewi. Nid yw *Sellack* yn Swydd Henffordd ond ffurf dalfyredig ar yr hen *Llansulwg*. Dywedir bod yr eglwys hon wedi ei chyflwyno i Dysilio. Mae'r enw *Sulwg* yn ffurf ar *Sul*, ac fel y gwelsom o'r blaen, chwarae ar yr enw *Sul* a wneir yn yr enwau *Tysul* a *Thysilio*.

Digwyddodd dau beth i'r enw *Llantriddyd* ym Morgannwg. Mae'n bur sicr mai *nant* oedd yr elfen gyntaf wreiddiol a bod honno wedi ei disodli gan *llan*, ac yn ail yr enw personol oedd *Rhirid*. Felly ffurf gynharaf yr enw yw *Nantrhirid*. Enw digon anodd ei ynganu yw *Rhirid*, a 'does dim rhyfedd bod tuedd i'w seinio yn *Rhiddid*. Mae mwy nag un *Llantrisaint* neu *Lantrisant*. Tri sant Llantrisaint, Môn yw Sanna, Afan ac Ieuan. Ac enwau'r saint yn Llantrisant, Morgannwg yw Illtud, Gwynno a Dyfodwg. Mae hefyd Lantrisaint ym Mynwy, heb sôn am Lantrisant ym mhlwyf Llanfihangel-y-Creuddyn yng Ngheredigion. Mae'n weddol amlwg mai *Llanytrisant* oedd y ffurf wreiddiol a bod y fannod wedi diflannu yn ddiweddarach.

Llantydewi yw'r ffurf Gymraeg ar *St. Dogwells*, Sir Benfro. Saif *Dogwell* yma am enw'r sant, *Dogfael*. Mae *Llanungar*, Tyddewi yn mynd yn ôl i hen ffurf *Llanwengar*, ac ymddengys mai enw personol fyddai *Gwengar*, ond nid oes sôn am yr enw hwn ar wahân i hyn. Hen gapel ger Abergwaun yw *Llan-ust* (gyda llaw, hon yw'r ffurf gywir, nid *Llan-east* y mapiau!) Mae'n debyg mai'r Lladin *Justus* yw'r enw personol ynddo. Eglwys arall yn Sir Benfro yw *Llanusyllt* y sonnir amdani yng Nghyfreithiau Hywel Dda. Yn ôl cofnodion eglwysig, Usyllt oedd tad Teilo. *St. Issell's* yw'r ffurf Saesneg. Mae enw *Llanuwchllyn* yn ei esbonio'i hun, gan fod yr eglwys, fel y gwŷr pawb ar lan Llyn Tegid ym Mhenllyn. I Ddeiniol y cyflwynwyd yr eglwys, ond er gwaethaf y gosodiad a welir weithiau mai'r enw gwreiddiol oedd *Llanddeiniol-uwch-y-Llyn* ni welais dystiolaeth o hyn o gwbl. Yr oedd hen eglwys yn Ergyng yn Swydd Henffordd a gyflwynwyd i Deilo a Dyfrig, sef *Llan-wern Teilo a Dyfrig*. Y tebyg yw mai hon yw'r *Llanwarne* bresennol.

Prin fod neb yn defnyddio'r enw *Llanwarw* yn Sir Fynwy erbyn hyn. Ei hen ffurf oedd *Llanwynwarwy*, ac enw'r sant yw *Gwynwarwy*, enw a welir hefyd yn y ffurf *Ganarew* yn Swydd Henffordd. Disodlwyd *llan* gan *stow* yn Saesneg, a chael y ffurf *Wonastow*. Enw eglwysig yw *Llanwddan* ym mhlwyf Llangystennin yn y Creuddyn. *-an* sydd yn yr holl hen ffurfiau bron, a gellid meddwl am enw fel *Gwyddan*, ond nid yw'r ffurfiau *Llanwddan*, *Llanothan* ac yn y blaen yn dechrau tan tua 1535. Cyn hynny ceid *Llanwgon*, ac y mae hyn yn awgrymu bod newid sydyn wedi digwydd, ac mai'r enw personol gwreiddiol oedd *Gwgon*. Yr oedd y tiroedd hyn ym meddiant Esgob Bangor, hynny yw yn rhan o Faenor y Gogarth. Dyma'r lle a elwir *Glanwydden* bellach, *glan* wedi disodli *llan*, a'r hen ffurf *Gwgon* wedi troi'n *Gwyddan* a *Gwydden*. Enw gwahanol sydd yn *Llanwddyn*, Sir Drefaldwyn. Rhaid meddwl am sant *Gwddyn* neu *Gwyddyn*. Yr oedd *Gwely Wddyn* yn y plwyf. Daeth yr eglwys i feddiant yr Ysbytywyr neu Farchogion Ifan, yr un rhai ag a oedd yn Ysbyty Ifan. Pan wnaed cronfa ddŵr Llyn Efyrnwy boddwyd yr hen eglwys a chodi un newydd rhyw ddwy filltir i ffwrdd.

Llanwaenarth yw hen ffurf eglwys *Llanwenarth* yn Sir Fynwy. Ceir yr un enw yn *Llan Sant Gwaenarth* yn Swydd Henffordd, sef *St. Weonards* bellach. Enw gwreiddiol plwyf Rhoscolyn ym Môn oedd *Llanwenfaen*. Mynychid ei ffynnon gynt, yn enwedig gan rai a ddioddefai gan anhwylder meddwl. Yn ôl achau'r saint, brodyr Gwenfaen oedd Peulan a Gwyngenau, ac nid rhyfedd felly fod Llanbeulan nid nepell i ffwrdd, a Chapel Gwyngenau yng Nghaergybi. Dywedwyd tipyn am *Lanwenfrewi* wrth drafod Treffynnon yn Sir y Fflint.

Ni wyddys dim am *Wenllwyfo*, y santes a goffeir yn *Llanwenllwyfo* ym mhlwyf Llaneilian. *Gwenog* yw nawddsant *Llanwenog*, Ceredigion a chedwir ei henw hefyd yn *Ffair Wenog* (Ionawr 14) a ffurfiau hynaf ar enw'r eglwys yw *Llanwenauk*. *Llanwynio* oedd ffurf wreiddiol enw *Llanwinio* yn Sir Gaerfyrddin. Yn 1291 ymddengys yn y ffurf *Lanwynneau*, a phrawf hyn mai *Gwynio* oedd enw'r sant, hynny yw, ffurf anwes yn -*io* oddi wrth *Gwyn*. Coffeir *Gwyndaf* yn enwau dwy eglwys, sef *Llanwnda*, Sir Gaernarfon a Sir Benfro, ac yng *Nghapel Gwnda* ym mhlwyf Trefdreyr, Ceredigion. Mae'r enw *Gwyndaf* yn cynnwys *gwyn* gyda'r terfyniad cryfhaol -*taf*, a'r cwbl yn golygu rhywbeth fel 'mwyaf sanctaidd'. Mae'r gair *gwyn* yn y safle hwn yn fynych yn troi'n *gwn*-, cymharer *gwyndwn* yn troi'n *gwndwn*. Gwelir yr un math o newid yn enw *Llanwnnen* yng Ngheredigion, gynt *Llanwynnen*. *Gwyn* sydd yma eto, a'r terfyniad benywaidd -*en*. Felly hefyd troes *Llanwynnog* yn Sir Drefaldwyn yn *Llanwnnog*, ond mai sant gwryw sydd yma. Terfyniad arall a ychwanegir at y gair *gwyn* yw -*ws*, felly cawn *Gwynnws* a *Gwnnws*. *Llanwnnws* oedd enw'r eglwys yng Ngheredigion gynt, ond collwyd y *llan*, a *Gwnnws* yw enw'r plwyf sifil. Yr oedd yno *Ffynnon Wnnws*, ac y mae *Penlanwnnws* yn Nancwnlle.

Er mai *Llanwrda* yw enw eglwys yn Sir Gaerfyrddin ers canrifoedd lawer nid y gair *gwrda* 'uchelwr' sydd yma. Mae'r ffurfiau hynaf yn rhoi *Llanwrdaf*, a dengys hyn fod a wnelom â'r enw personol *Gwrdaf*, sef ffurfiad tebyg i *Gwyndaf*, hynny yw *gŵr* a'r terfyniad -*taf*, sef 'gwron mawr'. Hen eglwys nad ydys yn sicr o'i lleoliad manwl, ond ei bod rywle yn Ergyng, Swydd Henffordd, yw

Llanwrfwy. Mae'n bosibl fod ffurf ar yr enw *Gwrfwy* arall, sef *Garway.* *Gwrin* yw mabsant *Llanwrin* yn Sir Drefaldwyn, sef *gŵr* gyda'r terfyniad *-in.* Ceir y ffurf *Llanwring* yn bur gynnar, fel y gellid disgwyl mewn gair yn diweddu yn *-in,* (cymharer *Caerfyrdding*). Ni wyddys dim am y sant a goffeir, ond ceir yr un enw, mae'n debyg, yn hen gantref *Gwrinydd* a ystumiwyd yn *Gorfynydd* ym Morgannwg.

Mae'r enw *Llanwrtud* yn Sir Frycheiniog yn codi problemau. *Llanwrtyd* yw'r ffurf arferol, a dyry hyn le inni gymharu *Llanrhystyd* ochr yn ochr â *Llanrhystud,* Ceredigion. Byddai'n dda gennyf weld yma enw tebyg i *Gwrtud,* sef cyfansawdd o *gŵr* a *tud,* hynny yw 'sant gwryw'. Ond mae arwyddion mai i Dutglyd y cyflwynwyd yr eglwys, santes y dywedir ei bod yn ferch i Frychan. Mae hynny'n rhesymol o gofio bod Llanwrtud ym Mrycheiniog. Ar y llaw arall, gallai *Tutglyd* fod yn enw gwrywaidd, a chydiai'n iawn wrth enw fel *Gwrtud.* Enw anodd yw *Llanwrthwl* ym Mrycheiniog. Ni wyddys dim am unrhyw sant o'r enw, ond yr oedd yn y traddodiad arwrol bennaeth a elwid *Gyrthmwl* neu *Gwerthmwl Wledig.* Yn un o Englynion y Beddau claddwyd hwn yng Nghelli Friafael ger Pont-lliw ym Morgannwg, a chan fod yr enw'n odli â Llwchwr, mae'n rhaid mai *-wl* oedd y sillaf olaf. Ond pur annisgwyl yw'r *m-* yn yr enghreifftiau cynnar, a rhaid tybio bod *Gwrthmwl* wedi newid yn *Gwrthfwl* er mwyn esbonio'r enw *Llanwrthwl.* Ceir *Maes Llanwrthwl* hefyd ym mhlwyf Caeo, Sir Gaerfyrddin.

Yr oedd gynt *Llanwyddalus* neu *Lanwydalus* yng Ngheredigion, sef yr hen enw ar eglwys Dihewyd. Cedwir ffurf ar yr enw yn enw'r ffair enwog, *Ffair Dalis,* a sonnir amdani yn 1570 fel ffair *Llanvidales in Dyhewed.* Digwydd hefyd yn *Ffynnon Dalis.* Collwyd llawer o inc wrth geisio esbonio'r enw hwn, ond yn ofer a dibwrpas. Nid oes a wnelo â ffurfiau Lladin fel *Fidelis, Vitalis* ac yn y blaen,

gan na allai un o'r rhain ddatblygu'n *Gwyddalis* neu
Gwydalis. Ond wedi dweud hyn, mae'n anodd cynnig
rhywbeth yn ei le. Rhyw enw'n terfynu yn -*us* sydd yma,
megis yn yr enw *Gwladus*, gan y byddai -*is* neu -*ys* yn
effeithio ar y llafariad flaenorol. Ac nid oes sicrwydd ai
d ai *dd* sydd yng nghanol yr enw. Yr ydym ar dir sicrach
gyda *Llanwyddelan*, Sir Drefaldwyn. *Gwyddel* a'r terfyniad
-*an* sydd yn yr enw hwn, a gwelir yr un enw, ac efallai
yr un sant, yn *Nolwyddelan*. Byddai'n dda pe caem wared
ar yr hen syniad mai *Dolydd Elen* neu *Elan* yw ffurf 'gywir'
Dolwyddelan.

Rhoddir *Llanwyndeyrn* weithiau yn enw arall ar
Lanfigel, Sir Fôn. Os gwir hyn, yr enw personol yma yw
Gwyndeyrn, sef cyfansawdd o *gwyn* a *teyrn*, ond nad yw
rhestri'r seintiau yn cynnwys yr enw *Gwyndeyrn*. Mae'r
enw *Llanwynnell* wedi hen fynd i ebargofiant. Dyma'r enw
Cymraeg ar eglwys *Wolvesnewton* yn Sir Fynwy. Ni
wyddys dim am sant o'r enw *Gwynnell*, ond rhaid fod hwn
yn tarddu oddi wrth *gwyn* a'r terfyniad -*ell*. Credaf mai'r
un enw sydd wrth wraidd *St. Twnnell's* yn Sir Benfro, sef
Tywynnell. Ni wn a oes unrhyw gysylltiad ag enwau eraill
megis *Gwynnog* ac yn y blaen. Yr enw seciwlar yw
Wolvesnewton, sef 'fferm newydd teulu Wolf'. Enwir y
teulu hwn yn y bedwaredd ganrif ar ddeg. Y ffurf
Gymraeg ar yr enw seciwlar oedd *Y Drenewydd dan y
Gaer*.

Yn *Llanwynno*, Morgannwg, gwelir yr elfen gyffredin
gwyn, a'r terfyniad -*no* o bosibl, neu hyd yn oed -*o*. Yr
un enw a geir ym *Maenorwynno*, Sir Frycheiniog, heb fod
ymhell o Ferthyr Tudful. *Faenor* yw'r enw bellach (nid
Vaynor fel y'i sillebir yn gyffredin). Cofnodir dau ŵr o'r
enw *Gwytherin*, sef ffurf Gymraeg ar yr enw Lladin
Victorinus. Un o'r eglwysi yw *Llanwytherin* yn Sir Fynwy,
a'r ynganiad lleol yw, neu oedd, *Llanferin*. Y sillebiad
'swyddogol' yw *Llanvetherine*. Erys *Gwytherin* hefyd yn

enw ar blwyf yn Sir Ddinbych. Yr hen enw llawn oedd *Pennant Gwytherin*. Yn ôl un cofnod, i Eleri y cyflwynwyd yr eglwys hon yn wreiddiol. Mae'r elfen *pennant* mewn enwau lleoedd yn agored i newid. Yr ail elfen ddisgrifiadol sy'n diflannu weithiau, megis y ceir *Pennant* ar ei ben ei hun yn lle'r ffurfiau llawn *Pennant Edeirnion*, Llandrillo, a *Pennant Erethlyn*, Eglwys-bach. Bryd arall mae *Pennant* yn cael ei fyrhau, megis *Penaled*, Llansannan, yn lle *Pennant Aled*, a *Penmachno* yn lle *Pennant Machno*.

Fe soniwyd am *Lanyblodwel* yn Swydd Amwythig wrth drafod ei hen ffurf lawn *Llanfihangel-ym-Mlodwel*. Enw'r drefgordd oedd *Blodfol*. Collwyd enw'r sant fel y gwnaed yn Llanfihangel-yn-Rug (Llanrug). Mae golwg od ar yr enw *Llan-y-bri* yn Sir Gaerfyrddin. Yr hen enw, fodd bynnag, oedd *Llanddewi Forbri*, a ffurf ganol megis oedd *Llanforbri*. Fe gadwyd rhyw gof carbwl am yr hen enw tan y ddeunawfed ganrif, oblegid yn 1716 ceir cofnod yn cyfeirio at *Marble Church otherwise Llanibree*. Mae'n amlwg fod cof gwlad wedi cymysgu *Morbri* a *Marble*. Nid oes sôn erbyn heddiw am *Lan-y-bwch* ym Mro Gŵyr ond dyna'r ffurf a geir mewn dogfennau am yr enw Saesneg *Weobley*. Mae hen ffurfiau'r bedwaredd ganrif ar ddeg yn dangos mai *Llanybyddair* oedd ffurf wreiddiol enw *Llanybydder* yn Sir Gaerfyrddin (gallwn anwybyddu'r sillebiad *Llanybyther*). Mae'n amhosibl dweud erbyn hyn beth oedd arwyddocâd y gair *byddair* (lluosog *byddar*) yn y cysylltiad hwn. Gall gyfeirio at y seintiau y cyflwynwyd yr eglwys iddynt, a bod rhyw draddodiad coll amdanynt. Mae'n sicr nad i Bedr y cyflwynwyd yr eglwys yn wreiddiol ond bod ei enw wedi ei lusgo i mewn er mwyn ceisio cysoni'r ffurf *byddair*.

Disgrifiad daearyddol yw *cefn* yn *Llan-y-cefn*, Sir Benfro. Mae *Llanycil*, Sir Feirionnydd, yn enghraifft o'r aceniad anghyffredin a geir weithiau ar y fannod *y* yn lle bod ar y sillaf olaf *cil* fel y disgwylid. Mewn sefyllfa fel hon bydd amrywio rhwng *y* ac *e*, fel y gwelir er enghraifft yn *Penegoes*, Sir Drefaldwyn, a cheir *Llanecil* yn ogystal â *Llanycil*. Beuno yw'r nawddsant.

Mae enw *Llan-y-crwys* neu *Lan-crwys* yn Sir Gaerfyrddin yn mynd yn ôl i ffurf lawnach, sef *Llanddewi'r Crwys*. Mae *crwys* yma yn golygu 'croes', a defnyddir ef o hyd yn y De am rywun tan ei grwys, sef corff â'i ddwylo ymhleth ar ei fron. Ni wyddys beth yn hollol yw'r cysylltiad yn enw'r eglwys, onid oedd croes neu groesau yno. Fe ddigwydd un enghraifft o *Lanycymer* am *Landysilio-yn-Iâl*. Rhaid fod cyfeiriad yma at *gymer* Afon Eglwyseg ag Afon Dyfrdwy. *Glyn* Afon Eglwyseg yw'r Glyn yn enw'r fynachlog enwog Glyn-y-groes. Mae dwy eglwys yn Sir Benfro yn ddigon dyrys eu ffurfiau. *Llanychar* yw un ohonynt. Ond nid ymddengys y ffurf hon tan ddiwedd yr ail ganrif ar bymtheg. Cyn hynny ceid ffurfiau fel *Llanychaeth* a *Llanneraeth*, a gellid tybio mai'r enw gwreiddiol oedd rhywbeth fel *Llannerch Aedd*, lle mae *Aedd* yn enw gŵr. Wrth olrhain hanes y ffurfiau mae'n ymddangos bod yr enw *Aedd* (neu beth bynnag oedd yr elfen olaf hon) wedi ei anghofio, a bod tuedd i esbonio'r holl enw fel petai'n cynnwys *caer* ar y diwedd. Mae'n arwyddocaol hefyd fod yr acen yn syrthio ar y sillaf olaf. Yr enw arall yw *Llanychlwydog*. Yma eto o'r cychwyn cyntaf y ffurfiau yw *Llannerchlwydog*, sef *llannerch* a'r enw *Llwydog*. Ni wn beth i'w ddweud yn derfynol ar *Lanychaearn* yng Ngheredigion. Mae rhywbeth wedi mynd ar goll rhwng *llan* a *haearn*, a chymhlethir y broblem gan ddau enw arall yn y sir sy'n cael eu cymysgu'n ddybryd, sef *Llanllwchaearn* a *Llannerch Aeron*.

Llan y Deuddeg Sant y gelwid eglwys *Cathedin* ym Mrycheiniog ar brydiau. Rhaid mai enw person yw *Ynghenedl* neu *Anghenedl* yn *Llanynghenedl* ym Môn. Anodd derbyn mai negyddol yw'r *-an* ar ddechrau'r enw, a byddai'n well gennyf gredu y dylem gymharu enw merch fel *Angharad* neu *Yngharad*, a rhoi ystyr gadarnhaol i'r rhagddodiad. *Llanymawddwy* yw enw'r eglwys erioed, sef yr eglwys yng Nghwmwd Mawddwy, ac nid oes unrhyw gofnod sy'n dangos enw'r nawddsant yn enw'r eglwys. Ond gwyddom mai *Tydecho* oedd hwnnw, ac erys cof amdano yng *Nghapel Tydecho, Ffynnon Dydecho* a *Gwely Tydecho* yn y plwyf. Ef hefyd oedd nawddsant Mallwyd a Garthbeibio. Ymddengys yr enw yn gyfuniad o'r *ty-* anrhydeddus a'r gwreiddyn *tech-* 'clirio', a'r terfyniad *-o*.

Mae'r enw *Llanymddyfri* yn hen gneuen anodd. Mae'r ffurfiau cynharaf bron yn unfryd gytûn yn rhoi *Llanamddyfri*, ond bod ambell un yn digwydd fel *Landevery* heb yr *-am*. Trwy gydol y canrifoedd y ffurf *Llanymddyfri* a geir mewn cofnodion. Ar lafar gwlad erbyn yr ail ganrif ar bymtheg *Llanddyfri* sy'n digwydd ac yng ngwaith y Ficer, a hyn a glywir o hyd, ynghyd â *Llandyfri*. Mae'r *am* yn dangos bod a wnelom ag enwau eraill tebyg, megis *Amlwch, Amroth*, ac yn y blaen, yn yr ystyr 'ger llaw, yn ymyl'. Beth am y ffurf *dyfri*? Byddai'n hyfryd pe bai gennym enghraifft arall yn Gymraeg o'r gair yn fath o ffurf dorfol ar *dŵr* ac yn golygu 'dyfroedd'. A hyn yn enwedig o gofio am yr holl nentydd ac afonydd sydd yn amgylchynu'r dref, Tywi, Brân, Gwydderig a Bawddwr. Ond gan fod *Dyfri* yn enw ar nant yn y bymthegfed ganrif, mae'n bosibl fod hwn yn enw amrywiol ar *Fawddwr*. A digon derbyniol yw *dwfr* a'r terfyniad *-i* yn enw ar nant. Gwelir felly ein bod yn bur sicr am ffurf enw *Llanymddyfri*, heb allu bod yr un mor bendant am ystyr wirioneddol yr elfen olaf, ai enw cyffredinol ar y nentydd a'r afonydd, ai cyfeiriad at un nant arbennig. Mae'r ffurf *Llandovery* yn enghraifft o seisnigeiddio'r sillebiad, yn union fel y ceir *Aberdovey* am *Aberdyfi*.

Eglwys y mynaich, neu'r mynachod, yw *Llanymynech* ar y ffin rhwng siroedd Trefaldwyn ac Amwythig. Un o'r ffurfiau cynharaf yw *Llanemeneych* yn 1254. Mae dwy *Lanynys* yng Nghymru. Y naill yw *Llanynys*, Sir Frycheiniog, a'r llall yw *Llanynys*, Sir Ddinbych (a'r eglwys ar yr ynys neu'r gwastatir rhwng afonydd Clwyd a Chlywedog). Mae *Llanstadwel* yn Sir Benfro. Fe wnaed cynigion i esbonio'r enw hwn fel byrhad ar *Llan Ynys Tudwal*. Ond mae'n anodd derbyn hyn, gan mai -*wel* yw'r terfyniad bob tro, a mwy na hynny, *Lanstowel* a geir yn 1291. Ni allaf weld yma nac *ynys* na *Tudwal*. Ond nid oes gennym ddim i'w awgrymu yn esboniad.

Mae cyfres o eglwysi wedi eu cyflwyno i nifer o saint, megis *Llan y Naw Saint* yn Llanbadrig, Môn. Ac y mae *Llan y Saint Llwydion* hefyd ym Môn, sef yr enw amrywiol ar *Heneglwys*. Un diddorol iawn yw *Llan y Tair Mair*, yr enw Cymraeg ar Eglwys *Knelston* ym Mro Gŵyr. Yn ôl y traddodiad priododd Anna, mam y Forwyn Fair, dair gwaith a chael tair merch â'r enw *Mair*. Telid parch neilltuol i Anna yng Nghymru yn y Canol Oesoedd ac y mae'r beirdd yn cyfeirio'n annwyl iawn ati. Tebyg felly mai merched Anna sydd yn enw'r eglwys hon.

Yr olaf o'r llannau a fydd dan sylw yw *Llanystumdwy*, neu *Lanstindwy* fel yr ysgrifennir ac yr yngenir yr enw yn aml. Defnyddir y gair *ystum* yn aml yn Gymraeg am siâp rhywbeth trofaus, troellog, ac nid oes raid chwilio am yr afon yn yr achos hwn. *Afon Dwy* yw hi, a'i dwy gainc *Dwyfor* a *Dwyfech*.

Betws, Eglwys a Chapel

Enw arall ar adeilad eglwysig oedd *betws*. Benthyciad o'r Saesneg yw'r gair hwn, sef *bede-hus*, neu *bead-house*, hynny yw yn llythrennol tŷ i gyfrif gleiniau wrth weddïo, neu dŷ gweddïo. Math o gapel ydoedd ar y cychwyn ond tyfodd mwy nag un Betws yn ddigon pwysig i fod yn eglwys blwyf. Mae nifer fawr ohonynt yng Nghymru, llawer ohonynt yn enw moel, megis *Betws* yn Amlwch a'r Betws yn hen gantref Cedweli yn Sir Gaerfyrddin, y plwyf sy'n cynnwys Rhydaman. Rhai eraill adnabyddus yw Betws yn Llandeilo Bertholau yn Sir Fynwy, a'r Betws yn Llanystumdwy.

Capel anwes i'r fam-eglwys yn Abergele oedd *Betws Abergele* i ddechrau. *Betws-yn-Rhos*, ar ôl enw'r cantref, oedd yr hen ffurf ac yr oedd mewn bod erbyn 1291 o leiaf. Mae *Betws Newydd* ym mhlwyf Llan-arth, Sir Fynwy ond yr oedd gynt enw arall arno hefyd, sef *Betws Aeddau*. Nid enw sant sy'n dilyn Betws bob amser, a gall yr enw personol gyfeirio weithiau ar ryw bennaeth lleol a sefydlodd dŷ capel neu oedd â rhyw gysylltiad arbennig ag ef.

Yng Ngheredigion y mae *Betws Bleddrws* neu *Bledrws*, a dyma enw personol lleol eto. Yr oedd *Betws Bochwdw* yn Llantrisaint, Môn, ac y mae'r enw Penyfynwent yn cadw rhywfaint o gyfeiriad at yr hen gapel. Mae *Betws Cadwaladr* yn digwydd weithiau am Langadwaladr, Sir Ddinbych. Enw'r cwmwd sydd yn *Betws Cedewain*. Ni wn beth yw *Cleidda* (Clytha) yn yr enw *Betws Cleidda* yn Llan-arth, Mynwy. Ceid *Betws y Coedanau* ym mhlwyf Coedana, Môn.

Y sant sydd yn enw *Betws Garmon* yn Sir Gaernarfon, ncu fel y'i gelwid weithiau, *Betws Garmon yn nhal y llyn.* Y llyn wrth gwrs yw Llyn Cwellyn, neu wrth ei hen enw, Llyn Tarddenni.

Yr oedd *Betws Geraint* ym Mhenbryn, Ceredigion, yn amrywio â ffurfiau fel *Bedd Geraint* a *Perth Geraint.* Gwyddys ychydig yn fwy am y *Betws Geraint* arall, sef enw ar eglwys Pentraeth, Môn. Sonnir weithiau am *Lanfair Betws Geraint.* Yn ôl un hen ach yr oedd y Geraint hwn yn byw tua'r flwyddyn 1200, ac yr oedd yn fab i Degwared. *Betws Gwenrhiw* oedd enw llawn y Betws yn Llandwrog, Sir Gaernarfon.

Un o'r enwau tlysaf yw *Betws Gwerful Goch* yn Edeirnion. *Betos* oedd hwn yn 1254. Mae'n werth dyfynnu cofnod mewn un hen ach, sef 'Gwerful Goch ferch Cynan ab Owain Gwynedd . . . hon a wnaeth Betws Gwerful Goch, a'i chladdu yn Ninmael'. Os gwir hyn, dengys fel yr oedd y teuluoedd tywysogaidd yn ymddiddori yn y llannau a'r eglwysi.

Betws yn unig a geir ym mhlwyf Llanbadrig, Môn bellach, ond y ffurf lawn gynt oedd *Betws Gwian* ac yna *Betws Gwgan,* lle y ceir enw personol wedi ei ychwanegu. Mae rhai o'r dogfennau yn sôn am 'Betws Gwgan alias Cryw,' lle mae'r gair *cryw* yn golygu cerrig camu i groesi afon.

Gŵyr pawb am y *Betws Fawr* yn Llanystumdwy, cartref Robert ap Gwilym Ddu. Fferm yw hon yn awr, ond gynt yr oedd yn ganolfan trefgordd. Tebyg fod y fferm wedi cymryd ei henw oddi wrth hen gapel neu fetws, ac y mae un felly gerllaw, sef Capel Gallt Coed. Enw llawn y Betws oedd Betws *Hirfaen,* canys enw tŷ Robert Vaughan yn yr ail ganrif ar bymtheg oedd Talhenbont y Betws Hirfaen. Mae maen hir ar dir y Betws.

Mae mwy nag un Betws yng Ngheredigion yn enghraifft arall o enw personol ar ôl enw'r eglwys. Un

yw *Betws Ifan,* ac un arall yw *Betws Leucu.* Mae'r rhain
yn weddol adnabyddus. Ond mae un arall wedi hen fynd
o gof, sef *Betws Ithel.* Yr enw arall oedd *Bron-gwyn,* a hwn
sydd wedi goroesi. Yn Llanrhwydrys, Môn, y mae *Betws
Perwas,* neu *Lanberwas.* Ni wyddys dim am yr enw
Perwas, ond yn sicr nid Pereos ydoedd, beth bynnag a
gredir yn lleol. Oddi wrth y cwmwd y cymerodd *Betws
Tir Iarll* ei enw. Iarll Morgannwg oedd hwn.

Un o'r betysau mwyaf adnabyddus yw *Betws-y-coed.*
Mae'r enw'n disgrifio ei safle, fel y gŵyr pawb. Ond gynt
yr oedd ganddo enw arall, sef *Betws Wyrion Iddon,* lle y
mae 'wyrion Iddon' yn cyfeirio at y cysylltiad rhwng teulu
arbennig a'r eglwys. Yn wir, gwyddom enw un o leiaf o
ddisgynyddion Iddon gan fod cyfeiriad ar gael at Wely
Griffri ab Iddon yn y plwyf. Enw arall o'r un teip yw'r
ffurf amrywiol ar Fetws Abergele, neu Betws-yn-Rhos,
sef *Betws Wyrion Gwgon.*

Yr oedd *Betws-y-coed* arall yn nhrefgordd Hengaer,
plwyf Llandderfel, a dyna oedd yr enw'n gyffredin.
Bellach cedwir rhan ohono yn *Llawrybetws* ar gyffiniau
plwyfi Llanfor a Llandderfel.

Yn Swydd Amwythig y mae *Betws-y-crwyn,* ond nid
oes fawr ddim i ddangos pam y cafodd yr enw hwn. Ond
mae enghraifft gynnar o ffurf lawnach, sef *Betws Rhyd-
y-crwyn,* ac awgryma hyn fod y gair *rhyd* wedi diflannu.

Hen enw *Ceirchiog* ym Môn oedd *Betws-y-Grog,* lle y
mae *crog* yn cyfeirio at sgrin yn yr eglwys. Yr enw Saesneg
oedd *Holy Rood Church.*

Mae mwy nag un *Betws-y-gwynt.* Yr oedd un ym
mhlwyf Coedana, Môn, ac un arall ym mhlwyf Conwy.
Un arall wedyn yn y rhan honno o hen blwyf Llanddyfnan
sydd bellach ym mhlwyf Llanfair Mathafarn Eithaf. Enw'r
drefgordd hon oedd Castell Bwlch-gwyn. Yn rhyfedd
iawn erys y ddau enw Castell a Bwlch-gwyn yn enwau
ar ffermydd o hyd, a'r Betws hanner ffordd rhyngddynt.

Rhaid felly mai capel anwes i'r drefgordd oedd Betws-y-gwynt.

Elfen bwysig arall mewn enwau eglwysig yw'r gair *eglwys* ei hun, benthyciad o *ecclesia* yn Lladin. Yr enghraifft fwyaf diddorol, o bosibl, yw *Eglwys Ail*, sy'n cynnwys yr hen air *ail* am blethu gwiail ac sy'n cyfeirio at wneuthuriad yr eglwys ei hun. Tybed ai atgof am ddull tebyg o adeiladu sydd yn enw *Capel Gwiail yn y Rhos* ym mhlwyf Nannerch gynt? *Eglwys Ail* yw'r enw amrywiol ar Langadwaladr ym Môn ac ar Langynidr ym Mrycheiniog.

Achosodd enw Eglwys-bach yn Nant Conwy dipyn o ddyfalu. Buwyd yn meddwl am ŵr o bennaeth o'r enw Bach ap Carwed, a hefyd am yr ansoddair *bach*. Ond yn yr enghreifftiau cynharaf *Eglwys y Fach* a geir, ac y mae hyn yn awgrymu'r gair *bach* sy'n golygu 'congl, cilfach'. Aeth yr hen ffurf hon yn *Eglwys Fach* ac yn y diwedd yn *Eglwys-bach*, naill ai trwy feddwl am yr enw personol *Bach* neu am yr ansoddair *bach*. Yr ansoddair *bach* sydd yn enw *Eglwys-fach* yn Ysgubor-y-coed, Ceredigion, ar Gapel Edwin neu Lanfihangel Capel Edwin.

Mae *Eglwys Brywys* neu *Eglwys Brewys* ym Morgannwg yn anodd. Mynnodd rhai weld yma gyfeiriad at deulu de Broase, ond amheuaf hyn. Mae rhai o'r ffurfiau o blaid ffurf fel *brewys*, a gwelaf yn hon enw personol wedi ei seilio ar y gair *braw*, gyda'r terfyniad *-ys* a geir mewn achosion eraill.

Mae mwy nag un *Eglwys Fair*, fel y gellid disgwyl. Un, er enghraifft, yn Aberdaron ac un arall yn Nyfer. Mae *Eglwys Fair a Churig* yng Nghilymaenllwyd, Sir Gaerfyrddin, yn cyfuno dau gyflwyniad. *Eglwys Fair y Mynydd* yw enw Cymraeg St. Mary Hill ym Morgannwg. A dyna *Eglwys Fair Glan Taf* yn Hendy-gwyn. Ffurf arall gynt ar Langeinwyr, Morgannwg, oedd *Eglwys Geinwyr*.

Ar wahân i'r ffurf *Llan y Saint Llwydion* am Heneglwys,

ym Môn, fe geir mwy nag un cyfeiriad at *Eglwys Gorbre*. Mae'r enw *Corbre* neu *Corbri* yn digwydd hefyd yn Llanllechid ac yng Nghaerhun. Mae blas Gwyddelig arno.

Mae'n werth mynd ar y gweundir uchel ym mhlwyf Gelli-gaer i weld olion hen Gapel Gwladus, neu fel y'i gelwir weithiau *Eglwys Wladus*. Merch Brychan oedd hon, a gwraig Gwynllyw.

Sefydlodd Gwynllyw eglwys yng Nghasnewydd-ar-Wysg, a chyfeirir ati fel *Eglwys Wynllyw*. Ar dafodau anghyfiaith newidiodd yr enw hwn yn *St. Woolos*. Yn wir dioddefodd Gwynllyw dipyn o lygru ar ei enw, o gofio fel yr aeth *Gwynllŵg* yn *Wentloog*!

Dywedir mai *Eglwys Gwyddferch* oedd ym Meifod yn wreiddiol ond bod hon wedi ei disodli gan sefydliad Tysilio.

Mae *Eglwys Gymyn* yn Sir Gaerfyrddin yn cynnwys y gair *cymyn* 'rhodd trwy ewyllys' yn hytrach na'r gair *cymun*. Gwyddom mai eglwys a sefydlwyd gan Gyndeyrn yw Llanelwy ond enw ei ddisgybl a'i olynydd Asaff a goffeir yn yr enw Saesneg, St. Asaph. Gwelais un enghraifft yn 1657 o *Eglwys Gyndeyrn*.

Enw Cymraeg *Ludchurch* yn Sir Gaerfyrddin yw *Yr Eglwys Lwyd*. Ymddengys mai hen enw personol Saesneg yw hanner cyntaf Ludchurch, rhywbeth tebyg i *Loud*. Rhaid fod rhywun rywbryd wedi camddeall yr enw Saesneg a thybio mai'r gair Cymraeg *llwyd* oedd yma.

Ceir mwy nag un *Eglwys Newydd*. Mae un ym mhlwyf Llanfihangel-y-Creuddyn, ac un arall sy'n cyfateb i Whitchurch ger Caerdydd. *Yr Eglwys Newydd ar y Cefn* oedd enw llawn Cymraeg Newchurch yn Sir Fynwy.

Mae pawb bron wedi cymryd yn ganiataol mai santes a goffeir yn *Eglwys Nynnid* yn hen blwyf Margam, a hynny am y rheswm fod yr enw Lladin *Nonnita* yn digwydd yng Nghymru, ac y buasai hwn yn troi'n Nynnid yn Gymraeg. Mae'r enw yn digwydd, er enghraifft, yn *Hendrenynnid*

ym mhlwyf Llansannan, ac yn hen ffurf Llanddewi
Ystradenni, sef *Ystrad Nynnid.* Mae'n bosibl mai enw
merch yw Nynnid yn yr enghreifftiau hyn, ond nid o
angenrheidrwydd. Pryd bynnag y mae'r dogfennau'n
cyfeirio at yr enw Nynnid, mae'n ddieithriad yn enw
gwrywaidd. Ni welais eto enghraifft sicr o Nynnid yn enw
benywaidd. Mae Nynnyd a Nynio yn ffurfio pâr o enwau
gwrywaidd, fel y mae Pebid a Peibio, hynny yw trwy
ddefnyddio'r terfyniadau -*id* a -*io.* Felly mae'n rhaid imi
fod yn wyliadwrus cyn derbyn yn derfynol mai santes yw
Nynnid yn Eglwys Nynnid.

Mae *Eglwys-rhos* neu *Lan-rhos* yn cadw hen enw cantref
Rhos, ac yn dangos bod y Creuddyn gynt yn rhan o'r
cantref hwnnw, hynny yw, cyn dyddiau Edward y Cyntaf.

Mae enwau fel *Eglwys Wen* yn atgof am y modd y
byddid yn gwyngalchu eglwysi. Cyfetyb yr enw fel rheol
i *Whitechurch* yn Saesneg. Felly y mae Eglwys Wen neu
Whitechurch yn Sir Benfro, ac yn Sir Ddinbych ac yn
Swydd Amwythig.

Enw anodd iawn yw *Eglwyswrw,* Sir Benfro. Nid oes
fawr o gysondeb yn yr enghreifftiau a'r ffurfiau, ac y mae
anwadalu mawr rhwng *Eglwyserw, Eglwyswro* ac
Eglwyswrw. Nid yw'n debyg mai'r gair *erw* sydd yma, ond
ni wyddys dim chwaith am neb â'r enw Gwro neu Gwrw.
Nid yw'n amhosibl fodd bynnag fod Gwro yn ffurf anwes
ar enw mwy swyddogol megis Gwrfael, Gwrgi, Gwrnerth,
ac yn y blaen, i gyd wedi eu seilio ar y gair *gŵr.*

Nid esboniwyd *Eglwys Wythwr* yn Sir Benfro yn gwbl
foddhaol eto, ac nid oes gennyf ddim i'w gynnig.
Ymddengys bod yr enw Cymraeg yn bur ddiweddar ac
mai'r hen ffurf yw *Monington.* Teulu D'Audley a ddaliai
Monington gynt, a thybir i'r enw grwydro i Benfro o
Swydd Henffordd lle'r oedd gan y teulu hwn faenor yn
Monington-on-Wye.

Ym Môn y mae *Eglwys y Bedd,* enw arall ar Gapel y

Gwyddyl neu Lan y Gwyddyl ger eglwys Caergybi. Yn
ôl traddodiad, yma y lladdwyd Serigi Wyddel gan
Gadwallon Lawhir a rhyddhau Môn oddi wrth y
Gwyddyl.

Prin fod neb yn defnyddio enw Cymraeg *Eglwys y
Drindod* yn Sir Fynwy. Yr enw Saesneg yw *Christchurch*.

Mae'n debyg mai'r eglwys enwocaf mewn llenyddiaeth
yw *Eglwysau Basa* yn Swydd Amwythig, yn bennaf am
ei chysylltiad agos â Saga Powys. *Baschurch* yw'r enw
Saesneg, ac mae'n debyg mai enw Hen Saesneg yw'r *Basa*
yma.

Trown yn awr at enwau'n cynnwys y gair *capel*, neu
at rai ohonynt. Gan eu bod mor niferus bydd yn rhaid
dethol. At gapeli yr Eglwys y bydd y dystiolaeth hynaf
yn cyfeirio wrth reswm. Dylem gofio bod llawer o'r hen
gapeli hyn gynt yn gapeli anwes i'r eglwys blwyf a'u bod
yn aml yn gwasanaethu trefgordd arbennig er mwyn
hwylustod y plwyfolion. Diflannodd rhai ohonynt yn
gyfan gwbl, erys olion eraill, ac y mae ambell un wedi
dringo i safle plwyf eglwysig.

Mae'n debyg fod Aelhaearn yn hen blwyf eglwysig, ond
yn ddiweddarach ystyrid ef yn drefgordd i blwyf
Gwyddelwern, ac yno yr oedd *Capel Aelhaearn*. O gofio
bod Aelhaearn yn ddisgybl i Feuno a bod Beuno wedi
treulio peth amser yng Ngwyddelwern nid rhyfedd ein
bod yn cael y cysylltiad agos hwn. Digwyddodd yr un peth
gyda Llanaelhaearn yn agos i Glynnog, prif ganolfan
Beuno. Mae cof am Gapel Aelhaearn yn aros yn yr enw
Pandy'r Capel yng Ngwyddelwern.

Hen gapel arall oedd *Capel Banadla* neu *Gapel Banadlog*
ym mhlwyf Llandinam. Yr oedd *Capel Berwig* yn
gwasanaethu trefgordd Berwig ym mhlwyf Llanelli.

Mae mwy nag un *Capel Beuno*. Un yn Broughton ger
Wrecsam, ynghyd â Ffynnon Beuno. Un arall yn
nhrefgordd Gwerbyr ym mhlwyf Llanasa. Un arall wedyn

yn Llanidan, Môn, a hwn yn ôl Henry Rowlands yn 1710 ger Tre'r-dryw. Mae *Capel Cadfan* yn eglwys Llangathen, ac mae hyn yn ddiddorol o gofio bod *Llethr Cadfan* yn yr un plwyf. Yr oedd Capel Cadfan hefyd gynt ym mynwent Tywyn, Meirionnydd ond gellid disgwyl hyn gan mai Cadfan a sefydlodd yr eglwys ac yno hefyd y mae'r arysgrif nodedig sy'n cynnwys enw Cadfan.

Gellid disgwyl plwyf Llangadwaladr ym Môn, man claddu brenhinoedd Gwynedd ger Aberffro, ond mae hefyd olion hen *Gapel Cadwaladr* yn Llanddaniel. Enw arall oedd Yr Hen Fynwent.

Honnir weithiau mai *Capel Cewydd* oedd ffurf wreiddiol *Capel Cawy* ym mhlwyf Mynachlog-ddu ond ni welais ddim eto i brofi nac i wrthbrofi hyn. *Capel Cawe* sydd yn y dogfennau.

Yr oedd gan Abaty Tyndyrn (Tintern) diroedd ym mhlwyf Llanbadog, Sir Fynwy, a dyna'r rheswm pam y ceir yno *Capel Coedymynach*, neu *Monkswood* yn Saesneg.

Yr un Colman sydd yn Llangolman â *Chapel Colman*. Yr oedd y Capel gynt dan Lanfihangel Penbedw, ond mae'n blwyf ei hun erbyn hyn. Ymddengys bod *Capel Collen* (cymharer Llangollen) ym mhlwyf Rhiwabon yn hen gapel. Sonnir am gae o'r enw Capel Collen yno yn 1620, ac o bosibl hwn yw'r '*Ecclesia Sancti Golyem*' y mae cyfeiriad ato ym Maelor yn 1254.

Yr oedd *Capel Crannog* gynt ym mhlwyf Llandudoch, ac mae'n amlwg mai i Garannog Llangrannog y cyflwynwyd hwn. Capel Annibynwyr diweddar yw Capel Crannog, Llangrannog. Yr oedd gynt ddau *Gapel Crist*, y naill yn Llannarth (gelwid ef hefyd *Llangrist* a *Chapel Llangrist*), a'r llall yn Nhalyllychau. Capel anwes i Landygái oedd *Capel Curig* yn wreiddiol. Ffurfiwyd y plwyf diweddarach allan o rannau o blwyfi Llandygái, Llanllechid, Llanrhychwyn a Thre Wedir. Yr oedd Capel Curig arall yn Nhrefdraeth, Sir Benfro. Yn wir, efallai mai i Gurig y cyflwynwyd yr eglwys ei hun yn wreiddiol.

Nid oes heddiw nac eglwys na chapel wedi eu cyflwyno i Gynddilig fab Nwython. Ef oedd tad Egwad a Gwrin, meddir. Mae rhyw gymaint o dystiolaeth i *Gapel Cynddilig* ym mhlwyf Llanrhystud, ond nid oes dim o'i ôl. Capel arall a lwyr ddiflannodd oedd *Capel Cynfab* neu *Langynfab* yn Llanfair-ar-y-bryn. Ni wyddys dim am y gŵr a goffeir.

Mae'n bosibl mai capel trefgordd Penrhyn oedd *Capel Cynnor* ym mhlwyf Pen-bre, ac mai'r un yw'r sant â Chynfwr, Cynnor, yn Llangynnwr. Mae enwau fel Craig-y-Capel a Chwm Capel ym Mhen-bre yn dangos lle'r oedd yr hen gapel.

Coffeir Cynog fab Brychan yng *Nghapel Cynog* ym Merthyr Cynog ac ym mhlwyf y Ddyfawden, Sir Fynwy. Yr oedd Capel Cynog hefyd ym Meidrim, Sir Gaerfyrddin, ond efallai mai â'r Cynog arall y dylid cysylltu hwn (cymharer Llangynog Sir Gaerfyrddin a Threfaldwyn). Cyflwynwyd dau gapel i Gynon yng Ngheredigion, sef *Capel Cynon* yn Llandysiliogogo a Llanfihangel-y-Creuddyn. Ond ni wyddys a ddylid cysylltu'r rhain â Thregynon yn Sir Drefaldwyn.

Yr oedd *Capel Chwil* yn Llawenog gynt yn perthyn i hen faenor Crug-y-chwil. Mae fferm Crug-y-chwil (Crug-y-whil) yno o hyd, a chymer ei henw oddi wrth y crug neu'r domen gerllaw (o bosibl am fod y crug yn debyg i gefn chwilen).

Mae *Capel Dewi* yn digwydd yn aml, fel y gellid disgwyl, a hynny yn hen diriogaeth Dewi — un, er enghraifft, ym mhlwyf Llanarthne, un arall yn Llandeilo Fawr, un yn Llandysul ac un yn Nhrefdraeth, Penfro. Yr oedd capel Dewi yn Llanelli hefyd, sef y Berwig, hynny yw, capel trefgordd.

Trefgordd ym mhlwyf Llangyndeyrn oedd Gwempa, a chanddi ei chapel ei hun, sef *Capel Llanllyddgen*. Ni wyddys dim am y gŵr hwn. Chwaraewyd pob math o gast â'i enw, a'r ffurf a welir amlaf yw rhywbeth fel *Capel Dyddgen*. Rhaid gwahaniaethu hwn oddi wrth *Gapel Dyddgu* yn nhrefgordd Hengoed ym mhlwyf Llanelli, yn agos i Fynydd Sylen.

Ar Ynys Dyfannog neu Ynys Dewi (Ramsey Island) yr oedd *Capel Dyfannog*. Ond yn anffodus mae hanes Dyfannog yn anhysbys. Enw tlws yw *Capel Dyffryn Honddu* ym Merthyr Cynog, Brycheiniog. Capel trefgordd oedd hwn hefyd, ac enw arall arno yn awr yw *Upper Chapel*.

Ceir Capel mewn cysylltiad â ffynnon o dro i dro. Felly *Capel Ffynnon Allgo* yn Llanallgo. Ond *Capel Ffynnon Fair* yw'r mwyaf nodedig o'r rhain, yn perthyn i Wigfair, plas ger Llanelwy. Gwelir dogfen o dro i dro yn cytuno bod y ddwy ochr mewn rhyw achos neu ryw weithred tir yn cwrdd wrth ddrws y Capel i orffen eu busnes.

Trefgordd ym mhlwyf Llanrwst oedd Garthgarmon a *Chapel Garmon* oedd y capel a berthynai iddi. Yn ôl nodyn yn *Parochialia* Edward Lhuyd, codwyd y capel hwn gan Ddafydd Annwyl ab Ieuan ap Rhys o'r Plas-yn-Rhos.

Un o ferched niferus Brychan oedd Gwenddydd. Ni chyflwynwyd eglwys iddi, ond yr oedd gynt *Gapel Gwenddydd* ym mhlwyf Nanhyfer. Prif sefydliad Gwenfrewi, fel y gwyddom, oedd Llanwenfrewi neu Dreffynnon, lle y lladdwyd hi a'i chodi'n fyw yr ail waith gan Feuno. Rhai blynyddoedd wedi'r digwyddiad rhyfedd hwn aeth Gwenfrewi i Wytherin yn Nyffryn Conwy, ac yr oedd *Capel Gwenfrewi* yno yn ymyl eglwys Gwytherin hyd at hanner cyntaf y ddeunawfed ganrif.

Ni wyddys dim am y santes a goffeid gynt yng *Nghapel Gwenfron* yn Nanhyfer (cymharer Capel Gwenddydd uchod).

Soniwyd eisoes am enwau fel Eglwys Ail sy'n cyfeirio mae'n debyg at wneuthuriad yr eglwys, sef plethu gwiail.

Tybed a os atgof am hyn hefyd mewn enw fel *Capel Gwiail yn y Rhos* ym mhlwyf Nannerch gynt?

Gwyndaf oedd nawddsant y ddwy Lanwnda, yn Arfon ac ym Mhenfro. Yr oedd yn adnabyddus hefyd yng Ngheredigion, yn Nhroed-yr-aur (Trefdreyr) a Phenbryn. Yr oedd *Capel Gwnda* yn Nhroed-yr-aur, a chedwir yr enw yr ochr draw i Afon Ceiri ym Mhenbryn. Yno hefyd yr oedd Felin Wnda ac y mae'n ddiddorol bod ambell ddogfen yn sôn am 'Dyddyn y Felindre alias Capel Gwnda'.

Heblaw ei gofio yn Eglwys Wynllyw, neu St. Woolos yng Nghasnewydd, yr oedd *Capel Gwynllyw* hefyd yn Llanegwad, ac o bosibl yn Llanelli, ond mae rhyw gymaint o betruster ynglŷn â'r hen gapel yn Llanelli gan fod rhai o'r ffurfiau yn awgrymu Gwynlleu yn hytrach na Gwynllyw.

Yr oedd Gwyngenau yn frawd i Beulan a Gwenfaen (eu heglwysi hwy oedd Llanbeulan a Rhoscolyn) ac iddo ef y cyflwynwyd *Capel Gwyngenau* yng Nghaergybi. Llygrwyd yr enw rywsut, a chyrhaeddodd y mapiau yn y ffurf *Gwynengan*.

Enw gogleisiol yw *Capel Gwilym Foethus* yn Llanegwad. Enw teuluol yw *Moethus* yn y cysylltiad hwn, a hwnnw'n ddeulu pwysig iawn gynt. Yr aelod amlycaf oedd Llywelyn Foethus, ac y mae awgrym mai ei enw ef a ddylai fod yn gysylltiedig â'r Capel uchod. Yr oedd Llywelyn Foethus yn hen hendaid i Syr Rhys ap Thomas, a dyry hyn ryw syniad am uchelder y teulu.

Mae rhyw gymaint o sôn am *Gapel Helen* yn Llanbeblig, ond mae'n bosibl bod cymysgedd rhwng hwn a Ffynnon Helen neu Elen ger Afon Saint. Mae'r cysylltiad ag Elen, Caernarfon yn amlwg.

Yn Llangefni yr oedd *Capel Heilin*, capel i drefgordd Trefollwyn, mae'n debyg. Prin bod a wnelom yma â'r Heilin y dywedir mewn rhai llawysgrifau ei fod yn fab i Frychan. Capel adfeiliedig yw *Capel Erbach* neu *Herbach* yn Llanarthne. Nid oes gennyf ddim yn ychwanegol ar yr enw, ond bod ffynnon yn ochr y capel a bod iddi rinweddau iachusol.

Yr oedd *Capel Hwlcyn* yn Aberchwiler, Sir Ddinbych. Nid oes gwestiwn am enw sant yma, ond yn hytrach am ŵr lleyg yr oedd ganddo gysylltiad â'r capel. Yr oedd Hwlcyn yn enw bedydd pur gyffredin ar un adeg. Yr oedd *Capel Iago* yng Nghonwy, ac y mae un arall yn Llanybydder. Cynhelid ffair yng Nghapel Iago, Llanybydder.

Rhoir y dyddiad 1619 ar gyfer sefydlu *Capel Iesu* yn nhrefgordd Euarth, Llanfair Dyffryn Clwyd, a dywedir mai Rice Williams o Abaty Westminster, brodor o'r drefgordd, a'i sefydlodd.

Mae llu o gapeli a elwir *Capel Iwan*, ac mae'n debyg fod llawer ohonynt wedi eu cyflwyno i Ieuan Fedyddiwr ac yn perthyn i Farchogion Ieuan neu'r Ysbytywyr. Mae, neu yr oedd, *Capel Ifan* yng Nghaernarfon, Cenarth, Gwnnws, Llangyndeyrn a Throed-yr-aur (Trefdreyr). Gyda golwg ar yr olaf mae'n ddiddorol fod cofnod yn 1594 yn dweud bod St. Johns yn dal tir 'near a Chapel called Capel Ievan'. Yn 1752 mae cyfeiriad at 'Chappel or new erected building called Capel Evan on tenement called Twrgwyn'. Yr oedd capel yn Llantrisant, Morgannwg, yn dwyn yr enw llawn *Capel Ifan Fedyddiwr.*

Coffeir Illtud yng *Nghapel Illtud* yn nhrefgordd y Glyn, plwyf Defynnog. Yr oedd *Capel Lidach* neu *Ligach* ger Tre-wyn ar lethrau Mynydd Bodafon ym mhlwyf Llanfihangel Tre'r-beirdd. Mae *Lidach* neu *Ligach* yn hynod debyg i enw Gwyddeleg. Yn Llanllwni y mae *Capel Maes Nonni.* Yr unig beth sydd gennyf i'w ddweud am yr enw Maes Nonni yw mai *Maes None* oedd y ffurf gynt.

Mae *Capel Mair* yn digwydd droeon, er enghraifft yn Aberdaron. Yn Aberffro yr enw llawn oedd 'capell Mair o Dindryvol' chwedl Leland. Yr oedd Capel Mair ym Miwmares hefyd, a daw Leland i'n helpu eto gyda'i sylw 'Capell Mair or Dumares'. Ceid Capel Mair hefyd yng Nghaernarfon, Clydai, Llangeler, Llanybydder a Thalyllychau. Ym Margam yr oedd *Capel Mair o Ben-y-graig.*

Yr oedd *Capel Marchell* yn nhrefgordd Tŷ-brith-isaf ym mhlwyf Llanrwst. Nid oes dim o ôl y capel yn awr, ond credir ei fod yn Rhydlanfair.

Coffeir Martin yng *Nghapel Martin,* ond ni wyddys ar hyn o bryd fwy na bod Maenor Capel Martin yn rhan o Draean Clinton, sef trydedd ran hen farwniaeth Sanclêr, ym mhlwyfi Cilymaenllwyd, Henllanfallteg a Llangynin. Cedwir cof am ddau *Gapel Meugan,* un ym mhlwyf Bridell a'r llall ym Miwmares.

Mae Mihangel yn ymddangos yn aml, fel y gellid disgwyl o gofio am nifer eglwysi Llanfihangel. Felly ceid *Capel Mihangel* neu *Gapel Llanfihangel* yn Abergwaun ac ym mhlwyf Defynnog. Yr oedd Capel Mihangel neu Lanfihangel yn Nhalyllychau yn perthyn, mae'n debyg, i ardal Cefnrhos.

Enw lleyg yw Nantglyn yn Sir Ddinbych. Cyflwynid yr eglwys i Fordeyrn, a chedwir cofnod am hynny gan Edward Lhuyd wrth sôn am *Gapel Mordeyrn.* Newidiwyd cyflwyniad yr eglwys i Iago Apostol am fod gwylmabsant y ddau ar yr un dyddiad, sef Gorffennaf 25. *Capel Mortyn* oedd capel un o hen drefgorddau Croesoswallt, sef Morton neu Mortyn. Yr oedd Nanhwynain (nid Nant Gwynant) yn drefgordd ym Meddgelert, ac felly cawn *Gapel Nanhwynain* i'w gwasanaethu. Ym mhlwyf y Cantref yn Sir Frycheiniog y mae *Capel Nant-ddu.* Ar rai hen fapiau gwelir y ffurf *Capel Nanty.*

Boddwyd hen *Gapel Nantgwyllt* yn Llansanffraid Cwmteuddwr dan ddyfroedd y gronfa ddŵr.

Dengys enw fel *Capel Nercwys* fod Nercwys gynt yn

drefgordd ac yn gapeloriaeth ym mhlwyf Yr Wyddgrug.
Mae *Capel Odo* yn ymyl Bedd Odo ar Fynydd Moelfre
neu Fynydd Ystum ym mhlwyf Bodferin. Ni wyddys dim
am Odo, ond prin bod â wnelo'r enw ddim â Bodo, fel
y mynnir weithiau. Mae tarddiad enw *Capel Ogwen* yn
Llandygái yn berffaith amlwg, sef Afon Ogwen neu
Ogwan. Ffurf anghywir yw *Capel Lochwydd*, Caergybi,
am *Gapel Golochwyd*, lle mae'r gair *golochwyd* yn golygu
'gweddi'. Yr oedd dihareb gynt, 'amser i fwyd, amser i
olychwyd'.

Heblaw'r enw Oswallt sy'n digwydd yng Nghroes-
oswallt y mae *Capel Oswallt* yn Selatyn, yn y plwyf
cyffiniol. Y tebyg yw bod hwn yn gapel anwes i drefgordd
Brogyntyn neu Porkington. Coffeir Padrig nid yn unig
yn Llanbadrig yn Sir Fôn, ond hefyd ceir *Capel Padrig*
yn Nyfer ac yn Nhyddewi. Nid rhaid tybio, wrth reswm,
mai Padrig ei hun a sefydlodd y rhain.

Rhyw safle ddigon annelwig oedd gan Bentrefoelas
gynt. Nid oedd yn blwyf cyflawn, gan fod un o'r
trefgorddau, Tir yr Abad Isaf, yn rhan o hen blwyf
Llanefydd Uwch Mynydd, a'r llall Prys yn rhan o
Gerrigydrudion. Ar un adeg hefyd yr oedd cysylltiad ag
Ysbyty Ifan. Capel oedd yno felly, sef *Capel y Foelas* neu
Gapel Pentre'r fidog. Capel hefyd oedd yn Llanberwas ger
Llanrhuddlad, Môn, sef *Capel Perwas*.

Gall *Capel Peulin* ym mhlwyf Llandingad, Sir
Gaerfyrddin, fod yn enw arwyddocaol iawn os gellir
derbyn mai Peulin, athro Dewi a goffeir yno. Ac nid oes
sicrwydd eto a oes cysylltiad rhwng y Peulin arbennig hwn
ac enw cwmwd *Peulinog* a gynhwysai blwyfi Llangynin,
Llanwinio a Sanclêr. Yr oedd *Capel Philip* ym mhlwyf
Llansteffan, Sir Faesyfed, ond ni wn fwy amdano na bod
yr enw yn digwydd mewn enw cae, sef *Cae Capel Philip*.

Yn ôl yr hanes sefydlwyd *Capel Rug* ger Corwen gan
y Cyrnol William Salusbury, un o Salsbriaid Y Rug.

Tebyg mai capel anwes y plas oedd hwn yn hytrach na bod yn gapel trefgordd Rug. A oes raid pwysleisio eto mai Rug yw'r ffurf gywir, ac nad oes a wnelo â'r gair *rhyg,* er mai Pont Rhyg sydd ar y bont?

Weithiau coffeid gwŷr lleol pwysig mewn capel yn yr eglwys. Hyn sy'n cyfrif am *Gapel Rhys ap Meredydd* yn eglwys Ysbyty Ifan. Soniais am Lansanffraid, Caergybi eisoes. Ond *Capel Sanffraid* yw neu oedd yr enw arferol, a Thywyn y Capel hefyd yn cyfeirio at y llecyn. Deallaf mai Twyn y Capel yw'r ynganiad lleol, ond datblygiad oddi wrth y gair *tywyn* yw hwn. Mae tri Chapel Sanffraid arall, un yn Llandysul, Ceredigion (Capel Ffraid), un yn Llansanffraid Glan Conwy a'r trydydd yn Nyfer. Y mae dau *Gapel San Silin,* un yn Llanfihangel Ystrad, Ceredigion, a'r llall ym Mynachlog-ddu.

Un cyfeiriad sydd gennyf at *Gapel Sant Ynyr* yn Llangïan, Sir Gaernarfon, a rhaid mai cyflwyniad lleol hollol oedd hwn. Yr unig Ynyr arall y cyfeirir ato yn llenyddiaeth y Saint yw Ynyr Gwent, ac nid oes a wnelo ef ddim ag ardal Llangïan.

Yr oedd *Capel Santesau* ym mhlwyf Llanwenog gynt. Cynhelir Ffair Santesau yn Llanybydder ar y cyntaf o Dachwedd, ond ar Hydref 21 yn ôl yr hen galendr. Gan mai ar Hydref 21 yr oedd gŵyl Llangwyryfon, mae'n ddigon tebyg mai'r un yw'r Santesau a'r Gwyryfon, sef Gwyryfon Ursula.

Enw od yw *Capel Sbon* neu *Gapel y Sbon* yn Nhreuddyn, Sir y Fflint. Gallai *sbon* fod yn fenthyciad o'r Saesneg *spon,* math o deilsen doi, neu gallai fod yn gyfenw Saesneg a hwnnw'n deillio oddi wrth yr enw lle Spoone (ger Coventry). Yr oedd Spon Green gynt ym Mwcle.

Fel y gellid disgwyl, ar Ynys Seiriol y mae *Capel Seiriol,* a dyna pam y rhoddodd y Sgandinafiaid yr enw *Priestholm* neu 'Ynys yr Offeiriad' ar yr ynys. Yn ôl traddodiad yr oedd gan Seiriol gapel arall ar y Penmaen-mawr.

Un o'r capeli niferus dan Dyddewi oedd *Capel Stinan* ar Ynys Dewi (Ramsey). Justinian oedd y sant a goffeid, a rhoddwyd ei enw hefyd ar *Borth Stinan*.

Yr oedd gynt *Gapel Taf Fechan* dan Landdeti yn Sir Frycheiniog, ond boddwyd hwn dan y gronfa ddŵr. Ceir tystiolaeth i'r Capel yn ystod yr unfed a'r ail ganrif ar bymtheg. Perthynai *Capel Tal-y-garn* yn Llantrisant, Morgannwg, i hen arglwyddiaeth Tal-y-garn.

Coffeir Teilo fel rheol mewn enwau fel Llandeilo ond fe ddigwydd *Capel Teilo* hefyd, er enghraifft, yn Llansteffan, Sir Gaerfyrddin. Sonnir yn y ddeunawfed ganrif am 'Llain Capel Teilo' yno. Mae digon o dystiolaeth hefyd i Gapel Teilo yng Nghydweli. Yn Nhalyllychau yr oedd Capel Teilo yn cynrychioli hen enw Llandeilo Garthdefyr.

Mae olion hen *Gapel Trillo* ar lan y môr yn Llandrillo-yn-Rhos, ac y mae papurau Baron Hill yn cyfeirio at 'Capell de Drillo' yn 1498 yn nhrefgordd Penfro ym mhlwyf Caerhun.

Mae *Capel Tydyst* yn Llangadog, Sir Gaerfyrddin yn ffurf ddiweddarach ar *Gapel Tudwystl,* a hwn yn ei dro yn mynd yn ôl at Ferthyr Tudwystl. Enw hyfryd yw hwn, yn gymar da i Dangwystl. Ni wyddys beth yw ffurf gywir enw'r sant a goffeir yng *Nghapelulo* (ai Ulo ai Lulo?). Mae un Capelulo yng Nghaergybi a'r llall yn Nwygyfylchi.

Hen gapel ym mhlwyf Gelli-gaer oedd *Capel y Brithdir,* yn gwasanaethu trefgordd y Brithdir. Mae *Capel y Drindod* yn enw pur gyffredin ar gapeli, rhai'n perthyn i'r Eglwys yn ogystal ag i'r enwadau anghydffurfiol. Yr hen gapeli â'r enw hwn yw'r rhai yn Abergwaun, Llanelli, Llanfihangel-y-Creuddyn a Phen-boyr. Ym mhlwyf Llanfairorllwyn y mae cofnod am ddarn o dir yn cael ei droi ar gyfer codi 'Methodist Chapel or meeting house, Trinity Chapel or Cappel y Drindod'.

Mae dau *Gapel y Felindre,* un yn Y Clas-ar-Wy (Glasbury) yn gwasanaethu trefgordd y Felindre. Yr oedd *Capel y Clas* yn yr un plwyf. Nid oes sôn bellach am Gapel y Felindre yn Llangrallo.

Yr oedd fferi gynt o Eglwys-rhos dros Afon Conwy i Aberconwy. Enw'r drefgordd oedd Trefferi, ac yr oedd capel yn gysylltiedig â hi, sef *Capel-y-fferi.* Diddorol yw cofnod yn 1548 (wedi'r diddymu) am 'late free chapels called Chappel y Fery and Penryn'.

Mae hen *Gapel-y-ffin* yn llythrennol ar y ffin rhwng Y Clas-ar-Wy a Glyn-bwch (Glyn-fach heddiw), neu rhwng Maesyfed a Brycheiniog. Yr oedd *Capel-y-gelli* yn Chwitffordd. Mae'n bosibl bod hwn yn perthyn i dir mynachaidd. Yn wir mae nodyn yn y *Parochialia* sy'n dweud am y Gelli, 'rhai ai geilw hi hen Vynachlog'.

Mae nifer o hen gapeli ym mhlwyf Tyddewi sydd wedi diflannu'n llwyr. Un yw *Capel-y-gwryd* nad oes dim ar ôl ond enw'r cae lle safai, sef Parc-yr-eglwys. Rhaid mai 'hyd gŵr' yw ystyr y gair *gwryd* fan yma, hynny yw, chwe throedfedd, ond nid mor hawdd gweld beth yw'r cysylltiad yn yr enw lle. Mae Gwryd yn enw ar faenor a threfgordd yn Nhyddewi, a dwg ar gof inni enwau fel Gwryd Cai, sydd yn cyfeirio at fwlch mewn mynydd neu rhwng mynyddoedd. Yr oedd yr hynafiaethwyr yn esbonio'r enw fel lle y byddai Dewi yn gorwedd yn ei hyd yno. Nid oes dim ar ôl chwaith o *Gapel-y-pistyll* yn Nhyddewi, ond y ffynnon ei hun. Felly hefyd am *Gapel yr Hen Fynwent,* ond bod cae a elwir 'Parc yr Hen Fynwent'.

Ym Maenordeilo ym mhlwyf Llandeilo Fawr yr oedd *Capel-yr-ywen,* a'r enw yn cyfeirio at ywen wirioneddol, mae'n debyg. Yr unig olion yno yw bod beddau wedi eu darganfod wrth gloddio ar dir y tŷ a enwir Tŷ'r Capel.

Mae un enghraifft o'r ffurf luosog, sef *Capelau* yng Nghwm Penanner yng Ngherrigydrudion. Tebyg fod â wnelo'r capel hwn â thiroedd abaty Maenan yn yr ardal hon.

Amryw Blwyfi

Sôn am enwau plwyfi nad ydynt yn cynnwys elfennau fel *tref* a *llan* ac *eglwys* y byddaf yn y bennod hon, ac yma eto ymdriniaf â hwy yn nhrefn yr wyddor.

Mae cysylltiad amlwg rhwng y ffurfiau *Allt Melyd* a *Meliden* yn Sir y Fflint, ond nid yw tarddiad yr enw yn amlwg o gwbl. Fe geir y ddwy ffurf ochr yn ochr â'i gilydd o'r cyfnod cynharaf, a'r ffurf Gymraeg *Allt Melydyn* yn datblygu erbyn dechrau'r ddeunawfed ganrif yn *Allt Melyd*, gan golli'r sillaf olaf. 'Wn i ddim ai enw Cymraeg yw 'Melydyn' neu 'Melidyn'. Gellid dadlau mai ei darddiad yw *mêl* gyda'r ôl-ddodiad *-yd* neu *-id* ac *-yn*. Ond hyd yn oed os Cymraeg yw Melydyn, Melidyn, mae'n anodd gweld pam na cheid treiglad ar ôl allt. Y ffurf ddidreiglad a geir yn ddieithriad, ond bod y *Parochialia* tua 1700 yn sôn am *Ffynnon Felid*. Ardal a ddaeth dan ddylanwad y Saeson yn gynnar yw Allt Melyd, ac o bosibl ni cheir y treiglad am fod y ffurf wedi ymgaregu megis. Mae'n gwbl bosibl hefyd mai enw Saesneg yw *Meliden*.

Perthyn *Amlwch* i'r dosbarth hwnnw o eiriau sy'n cynnwys yr arddodiad *am* yn golygu 'ger, o gwmpas'. Mae'r gair *llwch* yn amrywio yn ei ystyr o dir sych hyd at dir llaith, corsog, a hyd yn oed llyn.

Mae *Amroth* yn Sir Benfro yn enghraifft arall o'r *am* hwn. *Amrath* sy'n digwydd gynharaf. Felly â'r gair *rhath* y mae a wnelom, sef enw'r afon sy'n ffurfio'r ffin rhwng Sir Gaerfyrddin a Sir Benfro yma. Ceid hefyd ffurfiau fel *Glan Rhath* a *Choed Rhath*. Mae dau darddiad posibl, naill ai'r *rath* Gwyddeleg, 'caer', neu'r gair Cymraeg *rhath, rhathu* 'crafu, rhygnu'. Byddai'r ail ystyr yn gweddu yn enw ar nant. Tybed ai'r ffurf Wyddeleg sydd yn y *Rhath (Roath),* Caerdydd?

Mae dau blwyf *Nash* a *Monknash* yn agos i'w gilydd ym Morgannwg. Enwau Saesneg yw'r rhain o'r Saesneg Canol *atten ashe,* hynny yw, y lle yn ymyl yr onnen. *Little Nash* a geir weithiau am Nash, sef Yr As Fach yn Gymraeg. Ceir *Great Nash* neu yr As Fawr am Monknash. Grym y *monk* yw dangos bod y fferm yn perthyn i Abaty Nedd.

Enw cyffredin yw *bala* yn wreiddiol, a dynoda'r fan lle y bydd afon yn llifo allan o lyn. Felly cawn enw fel *Baladeulyn* yn Nyffryn Nantlle. Gan fod *bala* yn enw cyffredin sy'n cael ei ddefnyddio fel enw priod mae'n rhaid rhoi'r fannod o'i flaen a sôn am *Y Bala.* Yr oedd hyn yn berffaith hysbys i'r clercod a'r ysgrifenyddion a baratoai ddogfennau a chofnodion yn y Canol Oesoedd.

Yn 1331, er enghraifft, cawn y ffurf Ffrangeg 'la Bala'. Ac yn 1482 sonnir am 'the Bala in Penllyn'. Bala Llyn Tegid fyddai'r enw llawn, ac y mae hyn yn disgrifio'r safle yn fanwl, lle y mae Dyfrdwy yn ymarllwys o'r llyn.

Bu digon o esbonio ar yr enw *Bangor* eisoes, ac mae'n glir erbyn hyn, dybiwn i, mai'r defnydd gwreiddiol oedd disgrifio gwrych plethedig yr amddiffyniad. Gwelir yr un elfen *côr* yn y gair *cored* am y gwiail sy'n ffurfio argae a magl i ddal pysgod. *Ban* yw'r rhwymyn cryf sy'n dal y gwiail wrth ei gilydd. Rhaid fod y *bangor* o gwmpas y celloedd mynachaidd ym Mangor Fawr yn un nodedig, canys rhoddodd ei enw hefyd i lawer Bangor arall, gan gynnwys Bangor yn Iwerddon. Dyna sut y daethpwyd i deimlo bod 'bangor' yn golygu 'mynachlog'.

Gellid traethu'n helaeth ar *Y Barri,* gan fod nifer o broblemau'n codi ynglŷn â'r enw. Mae Mr Gwynedd Pierce yn hollol iawn wrth fynnu bod yn rhaid inni ystyried y ffurf gynharaf, sef *Barren.* I grynhoi, gellid dal bod y gair *barren* (tarddair oddi wrth *bar* 'copa bryn', mae'n debyg) yn cyfeirio at y tir bryniog lle y saif Y Barri yn awr, a bod nant fechan wedi cymryd ei henw oddi wrth y tir hwn. Nid amhosibl i *Barren* gael ei symleiddio yn *Barre* a *Barri*. Digon tebyg fod y fannod yn Y Barri wedi dod i mewn trwy gydweddiad.

Enw plwyf yn Sir Fynwy yw *Bedwas*. Mae'r amrywiadau'n dangos bod *Bedwas* yn cynnwys y terfyniad *-os* a ychwanegid at enwau coed a phlanhigion i ddynodi digonedd. Mae enghreifftiau o'r enw ar gael ar wasgar trwy Gymru, o Ddolbenmaen a Llanrwst i'r Rhondda a Margam ac y mae un enghraifft o'r ffurf luosog Bedwosydd ym mhlwyf Carno. Camgymerodd rhywun y ffurf hon a chafodd ei throi yn *Bedwsyth* ar y mapiau, fel petai'n gyfansawdd o *bedw* a *syth* — enghraifft ardderchog o ddyfalu di-sail.

Rhaid bod yn ofalus gyda'r enw *Bedwellte*. Nid oes a wnelo hwn â *bedw* ond â *bod*. Y ffurf yn y bymthegfed ganrif oedd *Bodwellte* a *Modwellte*, a'r awgrym yw mai enw personol yw *Melltau* — tarddair oddi wrth *mellt*. Mae enw tebyg ar Afon *Mellte* (gynt *Melltan*) yn Ystradfellte. Ymddengys bod tuedd i'r gair *bod* mewn enwau lleoedd yn y De-ddwyrain droi'n *bed*, gan fod *Bodwenarth* yn mynd yn ôl i *Bedwenarth*, a *Bedlinog* i *Bodlwynog*.

Mae pawb, dybiwn i, yn hen gyfarwydd â hanes yr enw *Beddgelert*. *Beddcelert* neu *Beddcilart*, a *Bethcelert* yw'r ffurfiau cynharaf, ac ymddengys *Celert* yn debyg i enw Gwyddeleg. Ond ni wyddys dim amdano. Rhaid fod y stori am Lywelyn a'i gi Gelert yn adnabyddus erbyn diwedd y Canol Oesoedd, ac yn dechrau cael ei chysylltu â Beddcelert. Profid hyn gan y ffaith fod y ffurf Beddgelert yn dechrau cael ei hysgrifennu yn ystod yr ail ganrif ar bymtheg ac yn lluosogi yn ystod y ganrif wedyn. Rhoddwyd sêl a bendith ar gysylltiad y chwedl â'r lle pan gododd tafarnwr lleol garreg i ddynodi man bedd Gelert.

A bu twristiaeth y ganrif ddiwethaf yn ddigon o fodd i'r stori gael gwreiddio'n ddwfn. Chwedl llên gwerin gydwladol yw hon, wrth reswm.

Mae *Bersham* neu y *Bers,* ger Wrecsam, yn un o'r enwau Saesneg cynnar yn nwyrain Dinbych, gyda'r -*ham* nodweddiadol Saesneg sy'n golygu 'tir porfa gwastad, tir yn nôl afon', hynny yw, bron yn gyfystyr â *dôl* yn Gymraeg. Mae peth amheuaeth ynglŷn â'r elfen gyntaf. Gallai *Berse* fod yn enw personol o bosibl, a hefyd yn air cyffredin sy'n golygu palis o gwmpas parc. Saesneg pur yw'r enw, beth bynnag yw'r ystyr fanwl.

Yn yr enw *Blaenafon* yn Sir Fynwy, tref ddiwydiannol a wnaed yn blwyf sifil allan o rannau o blwyfi Llanofer, etc., cyfeiria *Afon* at Afon Lwyd, gynt Tor-faen, enw sydd wedi llwyr ddiflannu bellach. Mae *blaen,* wrth gwrs, yn cyfeirio'n wreiddiol at flaen neu darddiad afon, ac wedyn, gan fod afonydd yn tarddu fel rheol mewn mynydd-dir, defnyddir *blaen, blaenau* am ucheldir. Felly cawn y gwahaniaeth sylfaenol a hanfodol rhwng Bro a Blaenau Morgannwg. Mae'r *Blaenau* yn Aberystruth yn fyrhad ar Flaenau Gwent. Sillebiad gwael yw *Blaina.*

Cymer plwyf *Blaen-gwrach,* Morgannwg, ei enw oddi wrth Afon Gwrach. Gall *gwrach* yma fod yn atgof am ryw wrach wironeddol mewn llên gwerin, neu efallai yn gyfeiriad at rediad llesg y dŵr. Rhaid cofio hefyd am nentydd sy'n dwyn yr enw *Gwrachen,* yn darddair oddi wrth *gwrach* yn ei ystyr 'hen wraig' neu fath o leuen.

Yr oedd *Blaenhonddan* gynt yn drefgordd ym mhlwyf Llangatwg Nedd. Tebyg fod *Honddan* yma yn drawsodiad o *Hoddnant,* sef yr un elfen *hodd-* ag a geir yn enwau afonydd fel *Hoddni (Honddu),* sef ffurf ar *hawdd,* term canmoliaethus am afon, tebyg i *teg.* Mae *hawdd* weithiau yn awgrymu 'tawel, esmwyth' mewn cysylltiad â nant neu afon.

Er mai *Bleddfa* yw ffurf bresennol enw'r plwyf ym

Maesyfed, y mae digonedd o enghreifftiau i brofi mai *Bleddfach* oedd yr enw gwreiddiol, ond y sillebiad *Blethvaugh* a geir fel rheol. Fe wyddys bod *blaidd* neu *bledd* yn amrywio â'i gilydd, a gall Bleddfach olygu rhyw gornel lle y byddai bleiddiaid yn ymgasglu. Ar y llaw arall, gall *bledd* fod yn ffurf ar enw fel Bleddyn, ac os felly, cyfeiriad sydd yma at y perchennog gwreiddiol.

Gŵyr pawb am *Y Borth* yng Ngheredigion. Rhaid mai oddi yma y byddid yn croesi Dyfi yn yr hen ddyddiau, gan mai un o ystyron y gair benywaidd *porth* yw lle y cymerir cafn neu geubal i groesi afon neu ddarn o fôr. Yn ôl traddodiad cynnar cysylltir Gwyddno Garanhir â'r hen Ogledd ac â Phorth Wyddno yno, ond yn ddiweddarach cydiwyd ei enw wrth y ddwy deyrnas a foddwyd dan y dŵr. Y ddwy deyrnas hon oedd un Helig ap Glannog rhwng Conwy a Bangor, a Chantre'r Gwaelod ym Mae Ceredigion. Llusgwyd Gwyddno i mewn i Chwedl Taliesin, a dechreuwyd sôn am Gored Wyddno yn Aberconwy, yn yr un lle â Chored Faelgwn. Yr oedd yn anorfod hefyd fod tuedd i dybio mai Porth Wyddno oedd enw llawn Y Borth yng Nghantre'r Gwaelod. Ond er bod Syr John Rhŷs yn awgrymu hyn yn gryf, nid oes tystiolaeth sicr a diymwad. Yn wir, enw cymharol ddiweddar yw'r Borth mewn dogfennau.

Mae *Brodi* neu *Brawdy* yn Sir Benfro yn codi llawer o anawsterau. *Breudy* a *Brewdy* yw'r ffurfiau cynharaf, a buasai'n demtasiwn inni feddwl am gyfuniad fel *brau* neu *brew* a *tŷ*, ond anodd fyddai dangos sut y cafwyd ffurf fel *Brodi*. Ar ben hyn mae ambell ffurf fel *Breudeth* a *Brideth* yn codi amheuon eraill. Gwell fydd gadael dyfalu dros dro.

Mae problemau hefyd gydag enw *Bridell* yn Sir Benfro. Ni thâl inni feddwl am *brid*, ac amheus gennyf a ddylem ystyried *prid*, gan mai *b-* a geir ar ddechrau'r enw o'r cychwyn cyntaf. Hwyrach y daw gwell gobaith o gofio mai *Brydell* a geir ymysg yr hen ffurfiau, a gallem wedyn sôn am y gair *brwd* 'poeth' gyda'r terfyniad *-ell.* Yr un *brwd* a geir yn enwau afonydd megis *Brydan.* Ac y mae *-y-* yn y safle yma yn tueddu i droi'n *-i-* yn y dafodiaith.

Mae cymysgu rhyfeddol wedi digwydd yn achos enw plwyf *Bronllys* ym Mrycheiniog. Ceir *Brynllys* a *Brwynllys,* ac ar y cyfan mae tystiolaeth y ffurfiau cynnar o blaid Brynllys. Sut bynnag am hynny, yr elfen bwysig yn yr enw yw *llys,* a dylid cofio bod y Llys-wen yn ymyl. Hen enw felly, ond 'wn i ddim a ddylid cysylltu'r rhain â chartref Brychan. Rhoddwyd Brynllys i Richard Fitz-Pons yn rhan o'r ysbail adeg y Normaniaid, a daeth i'w fab Walter wedyn. Ond priododd hwnnw â Margaret Clifford, a Chastell Clifford wedyn a ddaeth yn bwysicach na Chastell Brynllys.

Mae *Brymbo* adnabyddus ger Wrecsam, ac un arall ym mhlwyf Eglwys-bach. Mae'r cyntaf o'r rhain yn hen enw, sef *Brynbawe* yn 1391 a *Brinbawe* yn 1412. Felly *Brynbaw* ydoedd yn wreiddiol, a chyda'r acen ar y sillaf gyntaf naturiol yw cael ffurf fel Brymbo mewn oes ddiweddarach. Rhwng yr haneswyr lleol a'i gilydd i benderfynu pa fath o faw!

Brynbuga yw'r ffurf Gymraeg ar dref Usk. Mae'r enw hwn yn mynd yn ôl i'r bymthegfed ganrif o leiaf, ac ymddangosodd fel petai'n cynnwys yr enw personol Buga sy'n digwydd yn Sir Feirionnydd a Sir Drefaldwyn mewn enwau afonydd. *Burrium* oedd enw'r orsaf Rufeinig, a dwg hwn ar gof y gair Cymraeg *bwr* sy'n golygu 'tew, cadarn'.

Ar yr olwg gyntaf gellid meddwl mai enw hanner Cymraeg a hanner Saesneg yw *Brywffordd (Brynford)* yn Sir y Fflint, sef *bryn* a *ford.* Yr anhawster fodd bynnag, yw nad oes rhyd yno, ac mae'r ffurfiau yn *-ford* yn rhy hen inni ddal mai'r *ffordd* Gymraeg sydd yma. Ar yr un pryd mae *Brynffordd* yn dechrau ymddangos yn yr unfed ganrif ar bymtheg, ond efallai mai ymdrech ymwybodol sydd yma i Gymreigeiddio.

Enw llawn plwyf *Bugeildy* ym Maesyfed oedd *Llanfihangel-y-Bugeildy*. Enghraifft o'r Gymraeg yn edwino yn y sir yw ffurfiau fel *Beguildy*. Mae'n debyg mai ystyr llythrennol yr enw cyfansawdd yw *bugail* a *tŷ*, ond nid oes dewin a ŵyr erbyn hyn paham y rhoddwyd y fath enw ar y lle.

Cymreigiwyd *Buckley*, Sir y Fflint yn *Bwcle*. Enw Saesneg cynnar yw hwn eto, sef *boc* a *leah*, y llannerch yn y coed ffawydd. Ond mae rhyw gymaint o ôl cymysgu â'r Saesneg *buck*, sef 'bwch'.

Gwnaethpwyd *Bylchau* yn blwyf sifil yn 1855. Lluniwyd y plwyf o drefgorddau ym mhlwyfi Henllan a Llansannan.

Yr oedd *Carreghofa* gynt yn gastell pwysig. Codwyd yr un cyntaf yn 1100 gan y Norman Robert de Belleme. Cymysgryw yw hanes gweinyddol y lle. Plwyf yn Swydd Amwythig oedd Llanymynech, ond yr oedd un o'i drefgorddau, sef *Carreghwfa*, yn rhan o Faenor y Waun ac yn Sir Ddinbych. Tua chan mlynedd yn ôl trosglwyddwyd y drefgordd i Sir Drefaldwyn. Defnyddir *carreg* weithiau mewn enwau lleoedd yn ystyr 'craig', megis yn yr enw *Carreg Cennen*. Yr oedd *Hwfa* neu *Hofa* yn enw cyffredin iawn yn y Canol Oesoedd, a goroesodd fel cyfenw ar y Gororau, fel rheol yn y ffurf *Povah*, sef *Ap Hofa*.

Enw cymharol ddiweddar yw *Carreg-lefn* ym Môn. Ffurf fenywaidd *llyfn* yw *llefn*, a digwydd yr un enw ym mhlwyfi Cerrigydrudion, Llanfrothen a Nyfer. Yn y De gan fod *llefn* yn troi'n *llefen* ar lafar, ceir cymysgu â *llefain*, ac felly mae *Carreglefen* yn Llanwrda wedi mynd yn *Garreglefain*, camsyniad nid annealladwy.

Enw Saesneg yw *Cascob* ym Maesyfed sy'n cynnwys yn sicr y gair *hope*, 'dyffryn'. Geill yr elfen gyntaf fod yn enw personol; neu o bosibl y gair Hen Saesneg *cassuc,* sef 'brwyn, crawcwellt'.

Nid yw'r gair *cas,* talfyriad ar *castell,* yn digwydd ar ei ben ei hun, ond y mae'n weddol gyffredin yn y De mewn enwau lleoedd. Mae *Cas-fuwch* yn Sir Benfro yn codi problemau. *Castellbugh* oedd y ffurf yn 1513, ac fe geir enghreifftiau fel *Castell Bygh.* Ymddengys felly mai *bwch* neu *bych* oedd yr ail elfen yn wreiddiol ond bod hynafiaethwyr lleol wedi ei newid yn *buwch.* Yn Saesneg yr ynganiad yw *Castle By,* lle y gwelir yr *-ch* derfynol wedi colli.

Mae'r ffurf Gymraeg *Cas-lai* yn yr un sir yn ddiweddarach na'r ffurf Saesneg *Haycastle.* Cyfenw yw *Hay* fan yma, a'r hyn a ddigwyddodd oedd newid trefn yr elfennau nes cael *Castelhav* yn 1580. Talfyriad ar hyn yw Cas-lai.

Castell Llwchwr a geir tan yr ail ganrif ar bymtheg a'r ddeunawfed, a *Casllwchwr* wedyn.

Yn Sir Benfro eto y mae *Cas-mael,* gynt *Castell-mael.* Geill *mael* fod yn enw personol neu'r gair cyffredin am dywysog. Y ffurf Saesneg yw *Puncheston,* sef *Punchardon* gynt (enw lle yn Normandi). Yn ddiweddarach tybiwyd mai *Ponchard* oedd yr enw a thrwy ychwanegu'r elfen Saesneg *ton* ato cafwyd *Ponchardston* a *Puncheston.*

Mae *Casnewydd-ar-Wysg* yn adnabyddus. Bu gan y lle fwy nag un enw Saesneg, a Lladin, sef *Novus Burgus (Newburgh), Nova Villa,* a *Newport.* Gwelir mai ar y porthladd y mae'r pwyslais yn Saesneg. Y ffurf gynharaf Gymraeg oedd *Castell Newydd ar Wysg.*

Mae peth blas llenyddol ar enw *Castell Gwalchmai* yn Sir Benfro, ac ar y ffurf Saesneg *Walwyn's Castle.* Ni ellir bod yn sicr bod a fynno'r enw â Chwedl Arthur, gan fod Gwalchmai wedi dod yn enw digon poblogaidd. Yr hyn sy'n ddiddorol yw bod dwy set o ffurfiau yn Saesneg, sef *Castle Gawen* a *Castle Walwyn. Gawen* a *Gawain* yw'r ffurf

ar Walchmai yn y testunau Arthuraidd Saesneg a
Ffrangeg, ac y mae ffurf fel *Castle Gawen* fel petai'n
dangos dylanwad y ffurf lenyddol. Mae *Walwyn's Castle*,
fodd bynnag, yn ymddangos yn nes at y ffurf Gymraeg,
Gwalchmai.

Castellhenri yw'r ffurf Gymraeg ar *Henry's Moat* neu
Herismote gynt. Cyfansoddair yw hwn o'r enw *Henry* a
mote, sef 'tomen Henri'. Ar lafar ceir *Castellhendre*, sef
enghraifft dda o'r hyn sy'n digwydd yn aml gyda'r
cyfuniad *-nr-* yn troi'n *-ndr-*, fel yr aeth *anras* yn *andros.*
Diau hefyd fod peth o ddylanwad y gair *hendre* i'w deimlo.

Mae mwy nag un *Castellan* yng Nghymru, sef bachigyn
oddi wrth y gair *castell.* Ond yn enw'r plwyf yn Sir Benfro
enw cyfansawdd yw, sef *Castell-llan.* Dyma'r ffurf
gynharaf, ond mai *Castellan* a geir yn y rhan fwyaf o'r
cofnodion.

Yn yr enw *Castellmartin* ym Mhenfro eto, ceir cyfuniad
o'r enw Saesneg *castel* am yr hen gaer, ac enw'r sant y
cyflwynwyd yr eglwys iddo, sef Martin. Cymreigiad o
Castlemartin yw *Castellmartin.*

Pan sefydlwyd arglwyddiaeth Normanaidd *Emlyn*
parhawyd i ddefnyddio hen enw'r cantref a gynhwysai
ddau gwmwd Is Cuch ac Uwch Cuch. Ystyr *Emlyn* yn
llythrennol yw'r wlad o gwmpas y Glyn, sef Glyn Cuch,
hynny yw, *am*, a *glyn.* Hen gadarnle'r cantref oedd
Cilgerran yn Is Cuch, ond dewisodd y Normaniaid godi
castell newydd i fod yn ganolfan yr arglwyddiaeth yn
Uwch Cuch, a dyna sut y dechreuwyd sôn am y *Castell
Newydd yn Emlyn. Castellnewy* a glywir ar lafar.

Mae *Cas-wis* (Wiston) yn Sir Benfro yn enghraifft arall
o dalfyrru Castell, sef *Castell Gwys* gynt. Cymerodd yr
eglwys ei henw oddi wrth y castell. Fflemisiad oedd y
tirfeddiannwr lleol fel y dengys ei enw, Wizo Flandrensis,
a chymynnodd ef yr eglwys i fynachlog Caerloyw tua

chanol y ddeuddegfed ganrif. Yn Saesneg, ychwanegwyd
-*ton* at enw *Wizo* a chael *Wiston.*

Llanfihangel yw enw eglwys blwyf *Cefn-llys* ym
Maesyfed. Yr oedd hwn yn enw arwyddocaol gan mai
yma yr oedd canolfan Swydd Dinieithon.

Mae enw'r planhigyn *cegid* yn digwydd yn bur aml
mewn enwau lleoedd. Gair arall amdano yw *cecs.* 'Maes
y Cegid' yw *Cegidfa* yn Sir Drefaldwyn. Mae hwn yn hen
enw, ond mae'r enw Saesneg yn hen iawn hefyd, sef
Guilsfield. Ymddengys mai enw personol sydd yma, sef
Gyldi. Mae *cegid* yn digwydd hefyd yn Ystumcegid, a
cheir y ffurf ansoddeiriol yn yr enw *Cegidog,* sef y
drefgordd a gynhwysai eglwys Llan Sain Siôr ger
Abergele.

Enw priodol ar sefydliad eglwysig yw *Cellan,* Sir
Aberteifi. Bachigyn oddi wrth y gair *cell* yw hwn, a diau
fod cysylltiadau mynachaidd yma gan i'r llecyn dyfu'n
eglwys blwyf. Ond nid rhaid tybio hyn ym mhob
enghraifft o'r enw *Cellan.* Efallai yn wir ei fod yn enw
personol weithiau.

Bu tipyn o ddadlau am darddiad yr enw *Cenarth.* Ar
un adeg credid yn ffyddiog mai olion Gwyddeleg oedd
arno a'i fod yn cynnwys y gair Gwyddeleg *cenn,* sef 'pen',
ac y gallai gyfateb i enwau Cymraeg fel *Penarth,* fel y gallai
Ceniarth, Sir Drefaldwyn gyfateb i *Beniarth.* Ond
amhosibl yw profi hyn, a dylid bellach ystyried
posibiliadau'r gair Cymraeg *cen,* sef 'croen, haenen,
caenen', a meddwl am air cyfansawdd *cen* a *garth,* pa un
bynnag o ystyron *garth* a ddewisir, ai lle caeëdig, ai cefnen
o dir.

Cendl yw enw Cymraeg *Beaufort* ym Mynwy.
Dechreuodd Edward Kendall waith haearn yma tua 1780
a galwyd y llecyn Cendl i ddechrau, nes disodli hwn gan
Beaufort, sef Dug Beaufort, y perchen tir. Yn Llangatwg,

Sir Frycheiniog, yr oedd Cendl, ond trosglwyddwyd ef i Fynwy yn 1894.

Mae peth amrywiaeth rhwng ffurfiau cynnar *Carregceinwen* a *Cherrigceinwen* ym Môn, ond y ffurf olaf sydd wedi ennill y dydd. Yr un enw sydd yma ag yn enw plwyf Llangeinwen, sef y santes, gan fod Cerrigceinwen weithiau yn y dogfennau yn dwyn yr enw amrywiol Llangeinwen Fechan.

Mae elfennau enw *Cerrigydrudion* yn berffaith hysbys. Hen ystyr *drud* oedd 'ffôl, ffyrnig, dewr', a byddai 'meini'r dewrion' yn eithaf enw. Y drafferth yw na wyddom ni ddim pwy oedd y dewrion arbennig hyn, na pham y cysylltir meini â hwy. Bid a fo am hynny, pan ddechreuodd y chwiw dderwyddol yn yr unfed ganrif ar bymtheg, aethpwyd ati i ymyrryd â'r ffurf *drudion* a'i newid yn *druidion*. Cyfeithiad Camden yr hynafiaethydd oedd 'Lapides Druyadurum', neu Gerrig y Derwyddon. Afraid dweud, gobeithio, nad oes rithyn o sail i'r dyb hon. Gyda llaw, mae'r enw Cerrigydrudion yn digwydd nifer o weithiau mewn mannau eraill, yn enwedig ym Môn.

Afon a threfgordd yn Llanfihangel Genau'r-glyn oedd *Ceulan*, sef 'min afon, torlan'. Erbyn y ddeunawfed ganrif dechreuwyd cyplysu Ceulan a Maesmawr neu Maesmor, trefgordd arall. Ac fel Ceulan-y-Maes-mawr y digwydd yr enw cyfansawdd yn y cofnodion. Plwyf sifil yw *Ceulan-a-Maesmor* bellach.

Mae *cil* 'cilfach, cornel' yn elfen dra chyffredin mewn enwau lleoedd. Gair gwrywaidd yw hwn, ac fel rheol ffurf gysefin yr ail enw a gedwir, ond weithiau ymddengys fel pe trinid y cwbl yn un enw cyfansawdd gan dreiglo'r ail elfen. (Hyn a geir fynychaf yn y De pan fydd *cil* yn golygu tarddle nant.) Yn yr enw *Cilcain (Cilcen)* Sir y Fflint, mae'n debyg fod Cain yn cyfeirio at Afon Cain, un o ragafonydd Alun. Geill Cain yma fod naill ai'n ansoddair cyffredin neu o bosibl yn enw personol.

Cymerwyd *Cilcennin*, Ceredigion weithiau yn enghraifft
o ddylanwad Gwyddelig, a chymharwyd y gair
Gwyddeleg *cill*, eglwys, ond gan mor gyffredin yw *cil*
'cornel' yn Gymraeg nid rhaid cymryd hyn o ddifri. Yma
eto geill *cennin* fod yn blanhigyn gwirioneddol (cymharer
Llanbedrycennin a Chilrhedyn) neu yn enw personol.

Nid yw *Cilgerran* Sir Benfro yn hawdd ei esbonio. Mae
amrywiaeth yn yr hen ffurfiau, a *Cilgar(r)an* a geir
gynharaf. Nid ymddengys Cilgerran tan y bedwaredd
ganrif ar ddeg, a cheir y ddwy ffurf Cilgaran a Chilgerran
yn cydoesi am dipyn wedyn. Ar hyn o bryd ni ellir bod
yn bendant am y tarddiad, a rhaid aros am oleuni pellach
cyn penderfynu rhwng *Gar(r)an* a *Carran* ac efallai
Gerran, Cerran.

Enw arall yn Sir Benfro yw *Cilgeti*. Os Ceti yw'r ffurf
wreiddiol, mae golwg anghymreig arni. Mae'n ormod o
gyd-drawiad, mae'n debyg, fod Ceti yn digwydd fel enw
personol, er enghraifft yn *Ynys Geti* ger Abertawe (*Sgeti*
bellach). A dywedir bod *Maen Ceti* yn enw amrywiol ar
Faen Arthur ar Gefn-bryn ym Mro Gŵyr.

Beth a wnawn ni â *Chilgwrrwg* yn Sir Fynwy? Mae
amrywiaeth mawr eto yn yr hen ffurfiau, sef *Cilcorrog,
Cilcwrwg* a *Chilgwrog*. Mae'n amhosibl dweud p'un yw'r
enw, ai *Corrog* (oddi wrth *cor*), ai *Gwrog* (oddi wrth *gŵr*),
ai beth. Sut bynnag gallai'r ffurfiau yn -*wg* fod yn
ddatblygiad digon naturiol.

Nid oes dim yn arbennig iawn yn enwau'r plwyfi sy'n
dechrau â 'cil', megis *Ciliau Aeron, Cil-y-cwm* a
Chilymaenllwyd, ond mae'n rhaid cyfeirio'n fyr at
Gilybebyll, Morgannwg. *Pebyll* yma yw'r ffurf hynaf ar y
gair cyffredin, a *pebyllau* oedd yr hen ffurf luosog, ond
gan fod *pebyll* mor debyg i luosog (megis *padell, pedyll*),
gwnaethpwyd unigol newydd, sef *pabell* a lluosog newydd,
sef *pebyll*. Yr hen ffurf unigol sydd yn *Cilybebyll*.

Mae'r *Clas-ar-Wy* yn cyfeirio at y gymuned fynachaidd

a sefydlwyd ar lannau Gwy yn Elfael. Cyrhaeddodd y Saeson yma yn bur gynnar ac ychwanegu eu gair hwy, *burh,* sef 'amddiffynfa, tref farchnad', at yr enw *clas* nes cael *Glasbury.* Methai'r Saeson weithiau wahaniaethu rhwng *c* ac *g* ar ddechrau gair. Yr oedd y clas, wrth gwrs, yn elfen hollbwysig yn hanes cynnar yr Eglwys Gristnogol yng Nghymru.

Mae'n debyg y gellir cysylltu ffurf enw *Cleirwy (Cleiro),* Sir Faesyfed â'r *claer, clair* a welir yn y gair disglair, ac yn enwau afonydd fel *Claerwen* a *Chlaerddu.* Mae'n bosibl hefyd fod yr *-wy* ar y diwedd yn ôl-ddodiad, neu'n ffurf ar enw Afon Gwy. Ar lan Gwy y mae Cleirwy.

Mae rhes hir o ffurfiau ar gael ar gyfer *Clocaenog,* Sir Ddinbych, sy'n dyddio'n ôl i'r drydedd ganrif ar ddeg. Mae hi'n weddol eglur mai *clog* 'craig, clogwyn' sydd yma, elfen ddigon cyffredin mewn enwau lleoedd. Rhaid mai *caenog* yw'r ail elfen, sef ansoddair oddi wrth *caen,* 'haen, croen, pil'. Ai cyfeirio y mae at graig â chen arni?

Mae'r *Clun* yng Nglyn-nedd yn awr yn blwyf sifil, ond yr oedd gynt yn drefgordd yn Llanilltud Nedd. Sillebiad gwael yw *Clyne.* Mae *clun* yn digwydd yn gyffredin iawn yn y De am 'ddôl, gwaun', a phan fydd yn elfen gyntaf mewn enw lle mae peth tuedd i gael cymysgedd â *glyn.* Dyna a ddigwyddodd, er enghraifft, gyda *Chlunderwen (Glynderwen).*

Mae tarddiad *Clynnog* yn berffaith hysbys. Yn ffodus y mae gennym enghreifftiau o'r enw llawn, sef *Y Gelynnog,* hynny yw, y dull arferol o roi'r terfyniad *-og* ar ôl enw creadur neu goeden i ddynodi amlder. Terfyniad arall tebyg yw *-os.* Teilyngai Clynnog yr enw Clynnog Fawr yn Arfon o gofio am weithgarwch Beuno yn y cylch. Cafodd clas Beuno diroedd ym Môn, a dyna paham y mae trefgordd Clynnog Fechan yn Llangeinwen, yn ogystal â Dwyran Feuno. Yn Saesneg sonnid am 'Clynnog the Less'.

Coedanau oedd hen ffurf *Coedana* ym Môn. Yr unig Anau hysbys yw'r un y dywedir ei fod yn fab Caw o Dwrcelyn. 'Wn i ddim faint o sail sydd i fodolaeth y gŵr hwn.

Mae'r enw *Coed-ffranc* yn mynd yn ôl i'r drydedd ganrif ar ddeg pan gafodd Abad Mynachlog Nedd ffordd rydd i Abertawe drwy Goed-ffranc. *Ffranc* oedd y gair a ddefnyddid am y Norman. Yr oedd Coed-ffranc gynt yn drefgordd ym mhlwyf Llangatwg Nedd.

Ar yr olwg gyntaf mae *Coety* ym Morgannwg yn berffaith glir ei darddiad, hynny yw *coed* a *tŷ*. Ond mae ffurfiau'r Canol Oesoedd megis *Coetif, Coetyf*, ac yn y blaen, yn awgrymu'n gryf bosibilrwydd arall, sef *coed* a *du* a hen ffurf *duf* wedi goroesi rywsut neu'i gilydd.

Enw benywaidd yw *Colfa* yn Sir Faesyfed. Fe ddigwydd fel *Y Golfa* yn Sir Drefaldwyn, ac mewn enwau cyfansawdd fel *Moelygolfa*. Yr unig air tebyg i hwn yn Gymraeg yw *colf* sy'n golygu 'cangen, cainc', ond mae'n anodd esbonio ffurf fel Colfa yn -a.

Lluosog *cornel* yw *Corneli*, Morgannwg. Y ffurf arferol fodd bynnag mewn enwau lleoedd yw *Cornelau*.

Hen ffurf *Corwen* yw *Corfaen*. Mae mwy nag un posibilrwydd yma gan fod *cor* yn amrywio'n fawr ei ystyr. Ond mae'n debyg y gellid cyfyngu'r defnydd yma i 'cylch' neu 'bychan', hynny yw 'cylch maen' neu 'maen bychan', beth bynnag yw'r cysylltiadau arbennig a fyddai'n gweddu i enw plwyf Corwen.

Yr oedd *Crai* gynt yn drefgordd ym mhlwyf Defynnog, ond mae'n blwyf ei hun erbyn hyn. Oddi wrth yr afon y cymerodd y lle ei enw, a rhaid fod *crai* 'ffres, croyw' yn cyfeirio at ansawdd y dŵr.

Enw a welodd lawer o gyfnewid yw *Cregrina* ym Maesyfed. *Crugruna* oedd y ffurf yn 1291, ond yr oedd y beirdd hefyd yn sôn am *Graig Furuna*. Erbyn yr ail ganrif ar bymtheg ceir *Cerrig Runa*. Mae'n bur debyg mai *craig* yw'r elfen gyntaf, beth bynnag am yr enw personol Buruna.

Mae *Cricieth* yn dal i fod yn dipyn bach o ddirgelwch, ac nid yn gymaint o achos y ffurf. Mae digonedd o enghreifftiau cynnar yn profi mai cyfansoddair o *crug* a *caith*, lluosog *caeth*, yw'r enw. A gellid dangos ar hyd y canrifoedd fel y newidiodd y ffurf a chael *Cruciaith* a *Chricieth*. Gwir fod dwy *c* yn dod gyda'i gilydd gynt, ond erbyn heddiw gallwn fodloni ar un, er gwaethaf y dadlau brwd ar sut i sillebu Cricieth. Yr anhawster yw cyfrif am yr enw, ac ni wyddom ddim am yr hyn sydd y tu ôl i Grug y Gwŷr Caethion. Mae plwyf Cricieth yn cynnwys dwy hen drefgordd *Merthyr* neu *Dreferthyr* ac *Ystumllyn*. Yn wir ceir aml gyfeiriad at 'Cricieth alias Treferthyr alias Llan Saint Catrin'.

Mae enw *Cronwern* yn Sir Benfro yn ddigon diddorol. Y ffurf yn y ddeuddegfed ganrif oedd *Llangronwern*, ond eisoes erbyn y bedwaredd ganrif ar ddeg yr oedd yr -*n* derfynol wedi colli, a dyna sy'n cyfri am ffurfiau diweddarach megis *Cronwere*, *Cronwer*, ac yn y blaen. Mewn ardaloedd eraill ceir bod Cronwern, hynny yw 'y wern gron', yn tueddu i golli'r ail *r* a gorffen fel *Cronwen*, megis yng Nghroesoswallt, er enghraifft.

Mae cryn amrywiaeth yn sillebiad yr enw *Crucadarn* yn Sir Frycheiniog, a'r un amrywio rhwng *crug*, *cerrig* a *craig*. Ond crug sydd fwyaf cyson, a rhaid mai'r Crug Cadarn oedd y ffurf wreiddiol. Mae *crug* yn troi'n *crick* mewn orgraff Seisnig a dyna a geir hefyd yn yr enw *Crucywel* yn yr un sir, sef *Crug Hywel*, ond mai *Crickhowell* yw'r ffurf 'swyddogol' ers canrifoedd bellach.

Enw personol yn y bôn yw *Cynffig (Kenfig)*. Fe'i ceir yn y ffurf *Conficc* a *Cinfic* yn Llyfr Llandaf. Yr elfen *cyn* a ddefnyddir yn ffigurol am bennaeth sydd yn y sillaf gyntaf, ond mae gweddill yr enw'n dywyll. Aeth yr enw personol yn enw ar afon, peth sy'n digwydd yn aml, ac yna ar y dref ar lan yr afon.

Mae'r ddau enw *Cynwyl Elfed* a *Chynwyl Gaeo* yn cynnwys enw'r sant Cynwyl, ac enw'r cwmwd lle'r oedd ei eglwys. *Caeo* wrth gwrs yw ffurf arferol yr ail eglwys; mae'n blwyf erbyn hyn. Y gair *dâr* 'derwen' sydd yn yr enw *Darowen* yn Sir Drefaldwyn, ynghyd â'r enw personol Owen, felly *Darowain* gynt. Gan fod Darowen yng Nghyfeiliog, temtasiwn yw gweld yr un Owen yma ag yn enw'r pennaeth Owain Cyfeiliog, ond hyd y gwn i nid oes unrhyw brawf fod cysylltiad rhwng y naill a'r llall.

Enw llawn plwyf *Derwen* yn Sir Ddinbych oedd *Derwen Anial* neu *Ynial*. Ystyr *anial* neu *ynial* yma yw 'diffaith, unig', a rhaid bod rhyw dderwen nodedig yma a oedd yn hysbys i fro eang. Felly hefyd mewn enwau lleoedd yn Lloegr, megis *Aintree*, 'y goeden unig', ger Lerpwl. Ni allod yr esbonwyr adael llonydd i'r Dderwen Ynial, a dechreuwyd sillebu'r enw yn *Derwen Iâl*, fel pe cyfeirid at enw'r cwmwd Iâl. Anwybyddid y ffaith mai yn Nyffryn Clwyd yr oedd Derwen.

Yr ydym eisoes wedi cyfarfod ag enw plwyf *Dihewyd* yng Ngheredigion dan ei enwau eraill, sef Betws Dihewyd a Llanwyddalus. Y gair cyffredin *dihewyd* sydd yma, sef 'dyhead, awydd', mae'n debyg am lecyn dymunol. Digwydd yr enw ym Mhennal ac yn Llanilltud Faerdre hefyd.

Mae'n ddiddorol sylwi beth sydd wedi digwydd i'r ddau *Ddinbych, din* 'caer' a'r ffurf *bych* 'bychan'. Yn y Gogledd collwyd y sain -*ch* ar y diwedd, a chael *Denbigh* ar dafod y Saeson. Digwyddodd yr un peth yn y De gyda *Dinbych-y-pysgod*, ond yma caledwyd y *d* i *t* hefyd, a chael *Tenby*. Rhaid fod hyn wedi digwydd yn bur gynnar, ac yr oedd y ffurf Tenby yn hysbys yn y drydedd ganrif ar ddeg. Ychwanegwyd yr elfen ddiffiniol *pysgod* am fod yr ail Ddinbych ar lan y môr.

Adnabyddus yw *Diserth* yn enw ar eglwys, un yn Sir y Fflint a'r llall yn Sir Faesyfed, sef y *Ddiserth yn Elfael.* Defnyddir 'diserth' i ddisgrifio lle unig, diffaith, oedd yn ddelfrydol ar gyfer y saint hynny a ddymunai ddilyn y wedd arbennig hon ar Gristnogaeth gynnar. Fe gysylltir y Ddiserth yn aml â Sanffraid — Brighid Iwerddon — ac enw'r drefgordd lle'r oedd Llansanffraid Glan Conwy oedd y Ddiserth. Yn wir, ceir y naill enw fel y llall yn ddiwahaniaeth.

Yr oedd *Dolgarrog* gynt yn drefgordd ym mhlwyf Llanbedrycennin. Ffrwd gyflym yw *carrog*, ac fe'i ceir yn bur gyffredin.

Dôl a *cellau* sydd yn Dolgellau beth bynnag yw arwyddocâd y cellau, ai cysylltiadau mynachaidd, ai rhai masnachol. Mae'n wir mai *Dolgelley* yw'r ffurf fwyaf cyffredin yn y cofnodion ar hyd y canrifoedd, ac am y rheswm hwn mae rhai wedi dadlau mai Dolgelli yw'r ffurf gywir. Ond fe welir yr un peth yn achos enw plas *Nannau.* Gwyddom mai lluosog *nant* yw hwn, ac felly yn terfynu yn -*au*, ond *Nanney* sy'n digwydd mewn dogfennau bron yn ddieithriad. Mae ffurfiau ysgrifenedig fel Dolgelley a Nanney yn cynrychioli'r hen ffurfiau *Dolgelleu* a *Nanneu.*

Cafodd enw Dolwyddelan ei gam-drin yn ddybryd gan yr esbonwyr hynny a oedd wedi meddwi ar y Rhufeiniaid a'u holion yng Nghymru. Yr oedd unrhyw *sarn* yn ddigon iddynt dybio bod Elen Luyddog wedi ei throedio, ac fe luosogodd Sarnau Elen dros nos bron. Hawdd oedd hi hefyd iddynt weld Elen yn Nolwyddelan, ac er mwyn gwneud rhyw synnwyr o'r enw rhaid oedd ei newid i *Ddolydd Elen.* Ond beth a dâl inni wylltio wrth y newidwyr hyn? Gwell inni edrych ar Ddolwyddelan yn dawel ac yn ddigyffro, ac adnabod ynddo *dôl* a'r enw personol *Gwyddelan.* Yn ffodus gallwn esbonio hwn yn hawdd trwy dybio ei fod yn fachigyn ar *Gwyddel.* Yn well byth, gwyddom fod yr enw Gwyddelan ar gael, ac nad ffurf ddychmygol mohoni. Onid oes Llanwyddelan yn Sir Drefaldwyn?

Rhan o blwyf Gresffordd oedd *Erddig*, bellach yn blwyf sifil. Bachigyn ar y gair *ardd* 'bryn, ucheldir' yw hwn, a'r un enw yn hollol sydd yn ail hanner *Talerddig*.

Mae *Ewenni* yn enw hynafol iawn, fel y gwelir oddi wrth y ffurf Rufeinig *Aventio*. Mae nifer o bosibiliadau, a nifer o gynigion wedi eu gwneud i esbonio'r enw hwn, cynifer yn wir nes tywyllu cyngor a barn. Tybed nad oes cysylltiad â'r bon *aw-* 'dymuno' a welir mewn geiriau fel *ewyllys*.

Talfyriad yw'r enw *Y Faenor* ym Mrycheiniog ar yr enw llawn *Maenorwynno*. Cysylltir y gair *maenor* neu *maenol* â llys brenhinol yn aml, ond diau fod y gair wedi datblygu ystyron a chysylltiadau eraill, yn enwedig yn Nyfed lle y ceir rhes hir o faenoriaid. Weithiau nid yw'n golygu mwy na 'tref' yn yr hen ystyr. Y Faenor ger Aberystwyth oedd Maenor Llanbadarn. Felly hefyd yr oedd Maenol Bangor a Maenol Llanelwy a Maenol Gadfan yn Nhywyn, Meirionnydd.

Nid enw Cymraeg mo'r *Ferwig* yng Ngheredigion. *Berwic* oedd hwn yn Hen Saesneg, sef 'fferm haidd' yn llythrennol, ond hefyd yn ddiweddarach fferm ar gyrion stad. Rhaid fod Cymry'r ardal wedi synhwyro'r enw fel un Cymraeg, ac wedi ei drin yn enw benywaidd nes cael y treiglad Y Ferwig, efallai dan ddylanwad y gair *gwig*. Mae Berwig hefyd yn hen drefgordd yn Llanelli.

Mae hanes diddorol i'r enw *Fflint*. Codwyd y castell ar dir creigiog gan y Normaniaid, a chafodd y llecyn ddau enw, sef *le Flint* yn Saesneg, a *le Chaillou* yn Ffrangeg, ill dau'n cyfeirio at ansawdd y tir. Creadigaeth yr hynafiaethwyr yw ffurf Gymraeg fel *Caergallestr* ac nid oes iddi unrhyw awdurdod. Mae tipyn o anwadalu erbyn hyn ynglŷn â defnyddio'r fannod o flaen (Y) Fflint yn Gymraeg, a hyn wrth gwrs yn mynd yn ôl at y ffurfiau Saesneg-Ffrangeg gwreiddiol.

Enw Saesneg eto yw *Ffordun (Forden)* yn Sir Drefaldwyn, sef *ford* a *tun*, hynny yw, y fferm ger y rhyd. Mae olion ceisio troi'r enw yn Gymraeg mewn ffurfiau fel *Fforddun* a *Ffordding*.

Y Garn yw enw Cymraeg *Roch* yn Sir Benfro. Yn y dogfennau ceir y ffurf Ladin *Rupa* 'craig' a'r ffurf Ffrangeg *Roche*. Y ffurf Ffrangeg a oroesodd, ynghyd â'r ffurfiau Cymraeg *Y Garn* a *Chastell-y-garn*.

Mae enwau fel *Garthbeibio* yn codi problemau. Mae'r gair *garth* yn amrywio yn ei genedl, weithiau'n wrywaidd ac weithiau'n fenywaidd. Felly os dilynir *garth* gan enw personol ceir treiglad weithiau a'r ffurf gysefin bryd arall. Cawn *Garthgarmon* a *Garthbranan* ar y naill law, a *Garthgynfor* a *Garthbeibio* ar y llaw arall. Mae amrywio yn yr ystyr hefyd. Gall *garth* olygu 'lle caeëdig, corlan, cae', a hefyd 'tir garw, cefnen, codiad'. Beth bynnag yw'r ystyr yn yr enw uchod, mae'n sicr mai'r enw personol Peibio sydd ynddo. Enw personol hefyd sydd yn *Garthbrengi* neu *Garthbrynai* yn Sir Frycheiniog, a *Gartheli* yn Sir Aberteifi (Heli).

Y ffurf Gymraeg ar *Hay* ym Mrycheiniog yw *Y Gelli*. yr oedd *gehaeg* Hen Saesneg yn golygu 'palis, fforest wedi ei chau i mewn a'i neilltuo ar gyfer hela'. Mae un ffurf Ladin ar gael, sef *haia taillata* sy'n awgrymu'r Ffrangeg *la haie taillee*, 'palis wedi ei dorri'. Hyn, mae'n debyg, sydd yn sail i'r ffurf gymharol ddiweddar yn Gymraeg, sef *Y Gelli Gandryll*.

Y gaer Rufeinig sydd wedi rhoi ei henw i *Gelli-gaer*, Sir Forgannwg. Yr oedd hon ar y ffordd o Gaerdydd a Chaerffili trwy Benydarren i Aberhonddu. Ar un adeg yn ddiweddarach yma hefyd yr oedd y domen sy'n nodi un o lysoedd arglwyddi Cantref Senghennydd, gwŷr fel Ifor Bach a'i fab Cadwallon.

Enw disgrifiadol yw *Glasgwm* yn Sir Faesyfed, sef *glas* a *cwm*. Nid ffurfiant tebyg i'r Clas-ar-Wy felly, er bod yma hen blas i Ddewi, a chyfrifid yr eglwys gynt yn un o brif ogoniannau esgobaeth Mynyw. Yma y cedwid Bangu, cloch Dewi, a chanodd Gwynfardd Brycheiniog am y llan yng Nglasgwm 'ger glas fynydd'.

Diau fod enw Afon Corrwg yng *Nglyncorrwg* i'w gysylltu â'r *cor* sy'n golygu 'bychan'.

Enw cymharol ddiweddar yw *Glynebwy. Ebwydd* neu *Ebwyth* y gelwid yr afon gynt, a rhaid mai'r un *eb-* sydd yma ag yn *ebol, ebran,* ac yn y blaen, beth bynnag yw arwyddocâd cysylltu'r afon â cheffylau. Gallai'r ail ran olygu 'gwyllt' gan gyfeirio at rediad cyflym yr afon. Codwyd y gweithfeydd haearn ar dir fferm Pen-y-cae, a dyna oedd enw'r pentref nes bathu *Ebbw Vale.* Cyfieithiad yw Glynebwy.

Rhaid dweud gair am blwyf *Glyn-fach* ym Mrycheiniog. Ffurf ddiweddar yw hon eto, ac yn llygriad ar Glyn-bwch, enw sy'n rhoi mwy o synnwyr pan gofir am *Nant-y-bwch.*

Mae'r *Goetre* yn Sir Fynwy yn ei esbonio ei hun, ac y mae'n enw lle cyffredin iawn, sef 'y fferm ger y coed'.

Enw Saesneg yw *Gresford* yn Sir Ddinbych, ac yn gyfuniad o *grass* a *ford,* hynny yw, Rhyd-y-gwair, ac yn rhyd ar Alun lle y mae'r bont bresennol. Fel gyda llawer o'r enwau Saesneg cynnar hyn yn siroedd Dinbych a Fflint, aethpwyd i roi blas Cymreig arnynt, a dechrau sôn am *Gresffordd,* a hyd yn oed i dybio mai *Y Groesffordd* oedd yr enw cywir.

Ceir *Grondre* yn Sir Benfro yn agos i Arberth. *Cron* a *tre* sydd yn yr enw hwn.

Mae *Gwehelog* yn Sir Fynwy yn anodd. Yr unig air tebyg iddo yw *gwahalieth,* 'tywysog' a'r lluosog *gwehelyth* a ddaeth i olygu 'cyff, tylwyth', ond ni welaf ar hyn o bryd sut y gellir cysylltu'r geiriau hyn â'r enw lle.

Braidd yn anghyffredin yw ffurf enw plwyf *Gwenddwr* yn Sir Frycheiniog, gan mai *Gwynddwr* a ddisgwylid. Ond 'afon' yw ystyr *dŵr* yma, ac mae'n debyg fod cenedl fenywaidd 'afon' wedi effeithio ar y ffurf Gwenddwr. Mae Gwenddwr arall ym mhlwyf Rhaglan. Gwelir yr un math o drosi cenedl hefyd yn y Gwendraeth.

Nid enw Cymraeg mo *Gwersyllt,* er cymaint o esbonio sydd wedi bod arno ac ymdrechion i weld ynddo y gair *gwersyll.* Hen Saesneg yw hwn, *Wersull* a *Wershull* yn y ffurfiau cynharaf, sef *wearg,* 'troseddwr' a *hull* 'bryn', hynny yw bryn lle y crogid drwgweithredwyr. Yma mae'n debyg ar un adeg yr oedd man dienyddio Wrecsam. Byddai crocbren tref yn aml ar y cyrion. Yr enw Saesneg ar y crocbren ei hun oedd *wearg-treo,* ffurf sydd wedi goroesi yn *Warrentree* yn Nhrefdraeth, Penfro (Cnwc y Crogwydd yn Gymraeg). Yn y ffurf *Gwersyllt* gwelir unwaith eto y Cymreigio a fu ar enwau Saesneg ar y Gororau, trwy ychwanegu *g-* ar y dechrau, a *-t* ar y diwedd.

Ni chredaf fod a fynno'r Gwyddyl â *Gwyddelwern,* o leiaf nid o anghenraid. Y gair *gwyddel* sy'n golygu 'prysgwydd, llwyni' sydd yma, mae'n debyg.

Rhaid mai'r gair cyffredin *cyffyll* sy'n golygu 'boncyff' sydd yn *Y Gyffylliog* yn Nyffryn Clwyd. Ai cyfeiriad sydd yma at dorri coed, a gadael y bonion ar ôl?

Enw personol Saesneg sydd yn *Hanmer* Sir y Fflint, sef *Hagena* a *mere,* hynny yw, llyn Hagena.

Y tebyg yw mai enw personol yw *Helygen (Halcyn)* Sir y Fflint, gan ei fod yn enw sy'n digwydd mewn mannau eraill yng Nghymru, megis *Llanfihangel Helygen* yn Sir Faesyfed, a *Llanfair Tref Helygen (Llanfairtrelygen)* yng Ngheredigion.

'Cwm, dyffryn' yw *Hope* yn Sir y Fflint, o'r Hen Saesneg *hop.* Cymreigiwyd yr enw yn *Yr Hob.* Ymhlith yr hen drefgorddau, yr oedd *Hope Owen, Queen's Hope* a *Hope y Medachiaid,* ac ymddengys yr olaf fel enw teuluol.

'Rhyd y myn gafr' yw *Haverford,* Sir Benfro yn

llythrennol. Cymreigiwyd yr enw yn bur gynnar yn *Hawrffordd* ac yna ceid *Hwlffordd.*

Mae'r gair *llech* yn digwydd mewn tri enw plwyf. Yn *Llechgynfarwy(dd)* a *Llechylched,* Sir Fôn dilynir ef gan enwau personol *Cynfarwy(dd)* ac *Ylched.* Disgrifio ansawdd y rhyd y mae *Llechryd,* Ceredigion a Sir Fynwy.

Enw llawn plwyf *Lledrod* yng Ngheredigion yw *Llanfihangel Lledrod.* Rhaid felly fod Lledrod yn cynrychioli enw hen drefgordd neu ardal. Lledrod yw'r ffurf ar hyd y canrifoedd, felly *lled* a *rhod* sydd yma, nid *rhawd.* Rhaid inni feddwl am ystyr fel 'cylch' yn hytrach nag 'olwyn', a thybio efallai fod yma fath o amddiffynfa ar lun hanner cylch. Credaf fod modd inni esbonio hen enw *Llanfihangel-y-Creuddyn,* sef *Llanfihangel Gelynrod,* yn yr un modd. Enw trefgordd yw *Gelynrod,* a thybiaf mai *celyn* a *rhod* sydd yma, sef cylch o goed celyn. Cymharer fel y sonnir am 'ring' o goed yn Lloegr.

Gallwn frysio trwy enwau fel *Machen, Machynlleth, Mallwyd* a *Manafon,* gan fod y rhain i gyd yn cynnwys yr elfen *ma,* 'gwastadedd, maes', fel y gwelsom eisoes mewn enwau fel *Mechain, Machymbyd,* ac yn y blaen. Yn yr enw *Manafon* geill yr ail ran ddod naill ai oddi wrth yr enw personol *Anafon* neu *Nafon.*

Mae cyfres arall yn cynnwys y gair *maen.* Bachigyn yw *Maenan* yn Nyffryn Conwy. Tebyg fod *clochog* ym *Maenclochog* yn ansoddair oddi wrth *cloch* sef 'trwst, sŵn', ac y mae traddodiad lleol am feini oedd yn atseinio megis. Ceir bron yr un ffurf yn enw'r plas *Clochfaen,* a gellir hefyd gymharu enwau nentydd fel *Clochnant* a *Clochig.* Yr enw personol *Twrog* sydd yn *Maentwrog,* megis yn *Llandwrog.*

Mae tri enw plwyf yn cynnwys yr hen air Cymraeg *maenor,* sef llys pennaeth, a welir hefyd yn y ffurf *maenol.* Mae *Maenorbŷr* yn Sir Benfro yn cadw atgof am y *Pŷr* y cyfeirir ato yn *Ynys Bŷr* (Caldy Island). Mae *Maenordeifi* yn ei esbonio ei hun. Mae achos *Maenorowen* yn fwy cymhleth. Y ffurf wreiddiol oedd *Maenornawan*, a hon a geir yn ddi-feth ar hyd yr amser, sef *maenor* a'r hen enw personol *Gnawan*. Ond yr oedd pobl yr ardal yn dechrau meddwl yn y ddeunawfed ganrif mai enw eu plwyf oedd *Maenorowan*, a gwelir y ffurf hon yn dod yn boblogaidd ac yn gymeradwy, mewn ysgrifen a phrint, o leiaf. Y ffurf lafar a glywir yw *Marnawan*.

Mae'r Gymraeg yn defnyddio'r gair *march* i olygu rhywbeth 'mawr, cryf', yn enwedig gydag enwau planhigion. Cawn *marchredyn, marchysgall,* ac yn y blaen, yn union fel y ceir *horseradish* yn Saesneg. Enghraifft o hyn yw *Marchwiail* yn Sir Ddinbych, 'gwiail cryfion'.

Gair Lladin yw *Minera* am waith mwyn. Ni wn paham y dechreuwyd rhoi enw Lladin ar y lle, ond dyna a geir yn y cofnodion cynharaf, a gwyddom fod mwynwyr wrthi'n ddyfal yn yr ardal hon yn y Canol Oesoedd, llawer ohonynt yn Saeson. Mae'r ffurf Gymraeg *Mwynglawdd* yn dechrau ymddangos o'r unfed ganrif ar bymtheg ymlaen.

Fferm oedd *Mynachlog-ddu* yn Sir Benfro yn perthyn i Abaty Llandudoch, lle'r oedd Urdd Benedict. Gan mai du oedd gwisg yr Urdd hon, dyna ddigon i esbonio Mynachlog-ddu a hefyd yr hen enw Lladin *Nigra Grangia*.

Mae *Nefyn* yn ymddangos yn debyg i enw personol sydd wedi goroesi fel enw lle. Gellid ei esbonio, o bosibl, trwy gymryd y gair *naf,* sef 'arglwydd' gyda'r terfyniad *-yn*. Bu *Nercwys* Sir y Fflint yn enw anodd ei esbonio erioed. Nid oedd amheuaeth am yr hen ffurf, sef *Nerthgwys*, ac mae'n ddiddorol fod Nerthgwys arall gynt ym mhlwyf Llanddyfnan, Môn. Rhaid dadansoddi'r enw yn *nerth* a *cwys,* ond nid yw'n glir i mi beth yw arwyddocâd y ddwy elfen mewn perthynas â lle. Gall mai enw personol yw hwn, ac efallai y gellid dadlau bod *cwys* yma yn amrywiad ar y gair *coes*. Sut bynnag, mae ffurfiau fel *Nerquis* yn dechrau ymddangos erbyn yr unfed ganrif ar bymtheg, a hefyd ffurfiau sy'n dangos ôl tarddu poblogaidd megis Hannercwys.

Enw llawn *Nyfer* ym Mhenfro oedd *Nant Nyfer* neu *Nanhyfer,* beth bynnag yw ystyr yr enw. Mae tuedd yn y Gymraeg i ychwanegu -*n* ar ddiwedd gair ar ôl *r*, felly mae *Nefern, Nevern* yn ffurfiau sy'n mynd yn ôl i'r drydedd ganrif ar ddeg.

Gwyddys mai *ardd* 'ucheldir' sydd yn y gair *Pennardd,* ac felly hefyd yn yr enw *Penarlâg,* gynt *Pennardd Alaawg.* Fe'n temtir i dderbyn mai enw personol yw Alaaog, efallai o'r ansoddair *alafog* 'cyfoethog mewn gwartheg' ond gellid hefyd ystyried yr ystyr lythrennol a thybio bod ym Mhennardd Alafog le da i gadw gwartheg yn ddiogel. Os felly, byddai'n cydio wrth yr enw Saesneg *Hawarden* sy'n gyfuniad o'r ddau air *high* a *worthing,* sef 'fferm uchel'. Cymeraf yn ganiataol, pa ystyr bynnag a ddewisir, mai cyfieithu *pennardd* y mae'r *high* yn Saesneg.

Ni raid aros yn hir gydag enwau fel *Pen-bre* (pen-y-bryn), *Pencarreg, Penderyn* (Penyderyn gynt). Ond rhaid dweud gair am *Pendine.* Enw'r eglwys gynt oedd Llandeilo *Pentywyn,* yn ddisgrifiad perffaith o safle'r eglwys ar ben eithaf y milltiroedd o draeth melyn sy'n ymestyn o gyffiniau Lacharn. Ond mae'n amlwg nad Pentywyn sydd wedi rhoi'r ffurf Seisnig Pendine (ynganer Pen-dein). Rhaid fod ffurf Gymraeg megis *Pen-din* (fel Pen-caer) ochr yn ochr â Phentywyn.

Mae *Penmachno* yn enghraifft dda o dalfyrru ffurf hŷn fel *Pennant Machno,* fel y ceir *Pennant Aled* yn troi'n *Benaled* yn Llansannan.

Gan fod enwau fel *Peniarth* a *Pennarth* yn ffurfiau amrywiol ar y cyfuniad *pen* a *garth,* gellid tybio bod *Pennal* ym Meirionnydd yn gyfansawdd o *pen* a *gal* (gelyn), fel y ceir *Penial* o dro i dro. Ai tybed fod cyfeiriad yma at yr arfer o roi pennau gelynion meirw ar bolion?

Prin fod eisiau trafod enw adnabyddus fel *Penrhyndeudraeth,* gan y gŵyr pawb mai cyfeiriad sydd yma at y penrhyn rhwng y Traeth Bach a'r Traeth Mawr. Rhan o blwyf Llanfihangel-y-traethau oedd hwn gynt, a daeth yn blwyf annibynnol yn 1807. *Talsarnau* yw plwyf sifil Llanfihangel bellach.

Mae *Pentir* yn golygu'r tir yn y pen, fel y mae Penfro yn golygu'r fro ym mhen eithaf y wlad. Yn achos Pentir rhaid inni gofio, mae'n debyg, ei fod yn ffurfio rhan o Faenol Bangor, ac o safbwynt Bangor gellid sôn amdano fel y tir pellaf draw.

Hen ffurf *Pontypridd* oedd *Pont-y-tŷ-pridd,* gan gyfeirio at hen dŷ a safai wrth ben y bont. Codwyd pont newydd yma yn 1755, ac am gyfnod arferid dau enw, sef Pont-y-tŷ-pridd a Newbridge. Ond collwyd y ffurf Saesneg yn y diwedd am fod Newbridge arall adnabyddus yn Sir Fynwy.

Nid enw plwyf yw *Pont-y-pŵl,* ond dylid ei gynnwys yma efallai. Enw cymysg Cymraeg a Saesneg yw hwn, a'r gair *pool* yn cyfeirio at Afon Lwyd. *Trefddyn* yw enw'r plwyf, enw a drafodwyd eisoes, a digon fydd cofio yn awr nad yw'r ffurf *Trevethin* ond yn orgraff Saesneg ystrydebol a geir yn y dogfennau.

Mae enwau pwysig eraill nad ydynt yn blwyfi, rhai megis *Porthaethwy* yr wyf eisoes wedi eu trafod, ac eraill fel *Porth-cawl,* er enghraifft. Yma mae *cawl* yn golygu math o fresych môr, ac mae'n debyg fod cyflawnder o'r planhigyn hwnnw ar gael i roi ei enw i Borth-y-cawl. Ni wn faint o awdurdod sydd gan yr enw amrywiol sy'n digwydd weithiau, sef *Pwll-cawl.*

Ceid peth amrywio gynt rhwng *Pwllheli* a *Portheli,* ond efallai mai'r *ll* oedd yn peri anhawster i drigolion y fwrdeistref Seisnig. Heli môr yw'r ail eflen, mae'n debyg, er y ceir ambell ffurf hynafiaethol fel *Pwllhelig* sy'n awgrymu bod rhywun yn ceisio ei esbonio trwy ei gydio â Helig ap Glannog a'r hen draddodiad am Gantre'r Gwaelod.

Rhaeadr Gwy yw ffurf lawn Rhaeadr, Sir Faesyfed. Cyn codi'r bont yn 1780 yr oedd rhaeadr bur nerthol yma.

Orgraff anfoddhaol iawn yw *Rhigos*, Glyn-nedd. *Y Rugos* yw'r ffurf safonol gywir, sef enw yn disgrifio llecyn lle y tyfai llawer o rug. Ceir y *Grugos* mewn mannau eraill, hynny yw, *grug* a'r terfyniad *-os*. *Y Ricos* yw'r ynganiad lleol, gyda'r caledu nodweddiadol o dafodiaith Glyn-nedd a'r Rhondda.

Enw arall yn y cyffiniau yw *Resolfen*, sef ffurf ar *Rhos Soflen* a *soflen* yn fachigyn ar *sofl*, y bonion a erys wedi torri ŷd a gwenith.

Enw digon cyffredin yw *Talgarth* neu *Tal-y-garth* yng Nghymru, ond yr un y mae a fynnom ag ef yn awr yw Talgarth, Sir Frycheiniog. Dyma ganolfan un o'r arglwyddiaethau Normanaidd cynnar, ond mae lle i gredu hefyd fod ei bwysigrwydd yn hŷn na hyn, os gwir y dyb mai yma yr oedd y Garth Madrun a gysylltir â Brychan ei hun. Yr oedd enwau ychwanegol ar Dalgarth gynt, gan gynnwys Talgarth Uwch Porth, Talgarth Reginald a Thalgarth Anglicana neu Dalgarth English (fel y ceir Abergele Wallicana ac Anglicana, er enghraifft, yn y Gogledd).

Defnyddir y gair *ton* sy'n golygu 'wyneb, croen', ac yn arbennig 'tir heb ei droi, tywarchen las', yn bur aml mewn enwau lleoedd, yn bennaf a bron yn gyfan gwbl yn Ne-ddwyrain Cymru, rhwng afonydd Tawe a Gwy, sef Morgannwg a Gwent a dehau Brycheiniog. Y ffurf luosog yw *Tonnau*, a hon sydd i'w gweld yn ei gwedd dafodieithol *Tonna*, gynt yn rhan o blwyf Llanilltud Nedd, ond yn awr yn blwyf sifil ei hun.

Cawsom achos o'r blaen i sôn am yr enw *traean*. Rhennid plwyf Llywel gynt yn dair rhan, sef *Traean-glas,*

Traean-mawr ac *Is Clydach.* Erbyn hyn mae'r trefgorddau hynny yn blwyfi.

'Pwll', llyn yw *trallwng* a geir yn Y Trallwng (Trallwm), a dyna sy'n esbonio'r enw Saesneg *Welshpool.* Gelwid ef weithiau y Trallwng Coch ym Mhowys a Thrallwng Llywelyn. Enw un o drefgorddau'r plwyf oedd Trallwng Gollen.

Yr enw ar hen gartref y Morganiaid ger Casnewydd-ar-Wysg oedd *Tredegyr,* sef *tre* gyda'r enw personol Tegyr. Ceid ffurfiau amrywiol ar hwn yn ddiweddarach, megis Tredeger a Thredegar. Pan fabwysiadodd y teulu gyfenw newydd, *Tredegar* a ddewiswyd, a hwn a ddaeth yn enw ar y dref newydd a gododd yn sgîl y gweithfeydd haearn.

Ni chredaf fod a wnelo *Treleck* yn Sir Fynwy ddim oll â'r gair *tref. Tryleg* yw'r hen ffurf, a thueddaf i weld yma yr elfen *try* a ddefnyddir i gryfhau ystyr, megis *tryfan,* ac yn y blaen. Mae lle i awgrymu bod *lleg* yma efallai yn amrywiad ar air fel *llech,* ac y gellid esbonio Tryleg fel 'llech fawr'.

Hen ffurf Gymraeg Tintern yw *Dindyrn,* gyda'r caledu a geir o dro i dro yn Saesneg. Amlwg mai *din* 'caer' yw'r elfen gyntaf, ac y mae *dyrn* yn edrych yn debyg i hen ffurf enidol ar *dwrn,* a ddefnyddir yma fel enw personol.

Enw gwrywaidd yw *ystrad* 'gwaelod dyffryn', ond yn aml gellir treiglo ar ei ôl, yn enwedig pan ddilynir ef gan enw'r afon. Felly *Ystradfellte* (Mellteu gynt) ac *Ystradgynlais* (Cynlais).

Mynegai